HAA 230D

BRIAN LABAN

FERRARISSIME

BRIAN LABAN

FERRARISSIME

SOMMAIRE

INTRODUCTION

En décembre 1946, dans la revue *The Autocar,* l'article qui annonçait l'arrivée d'une nouvelle marque italienne débutait par le commentaire suivant : « Ni les destructions dues à la guerre, ni la crainte du communisme n'auront tempéré l'enthousiasme des Italiens pour les voitures du type Super-Sport. » L'article se poursuivait par la description « d'une voiture entièrement nouvelle, la Ferrari 125, qui sera construite dans une nouvelle usine située à Maranello... » et annonçait les projets de trois. modèles partageant un châssis semblable et dénommés respectivement Sport, Compétition et Grand Prix.

Sur la base des caractéristiques générales, et sans même avoir vu une voiture, la revue accueillait la marque avec ferveur. Enzo Ferrari, il est vrai, n'était pas un inconnu : bien qu'il ne fût pas encore un constructeur proprement dit, il était alors directeur de l'écurie de course Alfa Roméo. Les journalistes espéraient les débuts en compétition d'une Ferrari dans le courant de l'année 1947.

De ce jour, le ton de tout ce qui allait être écrit au sujet de la nouvelle marque reflèterait un profond respect pour les hommes concernés, ainsi que le flatteur espoir des succès à venir. Pourtant, il est peu probable que, même parmi les plus optimistes, quelqu'un ait pu pressentir ce qu'allait devenir Ferrari, hormis Ferrari lui-même.

Le grand talent d'organisateur de Ferrari n'avait d'égal que son opiniâtreté presque effrayante. En l'espace de quelques mois, la presse automobile faisait état des victoires en course des véhicules construits à Maranello, et, deux mois plus tard, il semblait que Ferrari se trouvait depuis toujours sur la scène automobile sportive et de compétition.

Ferrari n'était pas un technicien de formation. Il naquit en février 1898 à Modène. Son père, artisan en métaux, était propriétaire d'une affaire de taille modeste mais prospère. Pendant que son frère étudiait la technologie, pour la plus grande satisfaction de son père, Enzo caressait l'ambition de devenir journaliste, plus exactement journaliste sportif, ou bien encore chanteur d'opéra ; une chose est certaine, il détestait les études formelles. Puis, un jour de septembre 1908, son père l'emmena à la ville voisine, Bologne, où ils

Type 815,1940, dessiné par Touring.

Enzo Ferrari en 1920 à la Targa Florio.

assistèrent à la victoire de Felice Nazzaro dans la Coppa Florio, une course sur route. Dès lors, le jeune Ferrari, âgé de dix ans, sut exactement dans quel domaine il ferait carrière. Ce ne serait pas facile. Son père et son frère moururent à quelques mois d'intervalle, en 1916 et 1917. Enzo fut appelé sous les drapeaux - nous sommes alors en pleine guerre mondiale. Il servit d'abord dans l'artillerie comme forgeron, mais, à cause d'une santé précaire, il passa une partie de sa conscription dans les hôpitaux jusqu'à son retour à la vie civile en 1918. Il n'eut pas alors envie de relancer l'affaire familiale ; seule le tenaillait l'ambition de devenir pilote de course.

La lettre de recommandation que lui avait fournie l'armée ne réussit pas à lui gagner un poste chez Fiat, mais il trouva du travail chez un mécanicien turinois qui restaurait des véhicules militaires légers, en surplus, et approvisionnait un marché civil naissant. Ferrari était chargé de les convoyer, principalement entre Turin et Milan, où ils étaient recarrossés. Il rencontra un homme, qui devait servir ses ambitions, Ugo Sivocci, un pilote de course, également essayeur pour la C.M.N. (Costruzioni Meccaniche Nazionali), une firme milanaise qui, si elle aussi transformait des engins militaires, avait surtout des ambitions sportives. Sivocci présenta Ferrari à la C.M.N., qui l'engagea comme essayeur. C'est ainsi qu'il goûta pour la première fois, en octobre 1919, à la compétition. Il finit quatrième de sa catégorie dans une course de côte, la Parma Poggio di Berceto. Au mois de novembre, Ferrari et Sivocci participèrent, au volant de véhicules de la C.M.N. améliorés, à la Targa Florio. Ils conduisirent tous deux leurs voitures jusqu'en Sicile ; la légende veut que Ferrari repoussât l'attaque d'une meute de loups, dans les montagnes glaciales, grâce à un revolver de petit calibre qu'il transportait dans son paquetage... Il termina la course à la neuvième place, Sivocci à la septième, plusieurs heures après le vainqueur.

Ferrari et Sivocci quittèrent C.M.N. – qui survécut jusqu'en 1923 – et rejoignirent la firme Alfa (Anonima Lombardi Fabrica Automobili) qui possédait déjà une réputation sportive enviable. Sous les couleurs de son nouvel employeur, Enzo termina second de la Targa Florio, derrière l'illustre Giuseppe Campari, de la même

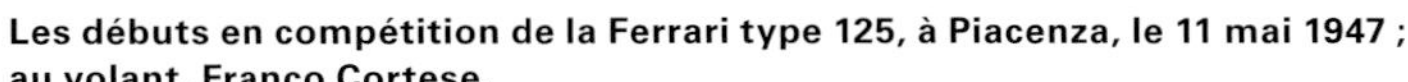

Les débuts en compétition de la Ferrari type 125, à Piacenza, le 11 mai 1947 ; au volant, Franco Cortese.

Battista « Pinin » Farina et Enzo Ferrari.

écurie. Cependant, ses succès en course n'atteignirent jamais à l'exceptionnel. Il remporta toutefois un certain nombre de victoires dans des courses secondaires, bien qu'il souffrît toujours de l'état de santé précaire qui avait marqué sa carrière militaire. Vraisemblablement, Ferrari était conscient de ses limites de pilote. En 1924 par exemple, il aurait dû conduire l'une des quatre Alfa P2 d'usine au Grand.Prix de Lyon, mais il ne participa pas à la course, à cause, semble-t-il, d'une dépression nerveuse. Quelques-uns virent là une crise de lucidité, sans doute cristallisée par la mort de son vieil ami Sivocci dans un accident survenu au cours des essais du Grand Prix d'Italie, en 1923.

Quoi qu'il en soit, Ferrari n'abandonna définitivement le pilotage qu'en janvier 1932, à la naissance de son fils Dino. Mais à cette date, il avait déjà posé les jalons d'une carrière de directeur d'écurie de course. En effet, dès son arrivée chez Alfa, il s'était mis en quête de nouveaux talents en matière de techniciens et de concepteurs, attirant à l'intérieur de la société des hommes tels que Luigi Bazzi et Vittorio Jano, parmi les meilleurs dans leur branche et, par coïncidence, tous deux transfuges de Fiat. En 1929, Ferrari fonda sa propre écurie – la Scuderia Ferrari – sous la bannière du Cheval Cabré. Quand, au milieu des années trente, Alfa rencontra à son tour de graves difficultés financières, la Scuderia Ferrari devint de fait l'écurie de course de l'usine, profitant ainsi, indirectement, des subsides du gouvernement qui maintenait la tête d'Alfa hors de l'eau. Sous le contrôle de Ferrari, la Scuderia forma, juste avant la Seconde Guerre mondiale, l'une des équipes les plus couronnées de succès sur les circuits de Grand Prix, jusqu'au déferlement des Mercedes et des Auto-Union soutenues par le gouvernement nazi.

En 1938, Alfa reforma une écurie d'usine officielle. Ferrari – devenu alors un personnage important de la scène du sport automobile européen – en reprit la direction. Mais ce retour fut de courte durée, car Ferrari n'a jamais été très tolérant envers ceux qu'il n'estime pas. Après avoir goûté à l'indépendance au sein de sa propre organisation, il ne put supporter la présence de certains membres du département Alfa-Course ; et, tout particulièrement, celle de

L'ancienne Ferrari type 125 à l'usine de Maranello.

Et la sublime F 430.

Wilfredo Ricart, l'ingénieur espagnol, qui, en terme d'arrogance, paraissait faire jeu égal avec lui. En l'espace d'un an, les conflits de personnalité précipitèrent le départ de Ferrari, qui quitta

Alfa avec une compensation financière et un petit groupe de fidèles (dont Bazzi). En contrepartie, il accepta de ne pas faire courir de voitures, sous son nom propre, en concurrence avec Alfa, et ce, pendant une période de quatre ans. Ferrari constitua un cabinet d'ingénierie et de stylisme, Auto Avio Costruzione, mais, s'il avait eu l'intention de respecter à la lettre son accord avec Alfa, cela ne dura guère. En 1940, Ferrari produisit deux petites voitures de sport à partir d'éléments Fiat. Elles étaient dotées de moteurs 8 cylindres 1,5 litres ; il les engagea aux Mille Miglia. Les voitures ne portaient pas la marque Ferrari mais, simplement, le sigle 815 (8 pour le nombre de cylindres, 15 pour la cylindrée). Toutes deux se disputèrent la première place dans leur catégorie, avant d'abandonner ; si Alfa eut l'intention de déposer plainte, les graves événements qui assaillirent le monde ne lui en a guère laissé le temps. Quand la guerre prit fin en 1945, l'accord passé avec Alfa était devenu caduc mais pas l'ambition de Ferrari, demeurée intacte. La presse annonça, à la fin de l'année 1946, les débuts de Ferrari dans la nouvelle carrière de constructeur d'automobiles. Le mythe Ferrari était dès lors en marche. De la première Ferrari 166 qui inaugure déjà en 1948 un moteur V12 à la toute récente F12 Berlinetta, la marque au cheval cabré n'a eu de cesse de conjuguer puissance, luxe et plaisir de conduire tout en restant fidèle à la compétition à travers la Scuderia Ferrari. Malgré de nombreux bouleversements technologiques et économiques – à l'image de la prise de participation du groupe Fiat dans le capital de la prestigieuse firme dès 1969 –, malgré la disparition du Commendatore en 1988 et malgré une crise aïgue durant les années 1980, Ferrari est aujourd'hui une entreprise dynamique qui a su aborder le nouveau millénaire avec pragmatisme sans sacrifier son héritage : une Ferrari reste et restera une automobile de haute technologie mais assemblée selon des méthodes artisanales. C'est cette histoire, qui oscille sans cesse entre passé et futur que nous vous racontons à travers cet ouvrage.

166 MM
BARCHETTA

Maranello est une petite ville de l'Emilia Romagna, région centrale de l'Italie du Nord, située au sud de Modène – ville natale d'Enzo Ferrari – et à l'ouest de Bologne, la capitale régionale. Cette petite ville allait devenir le berceau des voitures Ferrari. En 1943, Ferrari transplanta son cabinet Auto Avio Costruzione de Modène à Maranello lorsqu'il quitta définitivement Alfa pour devenir un constructeur à part entière. Pendant les années de guerre, Auto Avio devint une entreprise importante, employant plus de cent personnes, fabriquant de petits moteurs d'avion et autres engins mécaniques militaires. L'usine fut bombardée à la fin de 1944, puis, à nouveau, au début de l'année suivante ; mais Ferrari survécut à ces terribles événements. Au vrai, il n'aspirait qu'à redevenir un véritable constructeur de voitures de course et à oublier sa triste activité de fabricant d'équipements militaires. Au reste, ses engagements envers Alfa ayant expiré, il pouvait désormais fabriquer des voitures de course portant son nom. Peu de temps après la fin de la guerre, dans une Italie vaincue, sans ressources et en pleine ébullition politique, Ferrari fit l'annonce – extravagante – de son intention de construire des voitures de Grand Prix, des voitures de Sport-compétition et des voitures de sport, les dernières devant l'aider à financer les premières. Venant de n'importe qui d'autre, ces paroles auraient pu passer pour une absurde bravade, mais les journalistes connaissaient Ferrari et n'eurent pas le moindre doute quant à la naissance prochaine de ces véhicules.

Ferrari avait comme chef ingénieur Luigi Bazzi, et Gioacchino Colombo comme ingénieur-motoriste (à l'origine de l'Alfa 158, dont la supériorité fut écrasante). Leur présence aux côtés de Ferrari datait des années de compétition au sein d'Alfa, Bazzi de manière presque constante depuis le début des années 20, Colombo ayant renouvelé son allégeance en 1946. Alors que la plupart des grandes sociétés se remettaient avec difficulté de la guerre, Ferrari rentrait en scène avec sa série type 125 – complexe et techniquement en avance. Elle comptait trois modèles conçus autour du nouveau moteur dessiné par Colombo. Pour une cylindrée modeste de 1,5 litres, Colombo avait adopté l'architecture ambitieuse d'un V12 supercarré, doté d'un arbre à cames en tête par rangée de cylindres et de culasses d'une compacité jamais vue, explicable par les ressorts en épingle qu'elles renfermaient, comme sur les motos de course. On raconte que l'amour de Ferrari pour la configu-

Sur une production totale inférieure à cinquante exemplaires, la moitié des 166 MM furent des barquettes dessinées par Touring (*ci-dessous*) – elles appartiennent toutes à la première série.
Il existait des variations de détail entre chaque exemplaire de la 166 MM, cependant, la petite barque posée sur ses roues Borrani était d'une ligne très simple (*ci-contre*).

A la fin des années 40, la carrosserie intégrale de la barquette (*page de droite*) était en avance sur les voitures de l'époque, encore munies de garde-boue de motocycle en guise d'ailes.

DUNLOP RACING

1000 MIGLIA

YPY 333

La 166 MM, si elle représentait la première étape vers la production en série, restait pour Ferrari une machine de course. Pas le moindre luxe dans son habitacle fonctionnel (*en haut à gauche*). Le moteur Colombo (*à gauche*), alimenté par 3 carburateurs, était de plus forte cylindrée ; l'espace destiné aux bagages (*ci-dessus*) ne figurait pas au rang des priorités.

ration classique du 12 cylindres en V date du moment où il vit les reproductions d'une ancienne Packard V12.

Les types 125 firent leur apparition au début de 1947; quelques mois leur suffirent pour gagner en course. Il en fut construit deux exemplaires seulement ; l'un n'avait pas d'ailes mais, à leur place, des garde-boue de motocyclette, l'autre était doté d'une jolie carrosserie aux ailes intégrées, réalisée par Touring, le carrossier milanais.

Ferrari avait désormais accédé au rang de constructeur automobile ; son entreprise, cependant, demeurait de petite taille. Cela n'allait pas durer longtemps. Le moteur qu'avait créé Colombo, un bijou qui développait 118 ch en version compétition à aspiration naturelle, n'en était qu'à ses débuts, aussi bon fût-il, et, quand une nouvelle catégorie vit le jour en Formule 2 pour les voitures à moteur atmosphérique jusqu'à 2 litres, la réaction de Ferrari ne surprit personne.

Bazzi obtint la première augmentation de cylindrée, à la fin de l'année 1947, avec le type 159-1,9 litres, en accroissant l'alésage et la course. Comme dans le cas de la 125, il ne fut construit que deux exemplaires de la 159. Apparemment, l'une d'entre elles vit le jour à partir d'une 125 C transformée. C'est une 159 qui remporta le Grand Prix de Turin, en octobre 1947, mais ce modèle intermédiaire fut rapidement remplacé par une véritable 2 litres, la 166. Cet accroissement de cylindrée du V12 « bloc court » Colombo se fit en deux étapes ; d'abord par une nouvelle augmentation de l'alésage, qui produisit 1992 cm³, puis, après qu'un petit nombre de ce moteur eut été fabriqué, une très légère augmentation de la course la porta à 1995 cm³. 166 signifiait, bien sûr, que la cylindrée unitaire du moteur était de 166 cm³, selon la désignation en vigueur chez Ferrari depuis les tout premiers temps. La 166 apparut en novembre 1947 et, dès 1948, on la considérait déjà comme la voiture de sport à moteur atmosphérique techniquement la plus en avance au monde. Plusieurs versions coexistèrent ; la première fut la Spyder Corsa, dotée d'une carrosserie à ailes du type motocycle et de phares indépendants. A première vue, on avait du mal à décider si elle offrait deux places ou une seulement. Elle pouvait, en fait, servir aux deux usages, Sport et Formule 2. Alimenté par trois carburateurs Weber, le moteur de la Spyder Corsa développait 150 ch. La 166 Sport, la version tourisme, était donnée pour 90 ch ; deux exemplaires seulement furent construits, un spyder et un coupé, tous les deux carrossés par Allemano.

Vint ensuite la très belle 166 MM. Elle fut lancée en novembre 1948 au salon de Turin, le premier salon auquel participait Ferrari, où il choisit de dévoiler également la 166 Inter dont il présenta une version coupé, carrossée par Touring. Ce fut, en fait, la première véritable routière de Ferrari ; elle pouvait pourtant s'aligner en compétition. La MM était légèrement différente : comme cela avait été le cas pour les voitures l'ayant précédée, elle était destinée à la course mais restait utilisable sur route, peut-être davantage encore qu'aucune autre Ferrari de course jusqu'alors. Le constructeur allait même jusqu'à proposer des versions « tourisme et compétition », qui se

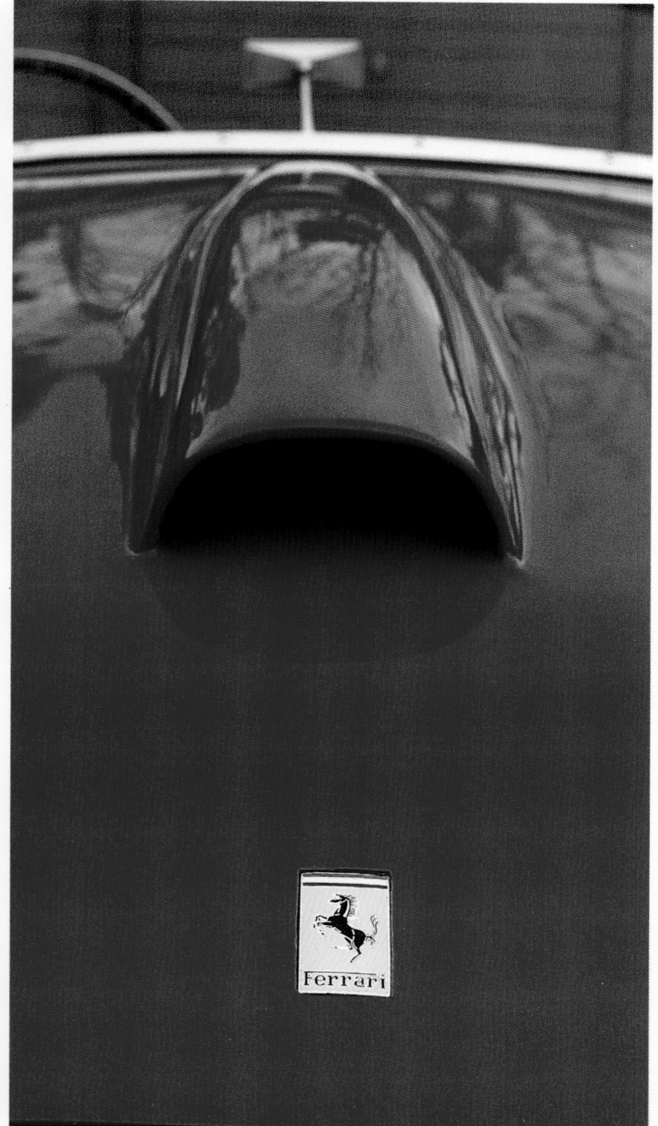

La méthode de construction *Superleggera* conférait une résistance intrinsèque à la carrosserie ; les courbes gracieuses du museau (*en haut, à gauche*) ajoutaient encore à la rigidité des feuilles d'aluminium ; la prise d'air sur le capot (*ci-contre*) et le tableau de bord complet (*à gauche*) étaient purement fonctionnels.

distinguaient principalement par la finition plus soignée de l'habitacle. Il ne s'agissait pas vraiment de concessions mais d'un assouplissement de l'esprit «pur et dur» qui prévalait sur les modèles de course.

Les lettres MM signifiaient Mille Miglia (Mille Milles), coup de chapeau à la victoire de Clemente Biondetti, au volant d'un coupé Ferrari 166 Sport, dans l'édition de 1948 de cette classique. Ferrari avait déjà saisi à l'époque l'importance de la publicité. Même si sa passion véritable restait la course, il savait aussi que les clients préfèreraient qu'une voiture de course fût belle à regarder, et Dieu sait si la 166 était belle! Elle recevait une carrosserie *barchetta* – barquette – signée par le Milanais Touring, inaugurant ainsi un style qui resterait présent chez Ferrari pendant de nombreuses années et qui serait également beaucoup copié par d'autres marques telles que AC avec son «Ace» ou encore par Carroll Shelby avec sa «Cobra». Sous des dehors magnifiques, on trouvait la qualité de construction qui faisait déjà la réputation de Ferrari. Le châssis était composé d'une solide structure triangulée en «X» en tubes ovales de grosse section, secondée par des tubes de section plus faible sur les côtés, disposition unique à Ferrari. La suspension arrière était confiée à des ressorts à lames semi-elliptiques, complétés de chaque côté par des bras tirés parallèles ; à l'avant, se trouvaient des leviers triangulés et un ressort à lames transversal. Les freins à tambour étaient en alliage léger avec une piste interne en fonte d'acier. La carrosserie était soutenue par un treillis de très petits tubes, selon la technique *Superleggera*, brevetée par Touring. Animant la 166 MM, le V12 Colombo tout aluminium, alimenté par trois carburateurs Weber, développait 150 ch au régime très rapidement atteint de 7500 tr/min. La transmission s'effectuait à travers une boîte à cinq rapports. Comparée aux autres voitures de l'époque, c'était là une remarquable conception. Et remarquables étaient les performances : la version course était donnée pour 225 km/h environ. La 166 MM remporta de nombreux succès : en plus de l'édition de 1948 qui lui donna son nom, elle triompha également, la même année, à la Targa Florio. En 1949, des 166 MM gagnèrent à nouveau ces deux courses et, pour couronner le tout, apportèrent à Ferrari sa première victoire au Mans, avec, au volant, Luigi Chinetti et lord Selsdon.

En très peu de temps, Ferrari était devenu l'un des ténors de la course automobile internationale. Alors que n'avaient été construits que deux exemplaires des deux modèles 125 et 159, une cinquantaine de 166 MM furent assemblées en deux séries, dont 25 étaient des barquettes, les autres comprenant cinq berlinettes carrossées par Touring, un spyder et un coupé signés Vignale et une berlinette «Panoramica» due au talent de Zagato. La première série fut achevée à la fin de 1951, la seconde s'étendit sur l'année 1953. Durant cette période, Ferrari ne resta pas inactif : en 1950, le moteur Colombo fut modifié et devint un 2,3 litres. Ferrari proposait toujours plus de puissance, plus de versions, dont quelques élégants modèles Inter destinés à de riches amateurs. Et, alors que le type 195 allait devancer la 166, la 212 surclasserait la 195 : la machine Ferrari était lancée!

166 MM BARCHETTA
CARACTÉRISTIQUES

MOTEUR
12 cylindres en V à 60°

CYLINDRÉE
1 995 cm³

ALÉSAGE A COURSE
60 X 58,8 mm

RAPPORT VOLUMÉTRIQUE
10 : 1

PUISSANCE
140 ch

DISTRIBUTION
Simples arbres à cames en tête

ALIMENTATION
3 carburateurs Weber 32 DCF

TRANSMISSION
Boîte manuelle à 5 rapports

SUSPENSION AVANT
Indépendante : doubles triangles superposés et ressort à lames transversal, amortisseurs hydrauliques à biellette.

SUSPENSION ARRIÈRE
Non indépendante, essieu moteur rigide, ressorts à lames semi-elliptiques, bras tirés parallèles, amortisseurs hydrauliques à biellette.

FREINS
Tambour sur les 4 roues

ROUES
A fil, écrou central

POIDS
648 kg

VITESSE MAXI
217 km/h

NOMBRE D'EXEMPLAIRES FABRIQUÉS, DATÉS
46 environ, 1948-1953

Ferrari

166 INTER

Au salon de Turin, en 1948, Enzo Ferrari présentait, à côté de la superbe petite 166 Barchetta, une voiture quelque peu différente : un élégant coupé à quatre glaces latérales, dessiné et construit par le carrossier milanais Touring, tout comme l'était la barquette. Il était équipé d'une version du dernier V12 de 2 litres sur un châssis semblable dans ses grandes lignes à celui de la MM bien que d'empattement légèrement supérieur. Le constructeur franchissait un pas décisif : présenter au salon de Turin de 1948 – le premier où il ait exposé – cette seconde voiture carrossée par Touring engageait la société sur le terrain inconnu de la production d'un modèle de série.

Enzo savait qu'il fallait choisir cette voie pour financer la compétition, sa véritable passion. La première voiture qu'il vendit à un client fut l'exemplaire original de la Spyder Corsa, construit en 1948. Le client s'appelait Gabriele Besana. Il s'agissait, en fait, de la quatrième voiture construite par Ferrari ; avant celle-ci, il y avait eu deux 125 Sport et deux 159. Mais l'une des 159 était en réalité la 125 originale de 1,5 litre remotorisée avec un V12 de 1,9 litre.

Ferrari vendit une ou deux autres voitures, mais, semble-t-il, seulement quand il fallait payer les salaires ou régler les dépenses liées à la course. Le propre frère de Gabriele Besana, le comte Soave Besana, se rendit acquéreur d'une de ces voitures, et c'est à son volant qu'il courut aux Mille Miglia, en 1948 (le vainqueur était Biondetti sur sa 166), qu'il prit la troisième place dans la Coppa d'Oro des Dolomites (avec son frère comme coéquipier), et qu'il arriva en second sur le circuit de Posillipo, près de Naples.

Une autre des 166 Corsa, menée à la victoire par Luigi Chinetti lors des Douze Heures de Paris, à Montlhéry, en septembre 1948, et qui établit un certain nombre de records de distances sur le même circuit, fut vendue à Briggs Cunningahm, devenant ainsi la première voiture de la marque à courir aux Etats-Unis. Dans les années 48-49, les 166 de compétition et, tout particulièrement, les barquettes MM, furent les voitures de sport les plus rapides au monde en classe 2 litres, la MM étant sans doute la plus rapide au monde toute catégorie.

Malgré la formidable publicité que constituaient ses succès en course, Ferrari éprouvait quelque réticence à vendre ses voitures. Dans une petite brochure datant de 1948, quatre types distincts étaient répertoriés, tous des variantes de la 166-2 litres. Deux d'entre eux étaient, par essence, des voitures de course : la 166 F2, monoplace à moteur 155 ch alimenté par trois carburateurs, châssis dérivé de celui de la Grand Prix, à suspension arrière indépendante à essieu articulé, et la bar-

La version de la 166 Inter provenant des Etablissements Farina (*page suivante*) reposait sur un châssis plus court que celui des premières versions Touring. On retrouve la trace de la 202 Cisitalia de Farina dans ces lignes trapues.

Bien que plusieurs stylistes fussent responsables des premières Inter, le thème de la calandre imposante, presque rectangulaire, se retrouve sur la plupart des voitures, même si elles diffèrent dans les détails (*page de gauche*). De nombreuses Inter étaient équipées de roues Borrani type Cabo Sport à jantes en aluminium et moyeu acier (*ci-dessous*).

quette 166 MM déjà mentionnée, à moteur 140 ch, alimenté par trois carburateurs, atteignant la vitesse maximale de 148 km/h. Les deux autres modèles de la brochure présentaient une vocation davantage tournée vers le « tourisme » : la 166 Sport, à moteur 89 ch, alimenté par un seul carburateur, à carrosserie quatre places réalisée par Touring, sur un châssis à empattement allongé (2 678 mm), et le coupé deux-places, au volant duquel Biondetti avait remporté les Mille Miglia cette même année 1948, carrossé par Allemano, à moteur 140 ch, alimenté par trois carburateurs. Cette voiture était décrite par Ferrari comme étant une 166 Inter, appelation brièvement utilisée auparavant pour quelques-unes des dernières 166 Spyder Corsa.

Le nouveau coupé présenté à Turin et carrossé par Touring était, lui aussi, dénommé 166 Inter, mais ce n'était ni une Spyder Corsa, ni même le coupé de Biondetti présenté dans la brochure. Pour ce qu'on pouvait en voir, il ressemblait à la 166 Sport décrite dans la brochure. Il s'agissait bien, en fait, d'une variation sur le thème que Ferrari avait jusqu'alors intitulé Sport, mais, en temps qu'Inter, elle devait jouer le rôle de voiture de production à côté de la 166 MM et des modèles Corsa. Le coupé franchissait un pas de plus vers la voiture de tourisme, alors que la Sport restait spartiate et polyvalente. Si Ferrari avait eu pour dessein d'embrouiller ses admirateurs, il y réussissait pleinement. Qu'importe le nom après tout pour une routière presque civilisée ! Le coupé quatre-places de Touring possédait des caractéristiques alléchantes ; le châssis, freiné par quatre tambours, s'il conservait la suspension avant indépendante, l'essieu moteur rigide et les ressorts semi-elliptiques à l'arrière, était légèrement différent de ceux des anciennes 166. Des entretoises de forte section épaulaient la structure échelle triangulée ; des tubes de petit diamètre fermaient les entretoises, à l'extérieur, en dessous des portières. Bien que les voitures fussent destinées à des pays où l'on conduisait à droite, toutes avaient le volant à droite au lieu d'être à gauche, à l'instar des modèles de compétition qui, eux, tournaient le plus souvent sur les circuits dans le sens des aiguilles d'une montre. La carrosserie, construite selon la technique *superleggera* brevetée par Touring, était plus légère que l'aurait permis la pratique courante de panneaux de métal couchés sur une menuiserie en bois ; les feuilles d'aluminium, formées à la main, étaient posées sur une structure en tubes fins, elle-même montée sur le châssis proprement dit.

Grâce à un empattement plus généreux et à une ligne de pavillon assez élevée, les premiers coupés Inter disposaient à l'arrière, en théorie, de la place pour deux passagers occasionnels, mais, naturellement, ne comportaient que deux portes.

Ce coupé était animé par une version à simple carburateur du V12 Colombo 2 litres, muni d'un collecteur d'admission réchauffé. La transmission s'effectuait à travers une boîte à cinq rapports, non synchronisés. Il fallait bien que les petites superfluités s'arrêtassent à un moment ! Ferrari annonçait pour ce moteur la puissance modeste de 90 ch (la puissance revendiquée pour la 166 Sport de la brochure était, elle aussi, de 90 ch) et une vitesse maximale de 160 km/h. Ces chiffres peuvent paraître faibles aujourd'hui, en 1948, ils étaient tout à fait impressionnants.

Ainsi fut mise en vente la première routière Ferrari conçue pour un usage routier, et elle se vendit bien. Le nombre d'exemplaires restait minime, bien sûr, mais le moule était forgé. A cette époque fut prise l'habitude, qui devait persister des années durant, de fournir simplement des châssis motorisés, roulants, et de laisser le client se soucier lui-même de la carrosserie. C'est pourquoi il est presque impossible de trouver deux Ferrari de ces années-là, construites autour des mêmes caractéristiques générales, parfaitement identiques.

Dans le cas de la 166 Inter, la plupart des clients (qui au total furent près de quarante) élurent la firme qui avait dessiné la première voiture – Touring. Il y eut trois séries distinctes, toutes avec leurs différences de détail. A la fin de 1949, Touring donna une allure plus moderne à la dernière série. Une ligne forte fut tendue depuis l'aile avant jusqu'au coffre, sans décrocher (comme c'était le cas sur la série précédente) à la jonction des ailes avant et arrière, ainsi que le voulait l'usage autrefois. Au salon de Turin de 1950, Touring prolongea la ligne du pavillon, réalisant ce qu'on appelerait de nos jours une bi-corps.

Derrière les styles variés de calandre (*en haut*) ou de prise d'air de capot (*au milieu*), on retrouvait une version sage du V 12, alimenté par un seul carburateur. Les pare-brise étaient plans pour la plupart et en deux parties. La lunette arrière de la « bi-corps » Farina (*ci-dessus*) était minuscule.

A l'inverse des machines de course, quelques compromis étaient admis dans la construction des voitures routières. N'étant pas contraint par un poids maximal, le styliste put se permettre de rehausser la ligne de quelques éléments décoratifs – tel cet entourage de phare (*ci-contre*).

166 INTER
CARACTÉRISTIQUES

MOTEUR
12 cylindres en V à 60°

CYLINDRÉE
1 995 cm³

ALÉSAGE A COURSE
60 X 58,8 mm

RAPPORT VOLUMÉTRIQUE
7,5 : 1

PUISSANCE
110 ch

DISTRIBUTION
Simples arbres à cames en tête

ALIMENTATION
1 seul carburateur Weber 32 DCF

TRANSMISSION
Boîte manuelle à 5 rapports

SUSPENSION AVANT
Indépendante : doubles triangles superposés et ressort à lames transversal, amortisseurs hydrauliques à biellette.

SUSPENSION ARRIÈRE
Non indépendante, essieu moteur rigide, ressorts à lames semi-elliptiques, bras tirés parallèles, amortisseurs hydrauliques à biellette.

FREINS
Tambour sur les 4 roues

ROUES
Aluminium/acier, écrou central (à fil, sur option)

POIDS
798 kg

VITESSE MAXI
168 km/h

NOMBRE D'EXEMPLAIRES FABRIQUÉS, DATÉS
38 environ, 1948-1951

Au début de 1949, à Genève – la première exposition de Ferrari hors d'Italie – fut présentée une 166 Inter carrossée en cabriolet par Stabilimenti Farina. C'était la deuxième voiture confiée à Farina et le premier cabriolet Ferrari, ce qui impliquait l'ajout d'une capote et de son logement, la distinguant ainsi des simples spyders ou des barquettes. Ferrari commençait à donner à ses clients ce qu'ils lui réclamaient ! Farina construisit deux cabriolets supplémentaires, tous deux très différents, et quatre coupés.

Ghia et Bertone contribuèrent d'une voiture chacun, respectivement un coupé et un cabriolet. Ce fut pour tous les deux la première réalisation sur un châssis Ferrari. Nouveau venu parmi les stylistes, Vignale carrossa lui aussi des modèles Inter. Installé à son compte depuis 1946 seulement, après avoir quitté Farina, il disputait déjà à Touring une bonne partie du travail confié à l'extérieur par Ferrari. Vignale réalisa neuf superbes coupés et un cabriolet, s'assurant par là même une place de choix parmi les carrossiers «attitrés» de Ferrari, tout au moins jusqu'à l'entrée en scène de Pinin Farina.

Au mois de mai 1949, trois coupés Inter (tous carrossés différemment) prouvèrent leur valeur en compétition en raflant les places d'honneur dans la Coppa Inter Europa, course réservée à ce que nous appelerions aujourd'hui des voitures GT. Il fallait voir là une qualité secondaire de la 166 Inter, car son titre de gloire, c'était d'avoir lancé la gamme commerciale de Ferrari. La 166 Inter fut remplacée en 1951 par la 195 Inter qui constituait une évolution du thème plutôt qu'un renouvellement.

195 INTER

Au fil des années, tant dans le domaine de la compétition que dans celui de la vente de voitures de tourisme, Enzo Ferrari s'était taillé une réputation d'individualisme forcené et de condescendance. L'accueil qu'il réservait à ses clients, même ceux qui pratiquaient la compétition, avec lesquels on aurait pu croire qu'il partageait quelque affinité de pensée, était légendaire ; au mieux indifférent, souvent d'une impolitesse délibérée. Il court de nombreuses histoires, auxquelles on peut ajouter foi, de riches clients venus à Maranello, le chèque à la main, pour prendre possession de leur voiture, que Ferrari fit attendre pendant des heures. Si parfois ils parvenaient jusqu'à la petite antichambre, ils n'étaient pas même admis d'autres fois à franchir les grilles et devaient attendre un coup de téléphone dans le restaurant situé en face. Quiconque s'aventurait dans ce temple de la mécanique pour y faire effectuer des réparations risquait d'être accueilli comme s'il avait malmené l'automobile personnelle de Ferrari. Malheur à celui qui osait réclamer des modifications sur sa voiture ! Il se voyait ostensiblement traiter avec mépris pour tant d'impudence.

Cet homme, qui avait naguère voulu devenir journaliste, qui connaissait l'importance de la presse et savait en user, qui pouvait déployer politesse raffinée et chaleur humaine et se montrer brillant quand l'humeur le prenait, Enzo Ferrari, donc, par un hasard étrange pouvait montrer une effarante désinvolture et un complet dédain des relations publiques. Il était notoirement difficile d'obtenir de lui un entretien, et grande était sa réticence à laisser quelqu'un d'autre qu'un acheteur potentiel essayer ses créations. Les quelques essais avérés des premières voitures font état de véhicules souffrant d'un manque de préparation ahurissant et de performances très inférieures à celles annoncées. Si l'on prend en compte son peu d'intérêt pour le côté commercial de son affaire et le sens théâtral qu'il manifestait pour répandre la légende Ferrari, son attitude est, sinon excusable, du moins compréhensible. Cette maladresse soigneusement étudiée s'appliquait aussi à d'autres champs d'activité : la course par exemple. Passés les premiers temps, à quelques exceptions près, il ne se déplaça plus sur les circuits, préférant diriger les opérations depuis son bureau, ses généraux lui rapportant les échos de la bataille par téléphone. Et le tonnerre se déchaînait sur leurs têtes quand les nouvelles étaient mauvaises. Ferrari avait trouvé là un moyen très sûr, et quelque peu sadique, de contrôler ses gens.

Avant de nouer des relations privilégiées avec Pinin Farina, Ferrari laissait à ses clients le choix de leur carrossier. Vignale avait d'abord été l'employé de Farina ; puis il s'était installé à son compte. Sa 195 Inter montre une belle sûreté de main (*page de gauche* et *ci-contre*).

Vignale et, surtout, son jeune styliste Michelotti n'hésitaient pas à se singulariser ; ils se permettaient même parfois une touche de clinquant fort prisé à Détroit dans les années 40 ; leurs créations n'en perdaient pas pour autant leur élégance (*double page suivante*).

La contribution stylistique de Michelotti compte de nombreux essais de calandres. On lui doit celle de la BRM V16 et, surtout, la classique calandre ovale (type boîte à œufs) de Ferrari. Cette calandre-ci (*en haut* et *ci-dessus*) était plus flamboyante. La finition des Inter était très soignée (*à gauche*).

Il était, par ailleurs, exaspérant dans son refus d'accepter les changements ; le retard qu'il prit, au fil du temps, dans l'adoption en compétition des améliorations indiscutables que représentent les freins à disques, le châssis monocoque ou encore le moteur en position centrale en est une preuve. Pourtant, il faut voir là un effet de la philosophie Ferrari : pour lui, c'était les moteurs qui gagnaient les courses, et ils considéraient les siens comme les meilleurs au monde. Cependant, les meilleurs moteurs du monde, eux aussi, doivent s'améliorer pour devancer toujours la concurrence. La course automobile est, avant tout, une perpétuelle quête de puissance. La puissance faisant gagner les courses, et tous les autres paramètres étant par ailleurs égaux, une cylindrée plus importante est le gage de plus de puissance.

Quand Ferrari arriva sur la scène sportive, à la fin des années 40, avec son V12 d'une nouveauté spectaculaire, et son châssis original, il possédait l'avantage certain d'avoir une des rares voitures à la pointe de la technique. Il assit sa réputation naissante en luttant contre une bien médiocre concurrence. Mais cela ne dura pas, et Ferrari dut vite se battre pour vaincre.

Les caractéristiques du châssis étant pratiquement figées, Ferrari laissa libre cours à sa passion pour les moteurs, avec tout ce que cela représente. En analysant les cinq premières années de l'histoire Ferrari, on se rend compte du rythme impressionnant de ses progrès en matière de moteurs. En 1947, il y eut le type 125-1,5 litres et le type 159-1,9 litres ; en 1948, il y eut le type 166-2 litres ; en 1950, le type 195-2,3 litres ; au début de 1951, il y eut le type 212-2,5 litres et, en 1952, le type 225-2,7 litres qui fit la liaison avec le classique type 250-3 litres. Si l'on excepte l'évolution due à Lampredi, toute cette lignée trouve à son origine le moteur Colombo. Dès que la course du vilebrequin fut fixée dans le type 166, à 58,8 mm, les accroissements successifs de cylindrée furent obtenus par simples augmentations de l'alésage, rendues possibles par l'espacement généreux des cylindres, sur le dessin original.

En s'appuyant sur ces données, il serait tentant de reléguer la 195 à un bref rôle intérimaire entre la 166 et la 212, mais ce serait oublier son importante contribution à asseoir la série. Jusqu'à l'avènement de la 166, Ferrari n'avait produit que des voitures de course, en petite quantité, et il s'était taillé une réputation sur un nombre, certes considérable, de victoires régionales, mais sans véritablement dépasser ce stade. Avec les victoires de la 166 au Mans, aux Mille Miglia, dans la Targa Florio, Ferrari accéda à la renommée mondiale et s'ouvrit l'accès au marché des voitures de production. Avec la 195, il poursuivit son élan.

En 1950, le moteur type 195-2,3 litres fit son apparition, en compétition d'abord, dans une 195 Sport. L'augmentation de cylindrée avait fait grimper la puissance de 140 à 170 ch sans altérer la fiabilité, car le V12 à sept paliers était très surdimensionné. Une poignée de ces voitures fut construite, dont une

Quelques années plus tôt, Ferrari n'aurait sans doute jamais imaginé des finitions aussi tape-à-l'œil : le garnissage de porte (*en haut à gauche*), le traitement bicolore élaboré (*en bas à gauche*) et les pare-chocs lourdement ornementés (*ci-contre en haut et en bas*), tous ces éléments sont signés Vignale.

seule d'entre elle représentait peut-être davantage qu'une amélioration des 166 précédentes. Toujours est-il qu'une 195 remporta la victoire aux Mille Miglia, en 1950, conduite par Gianni Marzotto ; cette même 195, pilotée par Raymond Sommer, se retrouva en tête avec une avance confortable dans l'édition de 1950 des Vingt-Quatre Heures du Mans avant d'abandonner pour raisons mécaniques.

Parallèlement à la 195 Sport, répétant ainsi un procédé établi avec la 166, Ferrari offrit bientôt une 195 Inter, plus orientée vers le tourisme que vers la course ; elle était nantie, bien sûr, de caractéristiques plus sages ainsi que d'un équipement et de finitions plus complets et plus soignés. Le premier exemplaire semble avoir été achevé à la fin de 1950, mais il ne fut dévoilé au public qu'en janvier 1951, à l'occasion du salon de Bruxelles. Alors que la 195 Sport avait adopté l'empattement plus court (2 200 mm) de la 166 MM, la 195 Inter reprenait celui de la 166 Inter (2 500 mm). Mis à part un moteur plus gros sur la 195, les deux voitures différaient peu. Le moteur de l'Inter était équipé d'origine d'un simple carburateur Weber, de plus gros diamètre pour la 195 que pour la 166, si bien que, malgré le rapport volumétrique un peu plus faible, la puissance passait de 110 à 135 ch, voire davantage dans la configuration à trois carburateurs. Le châssis était, ni plus ni moins, celui de la 166, avec une boîte à cinq rapports, des freins à tambours, une suspension avant à leviers triangulés et ressort à lames transversal ; à l'arrière, on trouvait l'essieu moteur rigide, des ressorts à lames semi-elliptiques, des bras tirés parallèles et des amortisseurs à biellette. Toutes les 195 Inter furent carrossées en coupé (ce qui les rendait un peu plus lourdes que les barquettes à qui elles ressemblaient en dessous de la ceinture de caisse). La tôlerie était confiée à quatre maisons : Ghia, Ghia-Aigle (de Suisse et sans parenté avec la précédente), Touring et enfin Vignale. Les Inter faites par Vignale étaient sans doute les plus abouties et presque toutes présentaient des variations dans les détails.

La 195 eut l'une des plus brèves carrières de toutes les Ferrari, même si l'on se réfère aux plus anciens modèles. Elle fut produite pendant un an à peine ; on en recense en tout 25 exemplaires. Cependant, mis en perspective, ces chiffres montrent le succès du type 195. La raison de cette courte carrière fut dévoilée au public au salon de Bruxelles de 1951 : c'était la 340 America, dotée du moteur 4,1 litres Lampredi. A côté de cette dernière, Ferrari présentait aussi un modèle, très semblable à maints égards à la 195 et même à la 166 qui la précédait, doté d'un moteur Colombo. Très semblable à ceci près que la nouvelle venue avait reçu un moteur dont la cylindrée avait été portée à un peu plus de 2,5 litres. Son nom : la 212. Ce fut une 212 qui surclassa les quatre 195 Inter participant à la Coppa Inter Europa, à Monza, en avril 1951, une course réservée aux nouvelles voitures à la mode : les GT. Au rythme où les ateliers de Maranello faisaient évoluer leurs voitures, on pouvait presque penser que la 195 était dépassée avant même d'être construite.

195 INTER
CARACTÉRISTIQUES

MOTEUR
12 cylindres en V à 60°

CYLINDRÉE
2 341 cm³

ALÉSAGE A COURSE
65 X 68,8 mm

RAPPORT VOLUMÉTRIQUE
7,5 : 1

PUISSANCE
135 ch

DISTRIBUTION
Simples arbres à cames en tête

ALIMENTATION
1 seul carburateur Weber 36 DCF

TRANSMISSION
Boîte manuelle à 5 rapports

SUSPENSION AVANT
Indépendante : doubles triangles superposés et ressort à lames transversal, amortisseurs hydrauliques à biellette.

SUSPENSION ARRIÈRE
Non indépendante, essieu moteur rigide, ressorts à lames semi-elliptiques, bras tirés parallèles, amortisseurs hydrauliques à biellette.

FREINS
Tambour sur les 4 roues

ROUES
A fil, écrou central

POIDS
952 kg

VITESSE MAXI
185 km/h

NOMBRE D'EXEMPLAIRES FABRIQUÉS, DATÉS
25 environ, 1951-1952

340 AMERICA CABRIOLET

Quand il lança, en 1947, les premières véritables voitures portant son nom, Enzo Ferrari éblouit le monde automobile par la taille réduite, la complexité et la superbe conception de leur moteur V12. La surprise vint de l'approche non conventionnelle qu'avait choisie Ferrari, à ce moment-là comme plus tard, pour augmenter la puissance : au lieu de construire un gros moteur, il se décida pour un petit multicylindre de 1,5 litres seulement dans la version originale du type 125. Comme le suggère la désignation, le moteur possédait une cylindrée unitaire de 125 cm³, soit moins que la cylindrée unitaire d'un moteur de Fiat 500 Topolino !

Les premiers moteurs V12 Ferrari furent dessinés par Gioacchino Colombo. Ce n'était pas seulement par pure excentricité que Ferrari avait choisi, avec 1,5 litres, une cylindrée si faible ; c'était à dessein, pour répondre à la nouvelle formule des voitures de Grand Prix : 4,5 litres à aspiration naturelle, ou 1,5 litres suralimenté. Ferrari avait probablement présent à l'esprit l'excellent moteur de l'Alfa 158 de Grand Prix (1,5 litres, huit cylindres en ligne, suralimenté) qu'avait dessiné Colombo avant de se laisser attirer par la firme de Maranello, quand il se décida pour un V12 de petite cylindrée. Alors qu'un gros moteur atmosphérique n'aurait eu qu'un seul usage, la course, un petit multicylindre, doté d'un compresseur, permettait de courir en Grand Prix et, dépourvu de suralimentation, autorisait Ferrari à offrir à ses clients une voiture de sport d'un prix abordable, en plus d'un modèle Sport-compétition adaptable aux catégories monoplace junior.

Les voitures des catégories junior et les voitures de production munies du V12 rencontrèrent un grand succès. Il en fut tout autrement de la 125 de Grand Prix, de 1948 (variante de la polyvalente bi-place des débuts) ainsi que de la 125 F1 à moteur quatre arbres à cames en tête, de 1949, la première voiture construite spécifiquement pour les Grands Prix. Ces voitures, munies du V12 à compresseur Roots, ne pouvaient rivaliser avec les Alfa, alors intouchables dans leur version 159.

Aussi, comme il avait parfois coutume de le faire avec ses protégés, Enzo Ferrari se brouilla-t-il avec Colombo, en 1950, et le laissa-t-il partir (d'abord chez son plus dangereux concurrent, Maserati, où il dessina le 250 F, ensuite chez Bugatti où il dessina le dernier prototype de Grand Prix, le visionnaire type 251 à moteur central, qui demeura inachevé). L'héritage de Colombo demeura pourtant chez Ferrari. Le « bloc court » V12 et ses descendants continuèrent à se distinguer pendant près

Les cabriolets 340 America furent à l'origine de la gamme des routières destinées au marché américain ; équipés de gros moteurs Lampredi sous leurs capots sculptés (*page de droite*), ils donnaient une impression de plus grand luxe (*ci-contre*) que les barquettes.

Vignale et Michelotti agrémentaient parfois le dessin des voitures destinées à l'Europe d'un soupçon de style américain.

En revanche, leur cabriolet 340 America (*ci-dessus* et *ci-contre*) offrait outre-Atlantique l'élégance européenne classique.

de vingt ans, jusque dans la configuration 3,3 litres animant la 275 GTB/4 de 1966.

Ferrari remplaça Colombo par Aurelio Lampredi. Motoriste de moindre renommée, Lampredi avait été l'assistant de Colombo ; il avait quitté Ferrari en 1947, pour revenir un an plus tard. Alors que Colombo s'était fait l'avocat d'un petit moteur suralimenté, ce qui avait, à l'époque, servi les desseins plus larges de Ferrari, Lampredi, proposa la solution d'un moteur de forte cylindrée à aspiration naturelle qui, pensait-il, serait à même de produire plus de puissance tout en étant moins gourmand. Seule la victoire importait à Ferrari, aussi Lampredi eut-il carte blanche. C'est ainsi que naquit la seconde gamme de V12 Ferrari : les moteurs «bloc long» Lampredi. Pour obtenir les imposantes cylindrées qu'il souhaitait, Lampredi conçut un nouveau V12 à 60°, mais, cette fois-ci, l'espacement entre les alésages était bien plus important que dans le cas du petit bijou né de l'esprit de Colombo, ce qui accrut notablement son encombrement. Ce n'était pas tout, bien sûr : les chemises humides étaient maintenant vissées dans les culasses afin d'obtenir une meilleure étanchéité, les culbuteurs étaient du type à galet et des conduits d'admission individuels remplaçaient les conduits dédoublés du moteur Colombo, sans oublier un système de lubrification très différent.

A l'origine, le gros moteur Lampredi était seulement destiné à la compétition, car Ferrari, à cette époque, ne voyait pas l'intérêt de vendre des voitures de sport de cette cylindrée (très coûteuses, par voie de conséquence) à ses clients «tourisme». Le moteur Lampredi fut présenté pour la première fois en 1950, sous la forme d'un 3,3 litres, logé sous le capot de deux modèles 275 S Sport-compétition, aux Mille Miglia, et à nouveau en juin de la même année, en 3,3 litres encore, dans un châssis de 125 F1, au Grand Prix de Belgique. Dans un nouveau châssis et porté à 4,1 litres, il fut engagé en juillet suivant au Grand Prix des Nations, à Genève. Finalement, dans un nouveau châssis de 375 F1, il fit ses débuts, au mois de septembre, en version GP 4,5 litres, à Monza, au Grand Prix d'Italie comme il se doit. Avec ce moteur, Ferrari triompha, à la régulière, de

Les roues à fil Borrani (*en haut à gauche*), très légères et résistantes, ont longtemps fait figure d'emblème pour Ferrari ; elles représentent le style européen en matière de voiture de sport. Vignale excellait dans le traitement des détails, telle cette poignée de porte caractéristique (*ci-dessus*).

Pour alimenter en air les carburateurs et refroidir le gros moteur Lampredi (en prévision du climat californien sans doute), le capot de la 340 America était pourvu d'une longue prise d'air frais pour les carburateurs et de larges ouïes de ventilation du compartiment moteur (*ci-contre*).

l'Alfa 159 au Grand Prix d'Angleterre, à Silverstone, en 1951. Il ne construisit plus de moteur de GP suralimenté avant le 1,5 litres turbocompressé de la 126C, en 1980.

Du point de vue commercial, Ferrari, à ses débuts, ne rencontra pas la fortune, loin de là ; il survivait à peine. Ce n'était pas tout de gagner sur des fronts aussi divers que les Mille Miglia, Le Mans et maintenant les GP, encore fallait-il vendre des véhicules à des particuliers pour financer les courses ; or, dans l'Europe d'après-guerre, on n'avait pas les moyens d'acheter des voitures. Cependant, après sa victoire au Mans, en 1949, l'Amérique commença à s'intéresser à Ferrari ; et l'Amérique offrait un vaste marché. La voiture victorieuse au Mans avait été conduite par un certain Luigi Chinetti, aux commandes presque d'un bout à l'autre de l'épreuve. Ce Chinetti, qui avait naguère remporté des victoires pour Alfa Romeo, vivait à présent à New York où il vendait des voitures. Il persuada Ferrari de lui laisser diffuser les siennes aux Etats-Unis qui se découvraient un intérêt subit pour les courses automobiles de type européen. Alors, Ferrari marcha de succès en succès. C'est ainsi que les gros moteurs Lampredi se retrouvèrent dans les voitures routières comme dans les voitures de course. Ferrari fut contraint de modifier sa propre philosophie, car les Américains, même s'ils comprenaient les avantages des voitures de sport européennes, croyaient au fond d'eux-mêmes que rien ne remplaçait la cylindrée. Avec le moteur Lampredi, Ferrari put alors donner à ses clients ce qu'ils voulaient exactement : une « grand tourisme » rapide et élégante.

La 340 America fut présentée au salon de Paris en octobre 1950, un mois seulement après les débuts de la 375 F1 à Monza ; elle était dotée d'un moteur 4,1 litres de 220 ch et d'une boîte à cinq rapports. La voiture du salon était une barquette due au crayon de Touring, posée sur un classique châssis Ferrari, à suspension avant indépendante par triangles et ressort à lames transversal, et à essieu moteur rigide à l'arrière. Les deux barquettes 275 S, sur lesquelles le 3,3 litres avait été essayé, qui n'étaient pas parvenues jusqu'au terme de

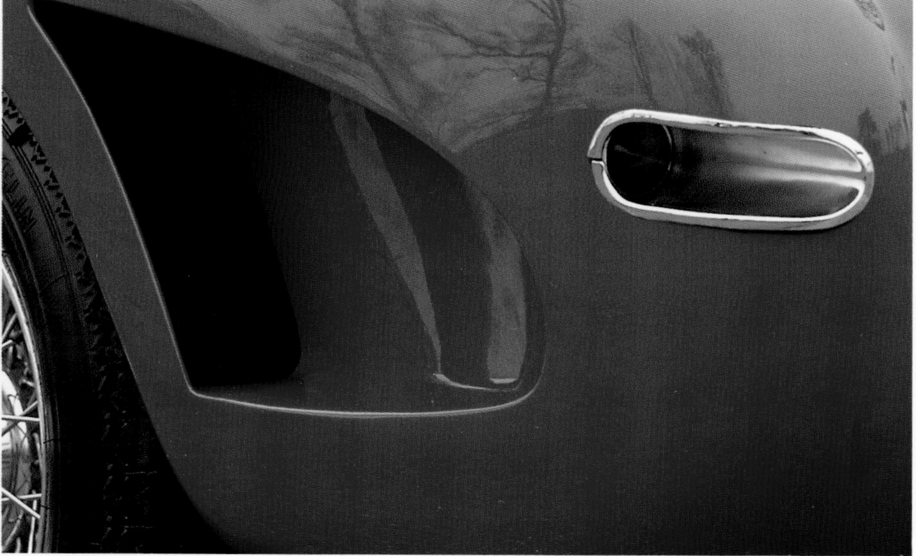

Cet exemplaire unique du cabriolet 340 America, ressemblant à une version décapotable de la 195 Inter signée Vignale, possédait un capot plongeant, coupé net et dépourvu de pare-chocs (*en haut à gauche*), des feux arrière encastrés dans les ailes (*ci-dessus*) ; la partie postérieure de la voiture, très basse, est tout en courbes (*ci-contre*).

340 AMERICA CABRIOLET
CARACTÉRISTIQUES

MOTEUR
12 cylindres en V à 60°

CYLINDRÉE
4 102 cm³

ALÉSAGE A COURSE
80 X 68 mm

RAPPORT VOLUMÉTRIQUE
8 : 1

PUISSANCE
220 ch

DISTRIBUTION
Simples arbres à cames en tête

ALIMENTATION
3 carburateurs Weber 40 DCF

TRANSMISSION
Boîte manuelle à 5 rapports

SUSPENSION AVANT
Indépendante : doubles triangles superposés et ressort à lames transversal, amortisseurs hydrauliques à biellette.

SUSPENSION ARRIÈRE
Non indépendante, essieu moteur rigide, ressorts à lames semi-elliptiques, bras tirés parallèles, amortisseurs hydrauliques à biellette.

FREINS
Tambour sur les 4 roues

ROUES
A fil, écrou central

POIDS
907 kg

VITESSE MAXI
225 km/h

NOMBRE D'EXEMPLAIRES FABRIQUÉS, DATÉS
25 environ, 1951

l'épreuve des Mille Miglia, furent remotorisées avec des 4,1 litres et prirent le nom de 340 America. Et voilà comment Ferrari lança la production en série des 340 !

Certes, celle-ci ne dura pas très longtemps, mais c'était un nouveau départ. Deux douzaines de voitures furent assemblées, avec toute une gamme de carrosseries, allant de la barquette à la berlinette, dues aux talents de Ghia, Touring et Vignale. Ferrari voyait surtout dans la 340 une voiture de compétition ; plusieurs d'entre elles, au reste, reçurent un moteur plus puissant, doté d'une lubrification à carter sec. Quelques-unes restèrent en Europe, mais bon nombre d'entre elles prirent le chemin des Etats-Unis.

En 1952, quelques voitures furent améliorées pour participer à la Carrera Panamericana, une prestigieuse course sur route. Elles reçurent le nom de 340 Mexico, et, en 1953, Ferrari en fit une variante encore plus puissante, la 340 MM – qui remporta l'épreuve d'où elle tirait son nom, les Mille Miglia – avant d'être transformée en 375 MM. En 1952, la 340 America fut elle-même remplacée. La nouvelle voiture, la 342, lui ressemblait dans les grandes lignes ; pourtant, elle était destinée plus particulièrement au tourisme. Son châssis était un peu plus long et un peu plus large (pour offrir une meilleure habitabilité autant qu'un confort supérieur), sa boîte de vitesse ne possédait plus que quatre rapports et son moteur 4,1 litres était un peu moins puissant. La 342 eut peu de succès, car l'Amérique n'avait que faire d'une Ferrari sous-motorisée et souffrant d'embonpoint. Il n'en fut construit que quelques exemplaires.

Ferrari, alors, se lança à l'assaut du marché américain avec la 375 America ; elle fut présentée au salon de Paris en 1953. La cylindrée avait gagné un demi-litre supplémentaire et 100 ch. Dans son essence, c'était une version surmotorisée de la 250 Europa préparée à la sauce américaine. Une douzaine de véhicules trouvèrent acquéreur ; elle fut remplacée, en 1955, par la 410 Superamerica qui flattait plus encore le goût des Américains et ouvrait le chemin à la Superfast. Ferrari apprenait vite.

LSU 448

212
INTER

A l'impossible question : « Quelle est votre voiture préférée ? », Ferrari répondait invariablement, avec son sens aigu des affaires : « Celle que je construirai demain ! » Il ne fallait pas seulement voir dans cette réponse un faux-fuyant ou un mot patelin. Pour une large part, il le pensait vraiment, car les voitures qu'il avait construites présentaient à ses yeux peu d'intérêt en regard de celles qu'il lui restait à créer. Une fois lancé, Ferrari ne pouvait plus se permettre de stagner. Le marché qu'il visait n'était certes pas encombré, mais il n'était pas pour autant une sinécure. Il fallait se battre contre des « pointures » telles qu'Alfa Romeo, Maserati, Aston, Jaguar, Mercedes, Lancia, et, de plus en plus souvent, contre Porsche. A en juger par la taille de certaines de ces firmes, Ferrari était non seulement un nouveau venu, mais aussi un petit poisson. Lui, qui pensait que sa production était meilleure techniquement, devait le prouver en compétition et, pour financer la compétition, il lui fallait vendre des voitures. Dans cet environnement, l'aspect commercial de son entreprise, encore mal assuré, devait impérativement se développer. En 1950, deux conceptions différentes se partageaient la gamme des voitures de tourisme : celle qui adoptait le « bloc court » Colombo et celle qui choisissait le « bloc long » Lampredi. Le moteur Lampredi avait été conçu en premier lieu pour la course ; il apparut d'abord, comme nous l'avons vu, dans la 275 S, puis en version GP dans un châssis de 125 F1 et, en 1951, il fut adopté par une voiture de tourisme, la première 340 America ; mais le gros des modèles Ferrari était toujours organisé autour de la famille des moteurs V12, créés par Colombo.

Tout avait commencé donc avec le type 125-1,5 litres de 1947 ; en 1951, les Ferrari équipées d'un moteur Colombo avaient déjà évolué depuis le type 159-1,9 litres, apparu lui aussi en 1947, pour devenir, en 1948, le type 166-2 litres et, en 1950, le type 195-2,4 litres. A partir du type 166-2 litres, la course du moteur fut fixée à 58,8 mm et conserva cette cote pendant que Ferrari jonglait avec la cylindrée en augmentant progressivement l'alésage pour atteindre au stade ultime du développement du moteur Colombo, si fécond : le 275-3,3 litres du milieu des années 60.

Plus tard, Ferrari raffinerait la conception des châssis, tout particulièrement à l'intérieur de la famille des 250 dont la longévité est remarquable ; mais dans les premiers temps, un accroissement de cylindrée n'était pas nécessairement synonyme d'autres transformations.

La 212–2,6 litres, telle qu'on la découvrit pour la première fois au salon de Bruxelles, en 1951, était un bon exemple de cette évolution continue mais prudente. La 212 fut lancée sous deux formes principalement : Export et Inter. L'Export était destinée à la compétition (ou du moins était-elle apte à courir autant qu'à rouler sur route), alors que l'Inter, moins puissante, était quant à elle conçue pour un «tourisme» sportif, quoique douée d'un tempérament bien marqué.

Vignale carrossa la plupart des 212 Inter qui, pourtant, variaient d'un exemplaire à l'autre ; trois exemplaires seulement furent construits du modèle présenté *page précédente*. Le volant à droite vivait ses derniers jours (*ci-dessus*) ; la poignée de porte élégante (*ci-contre*) rappelle que la voiture n'était plus seulement une machine de compétition.

En tant que telle, la 212 se présentait comme la descendante logique de la 195 de 1950 (dont les deux versions étaient dénommées Sport et Inter) et, de fait, comme celle de la 166, la première Ferrari à introduire le concept Inter à

LSU 448

côté des Sport, Corsa et MM, versions compétition de l'année 1948.

En rendant la production plus rationnelle, avec les versions Export et Inter seulement, Ferrari tira le meilleur parti possible de sa capacité de production encore limitée pour alimenter les deux marchés. Bien que d'une voiture à l'autre, les caractéristiques changeassent notablement, les plus importantes différences mécaniques dans le cas de la 212 consistaient en l'adoption sur l'Export de trois carburateurs Weber, quand l'Inter se contentait, au début, d'un seul. Parmi d'autres divergences mineures, un rapport volumétrique moins élevé caractérisait la version Inter – sans doute parce qu'une voiture de tourisme pouvait se contenter d'un carburant de qualité inférieure. Initialement, la 212 Inter développait donc 150 ch contre 165 ch pour l'Export. Les choses se compliquèrent quand l'Inter adopta des culasses modifiées, en plus de l'alimentation triple de l'Export, ce qui eut pour effet de porter sa puissance à 170 ch. L'Inter était maintenant au niveau de l'Export et, loin de chercher à tirer davantage de chevaux de cette dernière, Ferrari la remplaça par les types 225 et 250.

En plus des différences moteur, les Inter se démarquaient aussi par un châssis allongé – jusqu'à 343 mm supplémentaires entre la plus courte barquette Export et la berlinette Inter normale. La 212 reprenant le rôle des 166 et

La 212 était une voiture imposante, posée sur un long châssis (*page de gauche*) ; pourtant, Vignale lui avait conféré une allure sportive, agressive même, grâce à une ligne de pavillon très basse et à une énorme calandre. La nervure centrale du capot (*ci-dessus*) conduisait à deux écussons disposés symétriquement.
Malgré les intentions, sa vocation « tourisme » restait étouffée (*en haut*).

des 195, les châssis étaient semblables, à une différence près mentionnée plus haut, et suivaient le dessin simple et efficace, prôné par Ferrari, d'une échelle tubulaire renforcée en « X », d'une suspension avant indépendante à doubles triangles inégaux superposés et ressort à lames transversal inférieur, et d'un essieu moteur, de ressorts à lames semi-elliptiques, maintenu par des bras tirés parallèles à l'arrière. Il y eut pourtant un changement de taille, en 1952, quand Ferrari fit passer la direction de la 212 d'un côté à l'autre ; d'une conduite à droite, adaptée aux circuits, la 212 devint une conduite à gauche, plus logique si l'on se souvient que le marché principal de ces voitures était le tourisme.

Pourtant, les 212 affichèrent un beau palmarès en compétition. En 1951, une 212 pilotée par Pagnibon et Barraquet remporta le premier Tour de France, épreuve que Ferrari allait dominer pendant de nombreuses années avec ses GT polyvalentes. La même année, Marzotto et Taruffi finirent respectivement premier et second, au volant de 212 Export, dans le Tour de Sicile, et Villoresi enleva la Coppa Inter-Europa à Monza. Le résultat le plus significatif fut le doublé dans la Carrera Panamericana de 1951, où les 212 Export, carrossées en coupés par Vignale et conduites par Taruffi/Chinetti et Villoresi/Ascari, prirent les première et deuxième places. Même si Ferrari vendait principalement des voitures équipées de gros moteurs aux Américains, cette victoire fit bien plus aux Etats-Unis pour convaincre de la valeur de la marque que nombre de lauriers gagnés en Europe.

Malgré cela, la grande majorité des 212 restèrent sur le marché européen. Et nombre d'entre elles – près de 80 exemplaires sur les 110 environ construits – furent des Inter. Une étonnante variété, due à divers styles de carrosserie, caractérisa les 212. Le crayon se montra à l'occasion un peu lourd dans le traitement des détails ou la décoration saturée de chromes, mais beaucoup affichaient une beauté exceptionnelle ; de plus, la 212 marqua certainement un tournant chez Ferrari dans le choix de ses carrossiers. Le premier à réaliser une 212 Inter fut Vignale (qui comptait alors Giovanni Michelotti dans son équipe). Touring et Ghia produisirent également quelques voitures, au début. Vignale fut le plus prolifique : au cours de six séries, chacune différente de la précédente, il produisit, en plus de coupés, de cabriolets et de spyders Export, des coupés et des cabriolets Inter. La dernière série de coupés apparut en mars 1953.

Cependant, le styliste dont l'arrivée allait changer le cours des choses fut, assurément, Pinin Farina qui signait à ce moment-là, pour la première fois, une Ferrari de route. Battista (*alias* « Pinin ») Farina, était le jeune frère de Giovanni Farina, le fameux styliste dont l'entreprise, Stabilimenti Farina, fondée en 1905, avait carrossé quelques voitures pour Ferrari, à ses débuts. A la fin de 1952, Stabilimenti Farina produisit un coupé 212 Inter, sa dernière Ferrari puisque la firme fit faillite. Touring s'en alla lui aussi, en 1952, laissant une dernière barquette 212 Inter, et Vignale quitta également la scène avec une dernière série de coupés 212 Inter.

Battista Farina – qui choisit officiellement son surnom comme prénom et appela sa société Pininfarina, en 1958 – produisit un cabriolet 212 Inter qui fut vendu en Suisse, en 1952. En janvier 1953, on découvrit au salon de Bruxelles un coupé 212 Inter signé Pinin Farina. Il construisit par la suite trois cabriolets Inter et quelque quatorze ou quinze coupés. Bref, en moins d'un an, Farina habillait pratiquement toute la production Ferrari, pour la route comme pour la piste. Et, logiquement, il signa le dernier coupé 212 Inter. Il date de 1953. Le modèle fut ensuite remplacé par la 250 Europa, motorisée par le Lampredi 3 litres.

Ce fut la 250GT Europa qui prit véritablement le relais de la 212, en 1954. Elle fondait par là même la dynastie des 250.

Avec le succès des Inter, la finition intérieure s'ouvrait à l'élégance (*ci-dessus*), ainsi ce magnifique habillage de porte. L'extérieur n'était pas oublié, notamment dans le dessin irréprochable de ce feu arrière, signé Michelotti (*en haut*). L'alimentation par trois carburateurs était une option (*milieu*).

La ligne du pavillon est mise en valeur par la peinture deux tons de ce modèle ; il s'agit presque d'une deux-volumes (*ci-contre*). Un ressort astucieusement disposé (*ci-dessous*) maintenait le couvercle du coffre en position ouverte : un geste de considération pour un usage sur route.

212 INTER
CARACTÉRISTIQUES

MOTEUR
12 cylindres en V à 60°

CYLINDRÉE
2 562 cm^3

ALÉSAGE A COURSE
68 X 58,8 mm

RAPPORT VOLUMÉTRIQUE
8 : 1

PUISSANCE
150 ch (ensuite 170 ch)

DISTRIBUTION
Simples arbres à cames en tête

ALIMENTATION
1 carburateur Weber 36 DCF (ensuite, 3 carburateurs Weber 36 DCF)

TRANSMISSION
Boîte manuelle à 5 rapports

SUSPENSION AVANT
Indépendante : doubles triangles superposés et ressort à lames transversal, amortisseurs hydrauliques à biellette.

SUSPENSION ARRIÈRE
Non indépendante, essieu moteur rigide, ressorts à lames semi-elliptiques, bras tirés parallèles, amortisseurs hydrauliques à biellette.

FREINS
Tambour sur les 4 roues

ROUES
A fil, écrou central

POIDS
1 020 kg

VITESSE MAXI
201 km/h

NOMBRE D'EXEMPLAIRES FABRIQUÉS, DATÉS
84 environ, 1951-1952

250 MM

Ferrari ne pouvait pas le savoir à l'époque mais, en 1952, quand il fit passer la cylindrée du V12 dessiné par Colombo (alors parti de l'usine) de 2,6 litres pour la 212 à 3 litres pour les modèles 250, via les 2,7 litres des 225 de compétition (dont l'existence fut éphémère), il garantissait du même coup l'avenir de son entreprise. Moins de six ans auparavant, la presse avait annoncé l'intention de l'ancien coureur automobile – également ex-directeur de l'écurie course Alfa – de lancer sa propre marque de voitures. Il y avait seulement cinq ans qu'il avait présenté, comme promis, son V12-1,5 litres, d'une incroyable complexité; cinq ans seulement et il avait montré que, loin d'être des rêves impossibles, ses moteurs, soigneusement conçus, étaient fort capables de gagner dans toutes les disciplines.

Le bouchon de réservoir à ouverture rapide (*ci-contre*) et les nombreuses prises d'air sur le museau (*ci-dessous*) indiquent sans équivoque la vocation « course » de la voiture.

En 1948, Ferrari remporta les Mille Miglia et la Targa Florio; en 1949, il récidiva dans les mêmes épreuves et couronna le tout avec sa première victoire au Mans et dans les Vingt-Quatre Heures de Spa. La même année, de l'autre côté de l'Atlantique, Briggs Cunningham enleva l'épreuve de Watkins Glen au volant de la première Ferrari importée aux Etats-Unis. En 1951, Ferrari remporta de nouveau les Mille Miglia et ajouta à son palmarès la Carrera Panamericana, un marathon épuisant de 3 200 km en Amérique du Sud, qui, de l'avis de maints observateurs, faisait ressembler les courses sur route européennes à des promenades de santé! Ferrari, à cette époque, s'imposait déjà en Grand Prix, et son nom commençait à être sur les lèvres partout où l'on aimait les voitures de sport. Dans le compte rendu de cette première victoire au Mans, en juillet 1949, la revue *The Autocar* écrivait : « Quoique sa production se mesure en dizaines d'unités plutôt qu'en centaines, la Ferrari 2 litres est disponible dans un nombre de versions qui ferait honneur à une usine produisant à des milliers d'exemplaires par jour. Quand Enzo Ferrari... embaucha l'ingénieur Colombo pour concevoir ce qui allait devenir la voiture 2 litres la plus en avance qu'il ait été donné de voir, il partit du principe selon lequel le client est roi, surtout s'il possède de vingt à cinquante mille francs lui brûlant les poches. » Ce compliment masquait en fait le dilemme de Ferrari. Sa renommée grandissait de jour en jour, la fortune, elle, se faisait toujours attendre.

Or, en 1959, la situation n'était pas bien différente, d'un point de vue commercial tout au moins. Au mois de juin, la même publication commentait : « Leurs exploits en Grand Prix et en compétition de voitures de sport ont acquis la gloire aux voitures Ferrari; mais très peu de personnes peuvent se vanter de savoir ce qu'elles valent après les avoir expérimentées. Ces véhicules sont vendus très cher parce qu'ils sont fabriqués individuellement, et le nombre total d'exemplaires construits n'excède sans doute pas les trois cents unités. » Pourtant, l'usine était spacieuse, moderne et bien équipée; la main-d'œuvre, par la nature même du produit fabriqué, était nombreuse et très qualifiée. Selon *The Motor*, en 1951, l'atelier de contrôle de qualité employait à lui tout seul trente contremaîtres et inspecteurs. Près de quinze jours étaient nécessaires pour la construction et les essais d'un moteur; il fallait deux mille cinq cents heures pour assembler une voiture de sport, trois mille cinq cents à quatre mille heures pour une voiture de course – sans compter le temps qu'avaient demandé la conception et le développement. Le département compétition comptait, lui, jusqu'à quarante spécialistes. Chaque mois, vingt-cinq ou trente véhicules sortaient de l'usine, y compris les voitures de course; Ferrari ne pouvait ainsi espérer de grands bénéfices.

Fort heureusement, le modèle 250 allait marquer un tournant : elle ferait passer le petit manufacturier se battant pour

La plupart des 250 MM furent carrossées en berlinette par Pinin Farina, ou en spyder par Vignale; ce coupé signé Vignale est unique. Le marché américain prenant toujours plus d'importance, Vignale introduisit très habilement quelques touches stylistiques des années 50 telles que ces embryons d'ailerons (*page de droite*).

CARRERA PANAMERICANA
COPILOTO: PEDRO VILLEGAS
PRODUCTOS
1·2·3
5
SINCLAIR

Les roues à fil traditionnelles à écrou central (*ci-contre*) se retrouvent sur la production Ferrari des années 50 et des années 60 ; elles ont coiffé des freins à tambour plus longtemps que chez d'autres constructeurs.
La présence d'un venturi de carburateur (*ci-dessous*) par cylindre indique une configuration course du moteur 250-3 litres.

produire des modèles uniques ou en série limitée au rang d'un constructeur d'importance, à l'assise financière mieux établie. La famille des 250 s'agrandit et prospéra pendant une dizaine d'années, et, quand la fabrication en cessa, le nombre total de véhicules atteignait presque trois mille cinq cents, plus de dix fois l'estimation faite en 1951 par *The Autocar*.

La première de la lignée des 250 fut une Sport-compétition : la 250 S, qui apparut en mars 1952. Elle représentait, à son tour, une évolution de la plus ancienne 225 S, également née en 1952, qui était munie d'un moteur Colombo de 210 ch (ou, plus exactement, d'un bloc Colombo associé à certaines caractéristiques des moteurs Lampredi, tels que les culbuteurs à rouleaux et des conduits d'admission individuels et non dédoublés). La 225 S fut fabriquée à vingt exemplaires environ ; des spyders et des berlinettes signés par Vignale, ainsi qu'une barquette produite par Touring. Elle remporta de nombreuses épreuves – elle compte parmi les Ferrari les plus titrées. Mais, comme tou-

Ferrari remporta, en 1951, la Carrera Panamericana, une course épuisante, avec un coupé 212 signé Vignale, puis, en 1954, avec une 375 Plus à moteur Lampredi. Bien que ses caractéristiques en fassent une concurrente idéale, la 250 MM (*page de gauche*), aux mains de pilotes privés, ne remporta jamais la Carrera.

jours, Ferrari pensait déjà à l'étape suivante. Cela se traduisit, encore une fois, par une nouvelle augmentation de cylindrée. Dans le cas de la 250, la course resta fixée à 58,8 mm comme pour la 225, et l'alésage passa de 70 à 73 mm, ce qui porta la cylindrée à 2 953 cm^3 – presque trois litres, soit le double de la cylindrée originale, le maximum que l'on pourrait tirer du moteur Colombo, dans cette configuration. Le moteur était maintenant d'une taille idéale, suffisamment gros pour les applications tourisme comme pour la compétition. Avec une surface de piston enviable et une course réduite, il était puissant et souple et prenait rapidement ses tours, le tout sous l'encombrement et avec le poids réduit conférés par le « bloc court ». Avec l'alimentation, les arbres à cames et les réglages appropriés, il devenait assez versatile pour convenir tout autant à une 250 de tourisme qu'à une concurrente du championnat du monde des voitures de Sport. Le moteur Colombo 3 litres devint, à juste titre, un classique ; sa longévité et les succès qu'il remporta dépassèrent ceux de tous les autres moteurs Ferrari.

La 250 S – hors série qui n'était, en fait, qu'une 225 S carrossée en berlinette par Vignale et dotée du nouveau 3 litres – fit une courte mais glorieuse carrière. Elle mena au Mans mais ne fut pas à l'arrivée. Elle resta en tête de la Carrera Panamericana jusqu'à son abandon sur bris de transmission. Elle remporta, enfin, les Douze Heures de Pescara. Mais sa victoire la plus fameuse, elle l'avait acquise plus tôt dans cette saison 1952, aux Mille Miglia, l'une des courses sur route les plus difficiles : Giovanni Bracco (vainqueur à Pescara et longtemps en tête dans la Carrera Panamericana) remporta l'épreuve cette année-là contre un plateau d'adversaires exceptionnellement relevé ; il arracha la première place à la Mercedes-Benz 300 SL de Karl Kling, après avoir déployé un pilotage extraordinairement agressif.

Quand la 250 apparut, Ferrari s'était conformé à la norme, en adoptant la conduite à gauche. A l'intérieur, l'impression dominante restait celle d'une voiture avant tout destinée à la compétition (*à gauche*). C'est par la ligne de pavillon qu'on distingue le coupé de la berlinette (*ci-dessus*).

Les extracteurs d'air pratiqués dans les vitres de custode (*ci-dessus*) et la longue prise d'air sur le capot moteur (*ci-contre*) ont la même fonction : alimenter en air frais l'habitacle et le compartiment moteur afin que pilote et mécanique bénéficient des meilleures conditions de fonctionnement.

250 MM
CARACTÉRISTIQUES

MOTEUR
12 cylindres en V à 60°

CYLINDRÉE
2 953 cm^3

ALÉSAGE A COURSE
73 X 58,8 mm

RAPPORT VOLUMÉTRIQUE
9 : 1

PUISSANCE
240 ch

DISTRIBUTION
Simples arbres à cames en tête

ALIMENTATION
3 carburateurs Weber 361 F4C

TRANSMISSION
Boîte manuelle à 4 rapports

SUSPENSION AVANT
Indépendante : doubles triangles superposés et ressort à lames transversal, amortisseurs hydrauliques à biellette.

SUSPENSION ARRIÈRE
Non indépendante, essieu moteur rigide, ressorts à lames semi-elliptiques, bras tirés parallèles, amortisseurs hydrauliques à biellette.

FREINS
Tambour sur les 4 roues

ROUES
A fil, écrou central

POIDS
1 065 kg

VITESSE MAXI
249 km/h

NOMBRE D'EXEMPLAIRES FABRIQUÉS, DATÉS
36 environ, 1952-1953

Avec son flair caractéristique, Ferrari dévoila au salon de Paris, en octobre 1952, un nouveau modèle sans carrosserie, dénommé 250 MM (250 pour le moteur qui avait maintenant fait ses preuves et MM pour la victoire de Bracco aux Mille Miglia). Les caractéristiques générales étaient celles de la 250 S : mêmes dimensions pour le châssis, culasses à 12 conduits indépendants, culbuteurs à galet. Alimenté par trois carburateurs Weber, le moteur était donné pour 240 ch transmis à travers une boîte à quatre rapports synchronisés accolée au moteur, alors que la 250 S disposait d'une boîte à cinq rapports non synchronisés. Les changements de vitesse s'effectuaient ainsi bien plus facilement, grâce à une action plus douce et plus rapide.

Sur les trois douzaines environ de 250 S construites en 1952 et en 1953, plus de la moitié fut carrossée en berlinette par Pinin Farina ; suivirent des spyders, dus à Vignale, et un seul coupé qu'on lui attribue généralement sans toutefois en avoir la certitude. L'usine n'eut pas beaucoup de succès en compétition avec la 250 MM. A la surprise générale, elle ne fut pas à la hauteur de sa réputation dans l'édition des Mille Miglia de 1953 notamment, où aucune des trois voitures engagées par la société ne finit l'épreuve. Pour les coureurs privés en catégorie GT, en revanche, la 250 MM était la voiture qu'il fallait avoir. En 1953 et en 1954, les victoires dans les courses de GT s'accumulèrent des deux côtés de l'Atlantique ; or – et c'était vrai aussi pour Ferrari –, une victoire en course le dimanche faisait vendre une voiture le lundi suivant. Après une brève période d'aberration qui prit la forme de la 250 Europa (moteur Lampredi 3 litres et châssis plus long de 375 America), Ferrari se lança dans la production du modèle 250, en 1954, avec la 250 GT Europa (moteur Colombo, boîte à quatre rapports synchronisés, et tout le reste). Ce fut aussi le l'entrée des deux petites lettres GT dans le lexique Ferrari.

250 GT
EUROPA

La 250 GT Europa est sans doute, rétrospectivement, la plus importante de tout le catalogue Ferrari, car elle est à l'origine de cette famille classique des 250 qui fit la fortune de Ferrari, dans les années 50 et 60. Ferrari la présenta à la fin de 1954 au salon de Paris. Elle fut rapidement connue sous l'appelation 250 Europa « deuxième série ». Au départ, les brochures Ferrari la désignaient simplement comme une autre 250 Europa ; mais il s'agissait plus exactement d'une 250 GT Europa, et cette désignation devint vite officielle. Il est facile de la confondre avec l'ancienne 250 Europa, mais la 250 GTE était en réalité bien différente. Elle est considérée aujourd'hui par beaucoup comme le premier véritable modèle de production.

La 250 Europa originale (« première série », par opposition à la GT) fut dévoilée à Paris en octobre 1953 ; elle était construite sur le plus long châssis utilisé par Ferrari à cette époque, d'un empattement de 2 800 mm. C'était la preuve que cette 250 E « première série » descendait en droite ligne de la 375 America (4,5 litres, 300 ch). Mais la cylindrée du moteur Lampredi était ramenée à 3 litres. La 375 America était, elle aussi, apparue en 1953, au salon de Paris ; cette GT puissante et imposante constituait le nouveau fer de lance de Ferrari sur le marché potentiel des Etats-Unis.

La 250 Europa exposée au salon de Paris de 1953 était un coupé carrossé par Vignale – qui ne devait plus habiller que deux coupés du même modèle (entre 1953 et 1954) en plus de deux autres coupés et d'un cabriolet 375 America (entre 1953 et 1955). Dans leur grande majorité, les quelque dix-sept 250 Europa et treize 375 America furent signées par Pinin Farina, devenu le carrossier attitré de Ferrari.

Les carrosseries de Farina destinées aux 250 Europa et aux 375 America se ressemblaient énormément ; d'apparence simple et de traitement presque identique, si l'on excepte des détails dans la ligne du pavillon ou dans la disposition des surfaces vitrées. Toutes deux étaient superbes à voir, avec leurs courbes douces, leur ligne de pavillon basse, leur long capot et une imposante calandre « boîte à œufs » ovale, presque verticale : un style de grille qui devait orner pendant longtemps le museau des Ferrari. La 250 GT Europa, telle qu'elle fut lancée à Paris, en 1954, était presque identique aux 250 et 375 de Farina. Mais, sous la tôle, elle était totalement différente.

Plus qu'un modèle nouveau, la 250 GTE représente une nouvelle philosophie : assez civilisée pour un usage touristique, suffisamment rapide pour participer à des compétitions.
A l'intérieur (*ci-contre*), une instrumentation complète et le levier de sélection de la boîte à quatre rapports.
La nouvelle carrosserie signée Pinin Farina (*page de droite*).

On retrouvait sur la 250 GTE la lunette arrière panoramique (*ci-dessus*) de la 250 Europa, ainsi que la silhouette générale de la voiture (*page de droite*). L'empattement était différent cependant, le châssis avait subi d'importantes modifications, et la tenue de route était améliorée.

La 250 Europa et la 375 America utilisaient toutes deux un moteur Lampredi « bloc long », en version 4,5 litres. Avec des alésages de 84 mm (4,5 litres), on tirait le meilleur parti de ce bloc imposant, mais, en version 3 litres, le Lampredi type 250 se retrouvait avec un rapport alésage course carré (68 x 68 mm), configuration très rare parmi les moteurs Ferrari et source des problèmes de la 250 Europa. En effet, dans ses versions 4,1 litres et plus, le moteur Lampredi se montrait excellent. Mais en 3 litres, il n'arrivait pas à la cheville du moteur Colombo, puissant et d'un encombrement réduit ; il accumulait les défauts d'être à la fois plus lourd, plus encombrant et moins puissant. Le moteur Colombo, en revanche, avait, lui, doublé sa cylindrée initiale et, dans cette configuration 3 litres, il avait totalement prouvé sa fiabilité et sa puissance en course, à l'intérieur des Ferrari 250 S et 250 MM. En 3 litres, le V12 Colombo conservait la course de 58,8 mm, inaugurée sur la 166 de 1948, et adop-

18

tait l'alésage de 73 mm qu'il conserverait jusqu'au milieu des années 60. Les caractéristiques de ce moteur, qui transforma la 250 E en 250 GTE, étaient moins extrêmes que celles du moteur de la 250 MM. Il ne développait d'ailleurs que 220 ch, alimenté par trois carburateurs Weber double corps. Plus court de 200 mm que le Lampredi, il autorisa une réduction de l'empattement de la voiture de 200 mm, ce qui changea à leur tour les proportions, dans une même mesure, de la carrosserie, très similaire, et, sans réduire l'espace intérieur, apporta à la tenue de route de la 250 GTE un équilibre et une agilité qui en firent un véhicule plus à l'aise dans son rôle de GT sportive que son homonyme.

Le moteur et la boîte à quatre rapports synchronisés (une concession faite à l'usage « tourisme », en contraste avec la boîte non synchronisée traditionnelle), accolée au moteur, étaient installés dans un châssis qui cumulait, outre un empattement réduit, plusieurs autres perfectionnements. Alors que, jusque-là, Ferrari était resté fidèle au ressort à lames transversal pour suspendre le train avant à roues indépendantes, on trouvait maintenant deux ressorts hélicoïdaux, plus modernes ; et, bien que l'essieu moteur fût toujours rigide avec des ressorts à lames semi-elliptiques, les longerons passaient maintenant par-dessus l'essieu.

Ces caractéristiques mécaniques étaient, bien entendu, sujettes à d'incessantes modifications de détails, dues à la nature même de l'usage sportif pluridisciplinaire auquel était soumise la voiture. Cependant, on peut noter une nouvelle constance des caractéristiques, au fil des ans, avec la 250 GTE.

La première série de 250 GTE compta environ trois douzaines d'exemplaires, tous des coupés habillés par Pinin Farina, à l'exception d'un seul, signé Vignale et destiné à un membre de la famille royale de Belgique. Bien que le nombre total de voitures produites restât faible (même pour un petit constructeur de séries spéciales), la 250 GT Europa se rapprochait davantage que les précédentes d'une voiture de production en raison de la plus grande uniformité des caractéristiques d'un exemplaire à l'autre, alors que, jusque-là, virtuellement, toutes les voitures étaient construites sur commande. Cependant, si la 250 GTE était aussi standardisée que le permettait une fabrication à la main, la carrière sportive intense et variée de la voiture impliquait un large éventail de modifications, tant mécaniques que d'habillage, dicté par les clients qui ne dédaignaient pas de soumettre leurs véhicules aux feux de la compétition.

A l'intérieur même de cette première série, si l'on excepte le coupé de Vignale, un groupe de neuf véhicules reçut une coque spéciale de Pinin Farina. Quatre d'entre eux furent des coupés de compétition faisant le lien entre les 250 MM et les premières berlinettes 250 GT de compétition de production, fabriquées en série (plus connues sous le nom de berlinettes Tour de France). Les berlinettes 250 GT de compétition de Pinin Farina accumulèrent un palmarès impressionnant, tant en Europe qu'aux Etats-Unis, et Ferrari en tira parti sans attendre : deux de ces coupés de compétition furent exposés au salon de Paris, en 1955, en même temps que les autres prototypes de Pinin Farina. L'un de ces derniers était orné d'ailerons à l'arrière, comme les Cadillac de l'époque, et d'une quantité considérable de chromes sur l'avant. Au salon de Genève, en 1956, Pinin Farina reprit le thème, plus subtilement toutefois, et exposa une voiture d'allure plus américaine, dont l'influence marqua sensiblement la série suivante de 250 GT .

Ce fut la gamme des 250 GT assemblée par Boano/Ellena. Les voitures étaient très visiblement inspirées des modèles d'exposition originaux de la première série. En 1955, Pinin Farina s'était attaché à mettre en place le nouveau système, très fructueux, qui voyait Ferrari construire le châssis et Farina se charger de l'habillage. Le succès que rencontrait Farina ne fut pas exempt de conséquences : la société construisait bien une nouvelle usine, plus vaste, mais, en attendant, elle ne pouvait assembler un nombre de Ferrari suffisant dans ses anciens locaux. Il lui fallut donc sous-traiter avec une autre maison : la Carrozzeria Boano, dont le fondateur, Mario Boano, avait travaillé pour la Stabilimenti Farina et pour Pinin Farina lui- même.

La nouvelle voiture exposée au salon de Paris de 1956, était quasiment, sous la surface, une 250 GTE. Boano assembla quelque quatre-vingts voitures puis il prit la direction du département style chez Fiat, en laissant à son gendre, Ezio Ellena, la responsabilité de la Carrozzeria. La société construisit donc, à partir de 1958, une cinquantaine de 250 GT, différant seulement des précédentes par quelques détails mécaniques ou d'habillage. Avec cette série, Ellena acheva de donner à la 250 GT son statut de Ferrari de production.

L'imposante calandre (*en haut*) et les roues à fil Borrani à écrou central (*ci-dessus*) sont caractéristiques des Ferrari des années 50 et 60. Les roues alliaient une grande résistance à un faible poids non suspendu ; la calandre, elle, laissait passer une quantité d'air nécessaire au refroidissement du moteur dont la cylindrée s'accroissait année après année.

Sous le capot, **le faible encombrement du V12 « bloc court » Colombo autorisait un habitacle spacieux (*en haut à droite*) malgré la réduction de l'empattement. A l'arrière (*à droite en bas*), les longerons du châssis passaient au-dessus de l'essieu moteur, toujours suspendu par des ressorts à lames.**

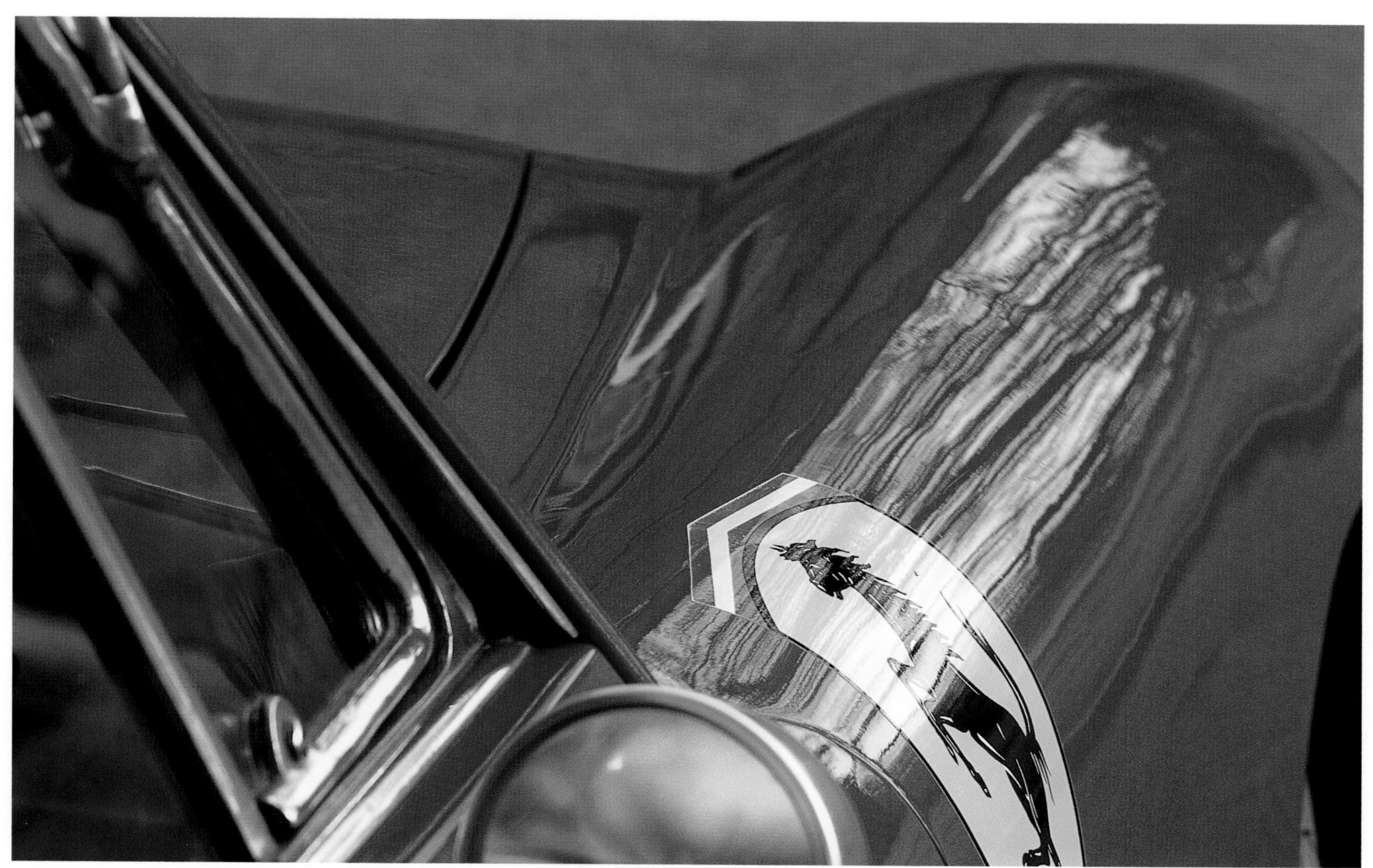

250 GT EUROPA
CARACTÉRISTIQUES

MOTEUR
12 cylindres en V à 60°

CYLINDRÉE
2 953 cm³

ALÉSAGE A COURSE
73 X 58,8 mm

RAPPORT VOLUMÉTRIQUE
9 : 1

PUISSANCE
220 ch

DISTRIBUTION
Simples arbres à cames en tête

ALIMENTATION
3 carburateurs Webers 36 DCF

TRANSMISSION
Boîte manuelle à 4 rapports

SUSPENSION AVANT
Indépendante : doubles triangles superposés et ressorts hélicoïdaux, amortisseurs hydrauliques à biellette.

SUSPENSION ARRIÈRE
Non indépendante, essieu moteur rigide, ressorts à lames semi-elliptiques, bras tirés parallèles, amortisseurs hydrauliques à biellette.

FREINS
Tambour sur les 4 roues

ROUES
A fil, écrou central

POIDS
1 134 kg

VITESSE MAXI
209 km/h

NOMBRE D'EXEMPLAIRES FABRIQUÉS, DATÉS
36 environ, 1954-1955

250 GT
CABRIOLET

Le plus surprenant, à propos du premier cabriolet construit en série, c'est sans doute le temps qu'il fallut à Ferrari pour se décider à le concevoir; souvent, dans l'esprit du public, c'est bien parce qu'elle n'a pas de toit qu'une voiture est jugée sportive. Ce premier cabriolet de série n'était pas, bien sûr, la première voiture découverte de Ferrari. Une bonne part des modèles sports de compétition de ses débuts étaient ainsi carrossés, sans autre protection contre les intempéries. Il est vrai qu'on trouve une poignée de cabriolets, variantes plus civilisées de modèles routiers et destinés à un usage touristique. Mais aucun de ces modèles ne fut produit en nombre. C'est le succès remarquable de la famille des 250, qui, en faisant de Ferrari un constructeur plus prolifique, suscita la mise à l'étude de ce nouveau cabriolet par Pinin Farina. En 1956, se côtoyaient dans la gamme Ferrari les coupés 250 GT, à vocation «touristique», et les berlinettes 250 GT, destinées à mener la double vie de routières et de pistardes. Produire alors un cabriolet devenait l'étape logique permettant d'agrandir la gamme et, par là même, le potentiel de diffusion des véhicules. Et pourtant, Ferrari ne se lança pas tête baissée dans le marché du cabriolet mais, au contraire, il tenta une approche timide. Les carrossiers donnèrent l'impression de s'essayer à un nouveau style avec ce qu'ils appelaient des «modèles d'exposition», dans lesquels on pourrait tout aussi bien voir des prototypes.

Le tout premier 250 Cabriolet signé par Pinin Farina, qui fit son apparition en 1953, ne fait pas exactement partie de la production en série. Il est connu sous le nom d'Ariowitch, son premier acquéreur. Il s'agissait d'une 250, mais de «première série», construite autour d'un moteur Lampredi, alors que les 250 GTE «deuxième série», qui furent à l'origine de l'extraordinaire réussite de cette gamme, avaient un moteur Colombo. Le cabriolet Ariowitch ne semble pas avoir entraîné la décision immédiate de lancer la production de décapotables, car, lorsque les trente-six premières 250 GTE sortirent de l'usine, entre 1954 et 1955, on n'y trouvait pas un seul cabriolet. C'est lorsque la deuxième vague de production de coupés 250 GT (dessinés par Farina, construits par Boana/Ellena) fut lancée, entre 1956 et 1958, que le groupe de plus en plus restreint de carrossiers travaillant pour Ferrari, sembla s'intéresser à la réalisation d'une vraie routière décapotable.

Mario Boano fut le premier à exposer un cabriolet, au salon de Genève, en 1956, à côté de ses coupés 250 GT et d'une 410 Superamerica due au talent de Farina. Son cabriolet, très peu différent, sous la tôle, de ses coupés, offrait une jolie ligne, reconnaissable à ses ailerons bien marqués à l'arrière et à une finition soignée.

Un an plus tard, toujours à Genève, Farina prit le relais avec un cabriolet, sur la base d'une 250 GT, d'allure plus stylisée, plus sportive. Le long capot portait deux butoirs verticaux qui encadraient une imposante calandre dotée de deux phares longue portée. A l'arrière, un pare-chocs d'une seule pièce retournait sur les ailes. Phares et feux arrière étaient disposés comme sur le prototype Boano de 1956, dans la partie haute des ailes. Une profonde échancrure dans la portière gauche, visiblement destinée au coude du conducteur, comme il était d'usage autrefois, apportait une note insolite. Le prototype fut abondamment utilisé par Peter Collins (qui pilotait pour Ferrari en Grand Prix). Ce dernier la pilota en Angleterre où il lui fit greffer des freins à disques Dunlop – première Ferrari à utiliser des freins de ce genre – que Ferrari, bien plus tard, «cannibalisa» pour en équiper une Testa Rossa de course; il admit leur efficacité et, bientôt, toute la production, route et course, fut pourvue de freins à disques. Pinin Farina conçut un prototype encore plus extrême, qu'il dénomma «Spyder Competizio-

Si la mécanique des 250 GT Cabriolet était virtuellement standardisée, les détails tels que les ouïes de ventilation ou les écussons (*en haut* et *ci-dessus*) variaient d'un exemplaire à l'autre.

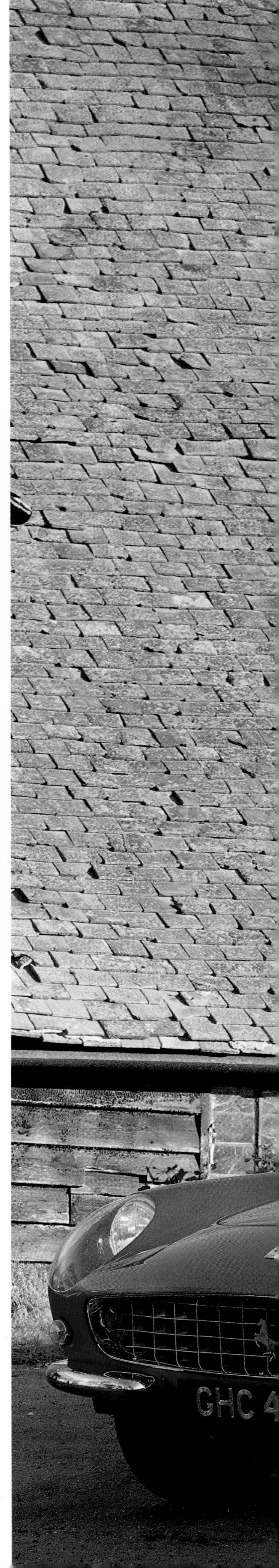

Les lignes du coupé transparaissent clairement dans la silhouette de la 250 GTC « seconde série » (*page de droite*) et la rangent dans la catégorie des routières.

Bien qu'elles se ressemblent fortement, plusieurs éléments différencient la 250 GT Cabriolet (*à droite*) de la 250 GT California Spyder. Notons le pare-brise plus vertical, muni de déflecteurs. La 250 GT Cabriolet est plus nettement destinée au tourisme (*ci-dessus*).

ne». Il disposait d'un petit saute-vent en guise de pare-brise, d'un repose-tête profilé pour le pilote et d'un couvre-tonneau en tôle au-dessus du siège du passager. Ce modèle unique fut présenté pour la première fois au public en juin 1957. Après deux autres spéciales, de facture un peu plus conventionnelle, la première série de 250 GT Cabriolet (environ trente-six unités) fut assemblée, de juillet 1957 à juillet 1959. Parmi ces voitures subsistaient d'importantes variations de style.

Malgré les attributs sportifs du Spyder Competizione, la voiture de série (à coque acier) n'avait aucune prétention sportive; il s'agissait strictement d'une voiture de tourisme. Si quelques variations dans l'habillage restaient visibles, la mécanique, quant à elle, était virtuellement standardisée. Là réside le vrai secret de toutes les 250. Tout comme les prototypes présentés dans les salons, sous la carrosserie se trouvait une 250 GT parfaitement connue avec sa suspension avant indépendante, son essieu rigide à l'arrière, le châssis échelle tubulaire, et, bien entendu, le moteur Colombo. Au cours de l'année 1958, la 250 GTC reçut un pare-chocs avant horizontal, les projecteurs longue portée furent encastrés et les optiques de phares perdirent leur carénage. Une bien belle voiture, assurément!

Elle fit la liaison avec la deuxième série de 250 GTC, présentée à Paris à la fin de 1959. La génération montante allait être fabriquée en parallèle avec une nouvelle venue : la 250 GT California Spyder. Mais les deux Ferrari décapotables seraient dotées de personnalités bien différentes, et l'accent fut mis sur cette différence à l'aide d'arguments esthétiques.

On pouvait facilement établir la filiation existant entre la 250 GT California Spyder et les berlinettes de compétition. Les cabriolets, eux, tout en retenant l'esprit de la première série,

pininfarina

Sur les véhicules de production, les feux arrière (*en haut à gauche*) présentaient un aspect plus conventionnel que sur les prototypes. Seules quelques voitures furent équipées de larges ouïes de ventilation chromées (*ci-dessus*). Les insignes (*ci-contre*) rappellent que la voiture fut dessinée et construite par Pinin Farina.

acquirent délibérément le style plus nettement orienté vers le tourisme du coupé 250 GT de Pinin Farina, à qui ils empruntaient tous leurs éléments mécaniques. Ceux-ci comprenaient maintenant la version la plus récente du V12, avec les bougies sur la face externe des culasses à douze conduits d'admission indépendants, les ressorts de soupapes hélicoïdaux, une boîte à quatre rapports plus *overdrive* et des freins à disques. Le cabriolet, s'il adoptait des freins à disques, conservait les amortisseurs à biellette. Tous ces éléments formaient une voiture attirante et non dénuée de confort, bien qu'elle n'eût que deux places. Le pare-brise était plutôt vertical et pourvu de déflecteurs alors que l'ancien modèle était équipé d'un pare-brise panoramique ; même capote relevée, la garde-au-toit restait suffisante, et l'espace intérieur n'était pas trop mesuré. L'équipement intérieur se révélait complet, les garnitures et l'insonorisation en rapport avec sa vocation touristique, son coffre imposant offrait une place généreuse pour les bagages de deux occupants. Peu de temps après son lancement, Ferrari proposa sur option un toit amovible rigide, ce qui rendit la 250 GTC encore plus facile d'usage. C'était la plus chère des 250 GT. Sa production ne fut lancée qu'en 1960 seulement. Son succès alla grandissant. Le marché était en pleine expansion, et Ferrari vendit deux cents exemplaires de cette seconde série, alors qu'une quarantaine de la série précédente avaient trouvé preneur. Etrangement, quand cessa la production de la 250 GTC à la fin de 1962, elle ne fut pas tout de suite remplacée par une voiture de même personnalité. La génération suivante de Ferrari décapotables ne verrait le jour que deux ans plus tard, vers la fin de 1964 ; elle avait pour nom : 275 GTS qui connut, comme de bien entendu, un immense succès.

Les carénages de phare (*ci-contre*) dont furent dotées quelques 250 GT Cabriolet rendent encore plus facile la confusion avec leurs cousines, les 250 GT California Spyder, d'autant que nombre d'entre elles étaient pourvues de phares conventionnels.

250 GT CABRIOLET
CARACTÉRISTIQUES

MOTEUR
12 cylindres en V à 60°

CYLINDRÉE
2 953 cm³

ALÉSAGE A COURSE
73 X 58,8 mm

RAPPORT VOLUMÉTRIQUE
9 : 1

PUISSANCE
240 ch

DISTRIBUTION
Simples arbres à cames en tête

ALIMENTATION
3 carburateurs Weber 36 DCF

TRANSMISSION
Boîte manuelle à 4 rapports plus *overdrive*

SUSPENSION AVANT
Indépendante : doubles triangles superposés et ressorts hélicoïdaux, amortisseurs télescopiques hydrauliques.

SUSPENSION ARRIÈRE
Non indépendante, essieu moteur rigide, ressorts à lames semi-elliptiques, bras tirés parallèles, amortisseurs télescopiques hydrauliques.

FREINS
Disque sur les 4 roues

ROUES
A fil, écrou central

POIDS
1 451 kg

VITESSE MAXI
193 km/h

NOMBRE D'EXEMPLAIRES FABRIQUÉS, DATÉS
200 environ, 1959-1962

250 GTE
(250 GT 2+2)

A ses débuts, Enzo Ferrari construisit des voitures de course; puis il vendit des voitures de course. Ensuite, il vendit des voitures de compétition pouvant être utilisées sur route; puis des voitures destinées à un usage routier qui pouvaient aussi s'aligner en course. Enfin, il vendit des voitures de tourisme. C'est ainsi que se développa, au fil du temps, la clientèle de Ferrari. Et cela reflétait assez fidèlement l'ordre des priorités qu'il s'était fixé. Son intérêt pour les voitures de production ne se justifiait que parce qu'elles lui donnaient le moyen de financer sa vraie passion : la course automobile.

Cela, encore, explique en partie pourquoi la légende Ferrari grandit si rapidement. Les premières Ferrari à apparaître sur la route étaient des copies presque parfaites des voitures qui gagnaient sur les circuits. Et elles ne passaient pas inaperçues. Au début des annés 50, posséder une Ferrari, c'était, déjà, avoir acquis l'un des symboles automobiles les plus prestigieux. Les coureurs achetaient des Ferrari pour gagner; les gens fortunés achetaient des Ferrari pour se montrer. Et, tout en les en dissuadant, Ferrari ne pouvait faire autrement que de leur vendre ce qu'ils demandaient.

Avec la famille des 250 GT, il raffina encore son approche. Ferrari vendait des voitures de course, des voitures de course doublées de routières, des routières pouvant faire de la compétition, et des routières tout court; il vendait des berlinettes et des spyders, des coupés et des cabriolets, doués d'un style et de qualités capables de satisfaire la clientèle la plus exigeante.

A la fin des années 50, grâce au nombre de variantes dans lesquelles étaient disponibles les 250, Ferrari n'était plus un fabricant de voitures spécialisées mais un vrai constructeur automobile. Ses relations très fructueuses avec Pininfarina – l'alliance d'un styliste et d'un ingénieur – s'étaient combinées à la popularité et à la polyvalence des modèles 250 de manière à changer toute l'orientation de son entreprise. Les Ferrari n'étaient plus des «voitures sur mesure», pour lesquelles l'usine ne fournissait qu'un châssis, laissant le client faire son choix sur le catalogue du carrossier, comme il aurait choisi du papier peint ou du tissu d'ameublement. Désormais, les châssis Ferrari étaient presque toujours habillés par Pininfarina, non plus avec du «sur mesure», mais avec du «prêt à porter». Le nombre de voitures assemblées s'en trouva considérablement affecté : Ferrari ne vendait plus ses voitures par douzaines, mais par centaines.

Si Ferrari prenait de l'âge, il en était de même pour ses clients. Celui qui avait acheté une Ferrari «pure et dure» à la fin des années 40, pouvait fort logiquement se retrouver chargé de famille à la fin des années 50, ce qui compliquait inévitablement sa passion pour les voitures. Et Ferrari, avec ses berlinettes et ses spyders, ses coupés et ses cabriolets, ne pouvait pas, à cette époque, fournir le véhicule qu'exigeait le scénario familial : la gamme ne comportait pas de 2+2. Les constructeurs rivaux en proposaient, eux. Ce qui rendait la situation encore plus critique. Pour résoudre ce problème, Ferrari et Pininfarina se mirent à l'ouvrage à la fin de 1959. La nouvelle voiture devait répondre à certaines exigences : elle pourrait bien offrir quatre places, elle n'en serait pas moins une Ferrari.

La 250 GTE 2+2, si ellè possédait bien quatre sièges, offrait également de quoi satisfaire l'amateur sportif comme le suggèrent les roues à fil Borrani (*ci-contre*) et les phares longue portée (*page de gauche*).

Bien sûr, il y avait eu auparavant des Ferrari offrant plus de deux places, mais le nombre d'exemplaires tout autant que lesdites places étaient très réduits, les quelques voitures ainsi construites faisant elles-mêmes partie de petites séries comme la 212 Inter ou la 342 America. Non! Ferrari avait absolument besoin d'une vraie 2+2, produite en grande série et perpétuant la mystique du nom. L'omniprésente 250 GT fournirait, bien entendu, la structure du véhicule; celui-ci serait aussi sportif et ramassé que possible. Ferrari décréta que l'empattement ne dépasserait pas les 2 600 mm offerts par les plus longues berlinettes, ce qui laissa Pininfarina avec une intéressante équation à résoudre, presque impossible en apparence : placer à l'intérieur de ces dimensions quatre personnes et un moteur V12. Il y parvint de façon fort convaincante. La solution du problème fut de repositionner le moteur dans un châssis pratiquement inchangé. Placé 200 mm plus en avant, le moteur laissait la place pour un habitacle agrandi, les deux sièges des passagers pouvaient être placés en avant de l'essieu moteur. Un très léger élargissement des voies avant et arrière compléta les modifications du châssis. La longueur hors-tout de la voiture augmenta de 300 mm par rapport à une berlinette deux places; le porte-à-faux avant s'accrut quelque peu pour loger moteur et radiateur, mais c'est surtout l'arrière de la voiture qui absorba la différence; la 2+2 offrait un espace pour les bagages plus généreux que beaucoup d'autres Ferrari.

Au cours de l'année 1959, Ferrari assembla un petit nombre de ces 250 GTE 2+2, la forme générale étant à ce

Pour leur première tentative sérieuse dans le style 2+2, Ferrari et Pininfarina se montrèrent convaincants (*double page suivante*). Sans modification de l'empattement, le déplacement du moteur vers l'avant dégageait un espace intérieur appréciable et conférait à la voiture l'allure d'un coupé plutôt que d'une berline.

moment pratiquement figée. Il y eut pourtant des variations de détail entre les versions successives, autour des phares, des ouïes de refroidissement et des échappements, pour en citer quelques-unes.

La présentation au public d'un prototype de la 250 GT 2+2 n'eut pas lieu, pour une fois, à l'occasion d'un salon automobile, mais en juin 1960, lors des Vingt-Quatre Heures du Mans. Un des trois prototypes Ferrari 250 GT 2+2 y servit, en effet, de voiture officielle. Une véritable 2+2 représentait réellement un grand pas en avant pour Ferrari. Elle suscita un immense intérêt, d'autant que, pendant toute sa gestation, elle était restée l'un des secrets les mieux gardés de Maranello. La nouvelle venue n'eut pas à redouter les effets de la contre-publicité quand six des sept premières places de ces Vingt-Quatre Heures furent prises par l'une ou l'autre des versions de la Ferrari 250, avec, en tête, la 250 Testa Rossa de Paul Frère et d'Olivier Gendebien!

La 250 GTE, ou encore 250 GT 2+2, fit vraiment son apparition sous sa forme de série là où Ferrari aimait tout particulièrement à lancer ses nouveaux modèles, au salon de Paris, en 1960. On trouvait sous son capot une version du 3 litres V12 alimenté par trois carburateurs Weber, directement prélevé sur une deux-places 250 GT. Les culasses étaient du type Testa Rossa, munies de ressorts de soupapes hélicoïdaux, des conduits d'admission individuels et des puits de bougies sur leurs faces externes. Le châssis partageait les mêmes caractéristiques que celui de la 250 GT, avec sa suspension avant indépendante, à bras triangulés et ressorts hélicoïdaux, la suspension arrière de l'essieu moteur étant confiée à des ressorts à lames, complétés par des bras tirés parallèles, comme sur les coupés ; des amortisseurs télescopiques remplaçaient maintenant les amortisseurs à biellette ; les freins étaient à disques.

La 250 GT 2+2 était très réussie, sur tous les plans. Un aménagement intérieur luxueux complétait cette automobile extrêmement confortable. Pininfarina lui avait donné une allure beaucoup plus proche de celle d'un coupé que d'une berline. Très équilibrée en dépit de ses dimensions, et sans ostentation. Une simple ligne courait sur les flancs, au-dessus des passages de roues, rehaussant ainsi les larges surfaces lisses des panneaux latéraux. La courbe gracieuse de la glace de custode et la forte inclinaison de la vitre arrière dissimulaient avec élégance une garde-au-toit suffisamment importante pour que deux adultes prennent place à l'arrière. S'il s'agissait d'enfants, le cas le plus vraisemblable, l'habitabilité devenait très généreuse.

On avait bien affaire à une Ferrari ! Cela se vérifiait sans peine sur la route. Certes, la voiture était beaucoup plus lourde qu'une deux-places, mais c'était une grande routière rapide proche de la perfection. On pourrait peut-être lui reprocher une tendance au sous-virage, en courbe serrée, rendue plus perceptible par le déplacement vers l'avant du moteur ; mais, en principe, elle n'était pas destinée à un usage sportif.

Trois séries successives furent produites, et personne n'aurait sans doute pu imaginer qu'il s'en vendrait autant – 229 exemplaires de la première série, 356 de la deuxième (présentée en 1962 avec quelques modifications de détails à l'intérieur) et 300 de la troisième série (à partir de 1963, quand elle reçut des entourages de phares chromés, des phares longue portée déplacés à l'extérieur de la calandre et des feux arrière modifiés). Les ventes de la 250 GT 2+2 excédèrent dès le début celles de tous les autres modèles mis ensemble.

L'intérieur de la GTE 2+2 était luxueux (*page de gauche*). A l'extérieur, les attributs (*ci-dessus, ci-contre, en bas*) ne laissaient aucun doute sur la marque de la voiture.

250 GTE (250 GT 2+2)
CARACTÉRISTIQUES

MOTEUR
12 cylindres en V à 60°

CYLINDRÉE
2 953 cm³

ALÉSAGE A COURSE
73 X 58,8 mm

RAPPORT VOLUMÉTRIQUE
8,8 : 1

PUISSANCE
240 ch

DISTRIBUTION
Simples arbres à cames en tête

ALIMENTATION
3 carburateurs Weber 40 DCL 6

TRANSMISSION
Boîte manuelle à 4 rapports plus *overdrive*

SUSPENSION AVANT
Indépendante : doubles triangles superposés et ressort à lames transversal, amortisseurs télescopiques hydrauliques.

SUSPENSION ARRIÈRE
Non indépendante, essieu moteur rigide, ressorts à lames semi-elliptiques, bras tirés parallèles, amortisseurs télescopiques hydrauliques.

FREINS
Disque sur les 4 roues

ROUES
A fil, écrou central

POIDS
1 587 kg

VITESSE MAXI
217 km/h

NOMBRE D'EXEMPLAIRES FABRIQUÉS, DATÉS
955 (en 3 séries), 1960-1963

250 GT
SWB

En 1955, les Vingt-Quatre Heures du Mans furent le théâtre d'une tragédie qui coûta la vie à quatre-vingts spectateurs ainsi qu'au pilote Pierre Levegh. Le plus effroyable accident que le monde de la course automobile ait connu à ce jour donna aux autorités sportives matière à réflexion sur la façon dont évoluait le sport automobile. Ce ne fut ni la première fois, ni la dernière, qu'elles conclurent que les véhicules devenaient trop dangereux, trop rapides. Conscients qu'une nouvelle catastrophe comme celle du Mans pouvait sonner le glas de la compétition automobile, elles prirent la courageuse décision, en 1956, de limiter les formes les plus extrêmes de voitures de Sport-compétition, dont beaucoup n'étaient plus que des voitures de Grand Prix à deux places, et de mettre l'accent sur la notion de course de voitures de production. La Fédération internationale automobile exigea donc que les voitures de Sport-compétition modèrent leurs outrances et qu'elles possèdent deux portes et un pare-brise couvrant toute la largeur.

La FIA tenta aussi de déplacer l'intérêt vers les voitures de type GT qui pouvaient légalement venir sur le circuit par leurs propres moyens, participer à la course et repartir comme elles étaient venues.

Ferrari n'aurait aucun mal à construire des voitures répondant à ces exigences. N'était-ce pas là, plus ou moins, sa façon de procéder depuis1947, date de son entrée dans le monde des constructeurs automobiles ? De plus, une catégorie GT en compétition internationale, dotée d'un nouveau prestige, était, commercialement parlant, une bonne nouvelle pour Ferrari. A condition que ses voitures remportassent la victoire, naturellement. Avec la berlinette GT châssis long, il disposait d'une base de départ idéale. Apparue en 1954, la 250 GTE (qui devait se transformer plus tard en 250 GT) avait été la première Ferrari à recevoir le sigle GT. Sous son capot, on trouvait le moteur Colombo, alors que la 250 Europa « première série » était dotée du V12 Lampredi. Les 250 GTE et les coupés Boana/Ellena qui suivirent étaient par conception des routières « civilisées ». Avec les 250 GT Berlinetta apparues en 1956, on avait affaire à de véritables voitures Compétition-client. Leur homologation, rendue possible par la similitude de leur mécanique avec celle des coupés de la même époque, ne devait pas faire oublier leurs carrosseries très différentes, en aluminium, ni tous les artifices destinés à gagner du poids, tels les vitres latérales et la lunette arrière en perspex, sans oublier la finition intérieure réduite au minimum. En septembre 1956, une 250 GTB remporta la victoire dans le Tour de France ; voilà pourquoi les berlinettes furent connues sous le nom de 250 GT Tour de France. Le palmarès de Ferrari dans cette épreuve allait être une parfaite illustration, si besoin était, de la façon dont le constructeur italien dominait la compétition GT.

La totale absence de décoration, à l'extérieur (*ci-dessous*) et l'imposant bouchon de remplissage à ouverture rapide (*page de droite*) annoncent les intentions : la 250 GT SWB est une voiture de course ; elle se conduit pourtant aisément sur route. *Double page suivante*, l'une des plus fameuses SWB, la numéro B 400.

B 400

PIRELLI

Le Tour de France, qui mélangeait le rallye et la course sur piste, avec des liaisons sur route entre les circuits, était une épreuve épuisante. Les temps accordés aux écuries pour effectuer les liaisons entre les circuits étaient calculés au plus juste, et les voitures ne pouvaient bénéficier que d'un entretien limité. Ferrari remporta l'épreuve en 1951, termina à la seconde place en 1952 et en 1953, puis gagna toutes les éditions, de 1956 à 1961. La berlinette Tour de France est l'exemple type de la voiture Compétition-client. On n'en trouverait pas deux construites à l'identique ; les variations d'aspect, tout comme les configurations moteur, présentaient un large éventail. Au début de l'année 1959, une version, dont les différences étaient encore plus marquées, apparut sur la scène. Elle possédait des formes beaucoup plus rondes, un capot plus plongeant, mais gardait le châssis de la Tour de France. Sur le plan de la mécanique, elle ne différait pas des autres Tour de France. Ferrari assembla au total sept de ces voitures ; à la réflexion, le but de l'exercice était probablement de mettre à l'épreuve l'aérodynamisme de la nouvelle carrosserie sur lequel on fondait de grands espoirs. Ferrari dépêcha deux voitures au Mans, où elles se comportèrent brillamment mais furent vaincues par une Tour de France conventionnelle, laquelle termina troisième au classement général de l'épreuve et première dans la catégorie GT. Ferrari pouvait difficilement être déçu de leur prestation ; en conclusion logique, cette 250 GT Berlinetta, à laquelle on attribue rétrospectivement la désignation « intérim », donna naissance, au salon de Paris d'octobre 1959, à une voiture dessinée par Pininfarina et fabriquée par Scaglietti qui ressemblait presque trait pour trait à la 250 GT intérim. Elle avait pourtant perdu les petites vitres de custode fixes, conséquence d'un empattement réduit de 200 mm. Les performances de la nouvelle voiture plus aérodynamique que la Tour de France, et aussi plus légère et plus ramassée, étaient en hausse ; la tenue de route avait, elle, gagné en agilité. Cette Ferrari fut baptisée 250 GT SWB – *short wheel base* : berlinette-châssis court.

Ses proportions toutes neuves lui allaient à ravir et en faisaient une machine étourdissante. Le museau court, assez carré et pourvu d'une calandre en retrait, n'était sans doute pas très efficace car trop renflé sur le plan de l'aérodynamisme ; en revanche, il éclairait le nouveau visage de la voiture d'un sourire très agressif. Au fil des années, si des modifications de détail furent apportées, jamais la forme générale ne fut retouchée. La 250 GT SWB différait des autres 250, pas seulement par sa carrosserie ni par son empattement réduit. Son châssis-échelle, s'il conservait l'architecture générale de rigueur sur les Ferrari 250 GT Tour de France, recevait des renforts additionnels, mais, surtout, deux améliorations de taille s'imposaient d'évidence : des freins à disques Dunlop remplaçaient les tambours sur les quatre roues, et les amortisseurs à biellette cédaient la place à des éléments télescopiques plus modernes et moins lourds.

La couleur bleu marine et la bande blanche sur le nez de la voiture indiquent son appartenance à Rob Walker. Cette voiture – châssis n° 2735 – avec Stirling Moss au volant, remporta, au cours de sa brillante carrière, le British Empire Trophy et le Tourist Trophy en 1961.

Pendant un temps, la n° B 400 fut munie d'une carrosserie allégée, construite par Drogo, dessinée par Bizzarini. Après des années d'abandon à la suite d'un accident, en 1967, elle retrouva sa carrosserie d'origine construite par Scaglietti (*ci-dessus*). L'intérieur (*ci-contre*), également restauré.

Le V12 Colombo de 2 953 cm³ de la SWB était dérivé de celui de la Tour de France, mais il recevait, lui aussi, des perfectionnements ; les culasses étaient pourvues de ressorts de soupapes hélicoïdaux, de conduits d'admission individuels et de puits de bougies sur les faces externes qui permettaient une meilleure combustion ainsi qu'un accès simplifié en compétition. Les goujeons de culasses voyaient leur nombre augmenter dans le but de renforcer l'étanchéité. Respirant à travers trois carburateurs Weber, les moteurs des versions routières délivraient 240 ch, ceux des modèles compétiton, jusqu'à 280 ch. Ferrari lança la 250 GT SWB comme un modèle GT de compétition ; elle prenait la suite de la berlinette Tour de France tout en améliorant ses performances. Au moment même de sa présentation, Ferrari annonça qu'une version plus sage serait produite en parallèle : la Lusso. En fait, cette dernière pourrait également participer à des courses de GT mais serait d'un usage routier quotidien plus facile. La carrosserie de la Lusso serait en acier (mais les panneaux de portières, le capot et le couvercle de coffre utiliseraient l'aluminium). De plus, la Lusso disposerait de véritables vitres en remplacement du perspex, de demi-pare-chocs à l'avant, d'un pare-chocs d'un seul tenant à l'arrière, d'une finition plus soignée à l'intérieur, d'un moteur assagi et d'une suspension plus confortable, ou de n'importe quelle combinaison de ces éléments. Peut-être y aurait-il même un peu de place pour les bagages dans le coffre, à côté du réservoir moins volumineux.

Il est intéressant de noter que sur les cent soixante-trois exemplaires de 250 GT SWB construits par Ferrari, soixante-quatorze reçurent la désignation GT Compétition et quatre-vingt-neuf furent des routières ; en 1959, les deux voitures construites étaient destinées à la compétition ; en 1960, trois voitures sur quatre étaient des 250 GT Compétition sur un total de soixante produites ; pendant l'année 1961, qui vit sortir soixante-six voitures, la tendance s'inversa avec quarante et un modèles 250 GT Lusso ; la dernière année, 1962, deux exemplaires seulement sur une production de trente-cinq voitures furent construits en version course. Parmi les voitures de 1961, vingt-deux exemplaires possédaient des caractéristiques particulières et passèrent à la postérité sous l'appelation « SEFAC Spéciales », SEFAC étant l'acronyme de la raison sociale de Ferrari. Elles développaient presque 300 ch et conquirent à nouveau le titre au championnat de la catégorie GT, en 1961. Ces modèles triomphèrent longtemps, et nombreuses furent leurs victoires. La 250 GT SWB passe pour la Ferrari « polyvalente », celle que son propriétaire pouvait conduire jusqu'au circuit, aligner au départ et ramener ensuite chez lui par la route. Ferrari avait déjà produit de telles voitures, il en ferait encore, mais aucune n'avait tenu ou ne tiendrait son rôle avec un tel brio. C'était une voiture de course moins spécialisée que la Tour de France qui la précédait ou que la magnifique 250 GTO qui allait suivre, mais peu de Ferrari peuvent se vanter d'avoir donné autant de victoires et une telle satisfaction à leur propriétaire.

250 GT SWB
CARACTÉRISTIQUES

MOTEUR
12 cylindres en V à 60°

CYLINDRÉE
2 953 cm³

ALÉSAGE A COURSE
73 X 58,8 mm

RAPPORT VOLUMÉTRIQUE
9,7 : 1

PUISSANCE
280 ch

DISTRIBUTION
Simples arbres à cames en tête

ALIMENTATION
3 carburateurs Weber 40 DCL 6

TRANSMISSION
Boîte manuelle à 4 rapports, plus *overdrive*

SUSPENSION AVANT
Indépendante : doubles triangles superposés et ressort à lames transversal, amortisseurs télescopiques hydrauliques.

SUSPENSION ARRIÈRE
Non indépendante, essieu moteur rigide, ressorts à lames semi-elliptiques, bras tirés parallèles, amortisseurs télescopiques hydrauliques.

FREINS
Disque sur les 4 roues

ROUES
A fil, écrou central

POIDS
1 134 kg

VITESSE MAXI
249 km/h

NOMBRE D'EXEMPLAIRES FABRIQUÉS, DATÉS
165 environ, 1959-1962

250 GTO

L'expression «voiture légendaire» ne saurait s'appliquer avec plus de justesse à la Ferrari qui allait écraser toute opposition dans les championnats du monde GT en 1962, 1963 et 1964 : la 250 GTO. Ce ne fut pas exactement la dernière voiture à moteur avant qui remporta le titre suprême des voitures de Sport et des voitures GT – Carroll Shelby et ses coupés Daytona (sur base Cobra) s'en chargeraient en 1965 –, mais, à partir de cette date, quand arrivèrent les voitures à moteur central telles que les Ford GT 40, les Ferrari LM et P, des paramètres scientifiques devaient remplacer la puissance absolue, au plus haut niveau de la compétition automobile. La 250 GTO rassemblait tout ce qui plaisait à Ferrari ; c'était une voiture de course, sans compromis, qu'il était non seulement *possible* d'utiliser sur route, mais selon les règles applicables *devait* être utilisable dans ces conditions. Quand les années 60 s'installèrent, Ferrari était déjà engagé dans la compétiton GT, catégorie possédant son propre championnat international depuis 1956. En 1961, la FIA annonça que le championnat GT allait devenir l'année suivante le championnat du monde des voitures de Sport. Ferrari, ayant déjà dominé la catégorie GT depuis son apparition, était aux anges. D'autant que le nouveau règlement apportait du grain à moudre à son moulin. Pour être homologuées par la FIA, les voitures du nouveau championnat devaient être légalement utilisables sur route et, de plus, être construites à un nombre minimum de cent exemplaires. Le cahier des charges aurait pu limiter les ambitions d'un simple concepteur ; pour Ferrari, ce n'était qu'une description plus ou moins fidèle mais proche de ses objectifs. La 250 GT SWB fournissait une base de départ ayant fait ses preuves. La plate-forme, qui datait de deux ans à peine, était à la pointe de la technique quand Ferrari prit connaissance du nouveau statut des GT, et, à ce moment, il travaillait déjà sur la génération de voitures suivante.

Il faut dire que la course automobile subissait à cette époque une mutation importante. Sur les modèles de Grand Prix, l'adoption du moteur central avait fait progresser l'aérodynamique tout autant que l'équilibre des châssis. Les voitures de sport attendraient encore quelques années avant de subir pareille révolution, mais la composante aérodynamique prenait de plus en plus d'importance, à mesure que s'accroissait la vitesse des véhicules. Les lois physiques établissant que le rapport entre la vitesse et la puissance est par nature exponentiel, pour aller un peu plus vite, il faut beaucoup plus de puissance, et ces derniers kilomètres/heure qui font la différence entre la victoire possible et le non-classement sont les plus difficiles à trouver. Carroll Shelby admit les faits après que Ferrari eut défriché la voie, mais l'exemple de Shelby en est une démonstration d'école. Ses Cobra, même celles de moyenne cylindrée de ses débuts, étaient imbattables sur les petits circuits, grâce à un incroyable rapport poids/puissance qui leur donnait un avantage décisif à chaque sortie de virage comme sur les courtes lignes droites. Sur des circuits où se déroulaient les manches du championnat du monde de voitures de Sport, avec de longues lignes droites, leur aérodynamisme à peine supérieur à celui d'une brique limitait considérablement leur vitesse de pointe. Malgré toute leur puissance, elles n'étaient pas assez rapides sur ces longs circuits. Plus encore, Shelby s'aperçut qu'en dépit de leur puissance monstrueuse, ses Cobra équipées de gros moteurs étaient à peine plus rapides. Une approche plus scientifique se révélait donc nécessaire. Shelby trouva la parade avec son coupé Daytona, mais alors, Ferrari avait déjà enlevé deux championnats.

Avec l'impressionnante GTO, Ferrari conjugua aérodynamisme et puissance moteur. Un nez surbaissé (*page de droite*), des entrées d'air profilées et la poupe tronquée par un tableau de style Kamm (*ci-dessus*) contribuaient à réduire la signature aérodynamique.

Ce fut un tournant pour Ferrari. Son intérêt premier se portant aux moteurs, il aurait toujours trouvé suffisamment de puissance pour triompher de ses adversaires. Mais l'importance croissante des facteurs aérodynamiques changea la donne. La 250 GT SWB avait représenté un pas dans la bonne direction. Pourtant, elle avait une fâcheuse tendance à relever le nez à grande vitesse, et Ferrari savait que dans la nouvelle catégorie, les vitesses seraient plus élevées que jamais. Il savait aussi qu'il devait partir de la 250 GT SWB pour se conformer au règlement et, pour parvenir à la faire homologuer, il utilisait les failles du règlement : la FIA exigeait cent exemplaires de la voiture, en même temps, elle autorisait l'évolution d'un modèle existant, si celui-ci remplissait les conditions. Quand la FIA entendait «quelques modifications mineures», Ferrari, lui, comprenait «carte blanche»! Ferrari engagea donc une SWB au Mans, en 1961 ; la coque était dérivée de celle, aux formes très fluides, de la 400 America. La voiture abandonna avant la fin mais fit preu-

De profil (*double page suivante*), la GTO de 1963 présente une silhouette extrêmement basse sous la ceinture de caisse, une ligne de pavillon originale et le becquet très saillant en «queue de canard», qui couronne le tableau arrière Kamm. Tous ces éléments contribuent à assurer la stabilité de la voiture en ligne droite à très haute vitesse.

63 GTO

63
GTO

ve de la validité du concept. Bien que souffrant toujours de son manque d'appui sur l'avant, elle termina quatrième dans une course de trois heures à Daytona, conduite par Stirling Moss.

Giotto Bizzarini travaillait sans relâche sur la nouvelle voiture. Bizzarini avait été employé chez Alfa en 1954 comme ingénieur châssis. Il était entré au service de Ferrari en 1957 avec la triple fonction de motoriste, d'ingénieur-châssis et d'aérodynamicien. Il avait obtenu son diplôme d'ingénieur à l'université de Pise, en 1953. Il quitta Ferrari, en 1961, lors de la grande vague de démissions (Bizzarini signa plusieurs autres prototypes). Quand il partit, la 250 GTO était déjà très avancée.

La nouvelle carrosserie (réalisée par Scaglietti), fluide et superbe avec son nez surbaissé et sa poupe tronquée Kamm, habillait un châssis dont la provenance ne laissait pas de doute (250 GT SWB). L'addition de petites structures tubulaires destinées à soutenir la carrosserie le faisait ressembler à un châssis treillis. Ferrari avait conservé l'essieu rigide à l'arrière en le modifiant toutefois considérablement, avec, notamment, l'ajout d'un parallélogramme de Watt. Ferrari était dans l'obligation, pour des raisons d'homologation, de conserver le train arrière de la 250 GT SWB, y compris les ressorts à lames. Le règlement permettait toutefois d'ajouter des « ressorts auxiliaires » et un « stabilisateur ». Celui-ci prit la forme du parallélogramme de Watt, tandis que les ressorts à lames furent réduits à leur plus simple expression, des « ressorts auxiliaires » hélicoïdaux assurant, en fait, le plus gros du travail. La puissance, environ 300 ch, provenait d'un moteur Testa Rossa homologué, de 3 litres, à carter sec, alimenté par six carburateurs. Il était construit pour la compétition, sans compromis aucun, avec les matériaux les plus légers. Le moteur était reculé dans le châssis, installé plus bas que sur la SWB et marié à une nouvelle boîte de vitesses à cinq rapports. Toutes ces caractéristiques étaient considérées comme autant d'évolutions !

Pas de pare-chocs, un habitacle pratiquement dépouillé de tout garnissage, des vitres en perspex sauf évidemment le pare-brise, même pas un compteur de vitesse : rien ne venait alourdir la voiture. Mais elle demeurait cependant conforme au règlement de la FIA (de justesse) qui voulait que les voitures fussent utilisables sur route ! Selon ce règlement, Ferrari aurait dû, en principe, en fabriquer une centaine. Il ne le fit pas – il n'aurait sans doute pas pu le faire – et n'en avait vraisemblablement jamais eu l'intention. Il ne croyait pas qu'il existât au monde autant de pilotes capables de se mesurer à la voiture. Ferrari soutint donc la thèse selon laquelle la nouvelle voiture, dans son interprétation personnelle du règlement, n'était qu'une évolution de la 250 GT SWB déjà homologuée. Et il n'en démordit pas. La FIA céda, et la GT, officiellement une simple 250 GT, acquit la lettre O pour *omologato*, devenant ainsi, dans la mémoire populaire, la légendaire 250 GTO. En février 1962, Ferrari en fit les honneurs à la presse au cours de la conférence annuelle de présentation du département course. A la fin de l'année, la 250 GTO avait remporté le premier de ses trois titres consécutifs de championne du monde des voitures de Sport. En tout, Ferrari construisit trente-neuf GTO. Parmi celles-ci, trois voitures reçurent un moteur 4 litres, et trois autres, parmi les derniers exemplaires de 1964, furent construites avec une carrosserie élargie et surbaissée, et équipées de jantes et de pneus plus larges.

Il convient en outre d'observer qu'on peut effectivement conduire la GTO sur route. De toutes les Ferrari, c'est l'une des plus recherchées et des plus chères aussi. Enfin, du point de vue de la compétition au plus haut niveau, la 250 GTO représente à sa manière le bouquet final d'une époque glorieuse et révolue.

Ferrari et Bizzarini avaient tiré la leçon des 250 GT SWB et des prototypes de la GTO : un très long capot surbaissé (*à gauche*) était essentiel pour réduire le maître-couple et assurer suffisamment d'appui aérodynamique.
Des trappes en forme de fer à cheval (*à gauche*) masquent des entrées d'air additionnelles. Le capot est maintenu par des courroies (*ci-dessus*).

250 GTO
CARACTÉRISTIQUES

MOTEUR
12 cylindres en V à 60°

CYLINDRÉE
2 953 cm³

ALÉSAGE A COURSE
73 X 58,8 mm

RAPPORT VOLUMÉTRIQUE
9,8 : 1

PUISSANCE
280 ch

DISTRIBUTION
Simples arbres à cames en tête

ALIMENTATION
6 carburateurs Weber 36 DCN

TRANSMISSION
Boîte manuelle à 5 rapports

SUSPENSION AVANT
Indépendante : doubles triangles superposés et ressorts hélicoïdaux, amortisseurs télescopiques hydrauliques.

SUSPENSION ARRIÈRE
Non indépendante, essieu moteur rigide, ressorts à lames semi-elliptiques, ressorts hélicoïdaux, bras tirés parallèles, amortisseurs télescopiques hydrauliques.

FREINS
Disque sur les 4 roues

ROUES
A fil, écrou central

POIDS
1 088 kg

VITESSE MAXI
281 km/h

NOMBRE D'EXEMPLAIRES FABRIQUÉS, DATÉS
39, 1962-1964

250 GT BERLINETTA LUSSO

La carrière de la 250 GT Berlinetta Lusso fut relativement courte pour une Ferrari de route : à peine dix-huit mois et trois cent cinquante exemplaires (entre le début de 1963 et le milieu de 1964). Pourtant, c'est un modèle qui a compté, et les connaisseurs se la rappelle avec une évidente tendresse. Certains d'entre eux soutiendraient sans doute qu'au panthéon des Ferrari elle est en très bonne place. La 250 GT Lusso signale la fin de la longue dynastie des 250 (qui fournit la meilleure part des Ferrari de route pendant une dizaine d'années) et annonce une nouvelle génération.

Le prototype signé Pininfarina fit ses débuts au salon de Paris en 1962 ; il fut installé sur l'estrade Ferrari, quelques jours seulement avant que les portes de l'exposition ne se referment. Bien davantage qu'un prototype hâtivement préparé, la voiture était virtuellement prête à entrer en production. Il suffisait que Saglietti (qui devait l'assembler) apportât quelques modifications de détail. Bien qu'elle n'offrit que deux places, et strictement, la 250 GT Lusso n'était pas la simple descendante des coupés 250 GT. Sa conception intégrait quelques-uns des aspects les plus luxueux et les plus raffinés empruntés à la philosophie de la 250 GT 2+2. De plus, les formes élégantes de sa carrosserie évoquaient le souvenir de la 250 GT SWB et de la GTO. En d'autres termes, l'héritage de la compétition transparaissait toujours sur le plan esthétique quand, simultanément, se creusait le fossé entre les véritables voitures de course et les modèles routiers.

Avec la Berlinetta Lusso (*à gauche*), Pininfarina signe l'une des plus belles Ferrari. Les nouvelles proportions du châssis réalisent une synthèse originale – le dessin du nez fait penser à celui de la 250 GT SWB tandis que le dessin de l'arrière rappelle celui de la 250 GTO.

Ce fut un changement important. Au moment où le sport automobile se spécialisait toujours davantage, les amateurs de voitures de sport devenaient, eux, chaque jour plus exigeants et plus « civilisés ». Enzo Ferrari pouvait encore donner l'impression de construire des routières, aux seules fins de financer son écurie de course qui représentait tout à ses yeux, lui-même finit par accepter, malgré ses réticences, la réalité commerciale du début des années 60. De nombreuses indications de ce nouvel état d'esprit sont présentes dans la 250 GT Lusso : le nom, lui même – *lusso* : luxe –, mais, surtout, la conception générale et la structure de la voiture qui s'écartaient sensiblement de celles des Super-Sport sans compromis, pour acquérir davantage d'espace et de confort. Des machines de course, elle avait gardé le V12 Colombo, dans une version dérivée de celui de la récente 250 GT SWB – une véritable voiture mixte route/piste. Selon les normes en vigueur chez Ferrari, c'était une version assez sage ; un simple arbre à cames en tête, entraîné par chaîne, et deux soupapes par cylindre ; seulement trois carburateurs Weber double corps inversés,

Quel que soit l'angle de vue, la Lusso conserve sa beauté sculpturale.
S'il donne une impression d'espace, l'habitacle ne peut accueillir plus de deux personnes.

alors que les moteurs de compétition en disposaient invariablement de six. Le moteur développait au mieux 250 ch à 7 500 tr/min, et 28,5 kgm de couple à 5 500 tr/min ; performances honorables, mais certainement pas supérieures à celles des précédents V12-250.

L'emplacement du moteur dans le châssis marquait, lui, clairement, le changement de cap. Le châssis échelle gardait l'architecture tubulaire de celui de la GTO (lui-même dérivé de celui de la 250 GT SWB), avec 2 400 mm d'empattement, un essieu rigide à l'arrière et des ressorts à lames semi-elliptiques, des bras tirés et un parallélogramme de Watt, avec en plus des ressorts hélicoïdaux additionnels concentriques à des amortisseurs télescopiques comme sur la GTO. La suspension avant était assurée par des doubles triangles superposés inégaux et par des ressorts hélicoïdaux. De magnifiques roues à fil Borrani coiffaient des freins à disques sur les quatre roues. Mais la principale différence de conception venait de l'emplacement du moteur : il avait été avancé de plusieurs centimètres. C'était là une initiative qu'on n'attendait pas de la part de Ferrari, sur une voiture de course où le poids doit être concentré autant que possible vers le milieu du véhicule. En revanche, cet emplacement constituait un avantage sur un modèle routier, car il libérait l'habitacle (et c'était appréciable dans une voiture de cette génération, où l'imposante boîte à quatre rapports était encore accolée au moteur et non placée à l'arrière avec le différentiel). Enfin, la carrosserie était tout en acier, à l'exception des panneaux des portières, du capot et du couvercle de coffre, ainsi que de quelques autres pièces embouties. Les finitions étaient généreuses pour une Ferrari ; le poids de la voiture s'en ressentait.

A l'intérieur, la voiture copiait les modèles de course avec ses profonds sièges baquets, inhabituels sur une Ferrari de route. Elle était pourvue d'un étrange tableau de

bord, très peu « compétition » d'aspect, d'un dessin propre à ce modèle. Il comprenait cinq petits cadrans alignés derrière le volant et un imposant compteur gradué jusqu'à 290 km/h, doublé d'un compte-tours de même taille dont la zone rouge commençait à 8 000 tr/min, le tout au beau milieu de la planche de bord, légèrement orienté vers le conducteur. On pouvait noter d'autres « anomalies » : l'espace situé derrière les sièges, assez généreux, était recouvert de cuir matelassé et pourvu de lanières destinées à attacher quelques bagages (le coffre, minuscule, étant déjà presque entièrement occupé par la roue de secours et la trousse à outils), mais on ne pouvait ni rabattre les dossiers des sièges, ni régler leur inclinaison, ni d'ailleurs celle de la colonne de direction (en hauteur comme en profondeur) ; en revanche, le pédalier était réglable en profondeur (sur cinq centimètres), comme souvent sur les voitures de course. La 250 GT Lusso n'était donc peut-être pas, en fin de compte, exclusivement destinée à la promenade !

D'autant qu'elle montrait les qualités et le comportement qu'on est en droit d'attendre d'une Ferrari : une vitesse maximale de 240 km/h environ, le temps – respectable sinon fracassant – de sept secondes pour passer de 0 à 100 km/h (elle était desservie dans cet exercice par un premier rapport assez long), et de moins de dix-sept secondes pour atteindre 160 km/h (départ arrêté). Son châssis pouvait soutenir brillamment la comparaison avec celui de ses concurrentes, exceptée peut-être une... autre Ferrari.

Le premier atout de la 250 GT Lusso résidait certainement dans le dessin de Pininfarina, assez éloigné de celui des membres plus anciens de la famille des 250, et offrant

Pininfarina utilise admirablement les proportions élégantes de la carrosserie, jouant sobrement avec des détails et des accessoires, tels ces phares longue portée ou encore ces minuscules butoirs pare-chocs (*au-dessus, à gauche et en haut au milieu*).

L'arrière de la Lusso (*ci-contre*) alliait une belle simplicité à un aérodynamisme efficace. La ligne pure du pavillon se marie avec élégance à la poupe tronquée de style Kamm, censée réduire la traînée. Les instruments de taille imposante, placés au centre, ne se retrouvent sur aucune autre Ferrari.

pourtant une subtile ressemblance avec plusieurs d'entre eux. Le dessin, d'une superbe légèreté au-dessus de la ceinture de caisse s'alliait à une solidité de bon aloi en dessous. Des courbes douces se mariaient à des angles droits. L'avant de la voiture et son agressif museau surbaissé étaient peut-être hérités de la 250 GT SWB, et l'on retrouvait à l'arrière du pavillon la pureté aérodynamique de la GTO que venait interrompre un abrupt panneau de style Kamm. L'ensemble avait une allure unique.

En 1963, Battista « Pinin » Farina, à la tête de la dynastie Farina, conduisait personnellement une 250 GTB Lusso spéciale, ce qui permet de penser qu'il appréciait particulièrement le modèle. Mais un bruit a couru, selon lequel Ferrari se serait toujours senti un peu mal à l'aise devant la grâce artistique de la Lusso ; il trouvait, paraît-il qu'une Ferrari, même si elle n'était pas destinée à la course, se devait de conserver davantage d'agressivité dans sa ligne. Au reste, ce point n'a que peu d'importance dans la courte carrière de la Berlinetta Lusso.

La dynastie des 250, avec la GTB Lusso, était près de s'éteindre, après quelque deux mille cinq cents voitures produites : parce que Ferrari, quoi qu'il pensât de l'esthétique de ses voitures, était avant tout l'homme des moteurs ; or, à la fin de 1964, le fidèle moteur Colombo V12-250 s'apprêtait à subir une mutation ; il allait, en effet, bénéficier de perfectionnements qui lui feraient prendre la forme du nouveau 275-3,3 litres.

250 BERLINETTA LUSSO
CARACTÉRISTIQUES

MOTEUR
12 cylindres en V à 60°

CYLINDRÉE
2 953 cm³

ALÉSAGE A COURSE
73 X 58,8 mm

RAPPORT VOLUMÉTRIQUE
9,2 : 1

PUISSANCE
250 ch

DISTRIBUTION
Simples arbres à cames en tête

ALIMENTATION
3 carburateurs Weber DCL 3

TRANSMISSION
Boîte manuelle à 4 rapports

SUSPENSION AVANT
Indépendante : doubles triangles superposés et ressorts hélicoïdaux, amortisseurs télescopiques hydrauliques.

SUSPENSION ARRIÈRE
Non indépendante, essieu moteur rigide, ressorts à lames semi-elliptiques, ressorts hélicoïdaux, bras tirés parallèles, amortisseurs télescopiques hydrauliques.

FREINS
Disque sur les 4 roues

ROUES
A fil, écrou central

POIDS
1 179 kg

VITESSE MAXI
241 km/h

NOMBRE D'EXEMPLAIRES FABRIQUÉS, DATÉS
350 environ, 1962-1964

250 GT
CALIFORNIA SPYDER

Quand Ferrari introduisit, en 1954, la notion de *Gran Turismo* (Grand Tourisme) dans sa gamme, il s'ouvrit à un tout nouveau marché. Les GT (telle sa 250 GTE) étaient le reflet de ce qui se produisait au plus haut niveau de la compétition dans la catégorie des voitures de sport : un renversement de tendance des constructeurs qui, occupés hier à produire des machines destinées exclusivement à la compétition, se tournaient vers la fabrication d'automobiles virtuellement utilisables sur route. Avant que ce changement ne s'opère, les voitures de Sport-compétition ressemblaient de plus en plus à des engins de Grand Prix à deux places – elles étaient extrêmement rapides, coûteuses et, au regard des normes fixées par les organisateurs, très dangereuses. Mais, après le changement signalé plus haut, il redevenait possible de présenter sur piste un véhicule qu'on pouvait aussi conduire sur route, et, si ce véhicule portait l'écusson Ferrari, de remporter des victoires. Ferrari comptait évidemment parmi sa clientèle de simples amateurs n'ayant aucune ambition sportive, mais voyant plutôt dans leur voiture rapide le moyen d'embellir leur image sociale. Ferrari répondait, pour son plus grand profit, à la demande des deux marchés, en vendant des berlinettes aux amateurs sportifs et des coupés « civilisés » aux Ferraristes sages. A partir de 1957, s'ajoutèrent à cette liste les jolis cabriolets signés Pinin Farina.

Les cabriolets avaient une personnalité bien différente de celle des précédentes Ferrari découvertes. Loin d'être des répliques de voitures de course, elles évoquaient plutôt les coupés de tourisme ; leur aménagement intérieur, complet mais sans ostentation, assurait le confort et la tranquillité de leurs passagers, tout comme les moteurs, en général, des versions « pacifiées ». Leur succès fut immense, mais, comme toujours en ce bas monde, quelqu'un finit par réclamer davantage. Depuis peu, l'Amérique avait découvert la compétition telle qu'on la pratiquait sur le vieux continent ; en même temps, elle découvrait les voitures de sport européennes. Dans les années de l'après-guerre, les Américains qui revenaient chez eux après avoir servi en Europe emportaient dans leurs bagages les petites voitures de sport qu'ils avaient découvertes et appréciées. De l'autre côte de l'Atlantique, on commença par se moquer de ces minuscules MG, Jaguar et autres, puis, à force de les voir faire des rondes agaçantes autour des monstrueuses

Les lignes fluides du Spyder California furent très peu modifiées par le passage du châssis long (*à gauche* et *double page suivante*) au châssis court. Des ouïes de ventilation latérales, une calandre plus étroite et l'absence de déflecteurs permettent de distinguer avec certitude une Spyder California d'un cabriolet 250 GT. Les deux voitures étaient munies de carénages de phares transparents.

«autochtones» de l'époque, les rires cessèrent enfin et le marché des voitures de sport s'enflamma. En quelques années, tout ce que l'Europe comptait de constructeurs de petites voitures de sport écoulait la plus grosse part de sa production aux Etats-Unis, les décapotables se vendant aisément sur la Côte Ouest où le soleil brille en permanence.

Ferrari avait vendu ses premières voitures de l'autre côté de l'Atlantique avant la fin des années 1940 et, au milieu de la décennie 1950, il s'était forgé une formidable réputation en compétition, grâce à laquelle il avait pu s'établir sur le lucratif marché de la voiture de Grand Tourisme rapide. Tout ce que Ferrari vendait en Europe, il le vendait aussi aux Etats-Unis. De plus, Ferrari n'était pas toujours insensible aux arguments de ceux qui, pourvu qu'ils eûssent un solide compte en banque, souhaitaient posséder plus qu'un simple modèle de série.

En 1958, Luigi Chinetti, le principal importateur de la firme Ferrari, connaissait bien ces arguments. Tout comme John von Neumann, le distributeur pour la Côte Ouest. Von Neumann proposait déjà aux plus éclairés de ses clients un copieux menu européen, composé de berlinettes routières/sportives, de coupés et de cabriolets de tourisme. Mais on lui réclamait également un cabriolet qui saurait faire bonne figure, à l'occasion, sur une piste, ce à quoi ne pouvait prétendre le cabriolet de Pinin Farina lancé en 1957, trop «bien élevé» et trop lourd. Von Neumann suggéra une version décapotable de la berlinette pour remplacer ce trop sage cabriolet. Ferrari s'y employa. En décembre 1957, le prototype de ce qui allait devenir la 250 GT California Spyder était prêt. Signé Pinin Farina, il reprenait la ligne générale de l'ancien cabriolet. En y regardant plus attentivement, on découvrait une calandre aux entourages plus arrondis, un pare-brise redressé et moins enveloppant. Les ouïes de ventilation du compartiment moteur, placées dans les ailes, arboraient un dessin plus agressif. Les feux arrière, eux aussi modifiés, semblaient plus conventionnels. Sous l'habillage, on retrouvait les caractéristiques générales des berlinettes 250 GT Tour de France, qui furent les premières Ferrari GT mixtes route-piste. C'est-à-dire : un châssis échelle tubulaire doté à l'avant d'une suspension indépendante à triangles superposés et ressorts hélicoïdaux, à l'arrière d'un essieu moteur rigide et des ressorts à lames semi-elliptiques, d'amortisseurs à biellette et de freins à tambours ; une version familière du moteur Colombo V12-3 litres, muni de culasses à conduits d'admission dédoublés, à bougies d'allumage au centre du V, alimenté par trois carburateurs Weber double corps inversés, trouvait sa place sous le capot. Ferrari annonçait 250 ch pour ce moteur, soit un peu plus que pour le précédent cabriolet. Supprimer le toit d'une voiture suppose qu'on la renforce afin de lui conserver une rigidité comparable à celle conférée par un volume clos ; le spyder, s'il était plus lourd que la berlinette, accusait beaucoup moins de poids sur la bascule que le cabriolet. Alors que ce dernier

Sur le capot, une écope inhabituelle, transparente (*page de gauche*) coiffe un imposant filtre à air et 3 carburateurs Weber double-corps. Mise à part une instrumentation complète qui réjouit les conducteurs sportifs, l'habillage est réduit au minimum. L'absence de pare-chocs (*ci-contre*) – sur option – si elle met en valeur le splendide nez de squale, renforçant l'allure sportive de la voiture, la rend très vulnérable.

était en acier, les panneaux de portières ainsi que le couvercle du coffre et le capot moteur du spyder étaient en aluminium. L'équipement intérieur était très spartiate, dépourvu de tout superflu. Cela ne nuisait en rien à son utilisation sur route mais autorisait son propriétaire à présenter sans honte son spyder au départ d'une course. Pour ceux qui désiraient sérieusement tâter de la compétition, Ferrari offrait l'option d'une carrosserie tout aluminium et d'un moteur préparé (plus puissant). Un bon nombre des quelque quarante-sept spyders finalement construits furent utilisés en compétition, et avec un succès considérable. Bob Grossman et Fernand Tavano prirent la cinquième place au Mans en 1959, année où Richie Ginther et Howard Hively remportèrent les Douze Heures de Sebring, toujours ; Scarlatti, Serena et Abate gagnèrent à nouveau dans leur catégorie et dans la même épreuve, en 1960.

La deuxième génération de California Spyder, qui apparut en 1960, était encore plus compétitive. Avant cette date, Ferrari avait déjà amélioré la voiture au fil de la production, en substituant aux anciennes dessinées par Colombo les nouvelles culasses à douze conduits séparés, ressorts de soupapes hélicoïdaux, bougies sur la face externe. L' embrayage – souvent le point faible des Ferrari – avait été renforcé. Dans l'ensemble, la voiture avait bénéficié des enseignements de la course. En mai 1960, Ferrari en présenta une nouvelle version, dotée d'un empattement réduit (tout comme les berlinettes). Plus courte, elle offrait l'avantage d'un moindre poids et d'une meilleure tenue de route. La voiture recevait aussi une nouvelle mouture, plus puissante encore, du V12 à culasses modifiées : 280 ch en configuration de base, un peu plus avec toutes les options de la compétition. Le châssis, plus court de 200 mm (2400 mm), était modernisé : des amortisseurs télescopiques remplaçaient les anciens modèles à biellette, des freins à disques équipaient les quatre roues, et aux quatre rapports de la boîte s'ajoutait maintenant un *overdrive*. Le nouveau Spyder California ne ressemblait pas à une version découverte de la berlinette à empattement court, mais bien plus à une version raccourcie et plus large du spyder à châssis long. Véritablement, l'une des plus belles Ferrari ! Sa ligne étourdissante fut toutefois un peu desservie par l'addition, sur les derniers modèles, de lunettes de phares chromées à la place des carénages transparents habituels.

Cinquante-sept exemplaires seulement furent vendus avant que n'en cessât la production, en février 1963, ce qui porta à un peu plus de cent le total des 250 GT California Spyder produites. Mais son grand mérite fut de renforcer la position de Ferrari sur le marché américain. Le Sports Car Club of America nota, lui aussi, les progrès accomplis par la voiture, mais d'un autre œil. Et quand Ferrari lança la version à empattement court, le Club fit passer la voiture de la catégorie GT à celle des « modifiées », où elle fut confrontée à des machines telles que la Jaguar type D : la rançon du succès sans doute !

250 GT CALIFORNIA SPYDER
CARACTÉRISTIQUES

MOTEUR
12 cylindres en V à 60°

CYLINDRÉE
2 953 cm³

ALÉSAGE A COURSE
73 X 58,8 mm

RAPPORT VOLUMÉTRIQUE
9,5 : 1

PUISSANCE
280 ch (modèle SWB)

DISTRIBUTION
Simples arbres à cames en tête

ALIMENTATION
3 carburateurs Weber 42 DCL 3

TRANSMISSION
Boîte manuelle à 4 rapports

SUSPENSION AVANT
Indépendante : doubles triangles superposés et ressorts hélicoïdaux, amortisseurs à biellette.

SUSPENSION ARRIÈRE
Non indépendante, essieu moteur rigide, ressorts à lames semi-elliptiques, bras tirés parallèles, amortisseurs à biellette.

FREINS
Disque sur les 4 roues

ROUES
A fil, écrou central

POIDS
1 065 kg

VITESSE MAXI
233 km/h

NOMBRE D'EXEMPLAIRES FABRIQUÉS, DATÉS
46 (LWB), 50 (SWB), 1958-1963

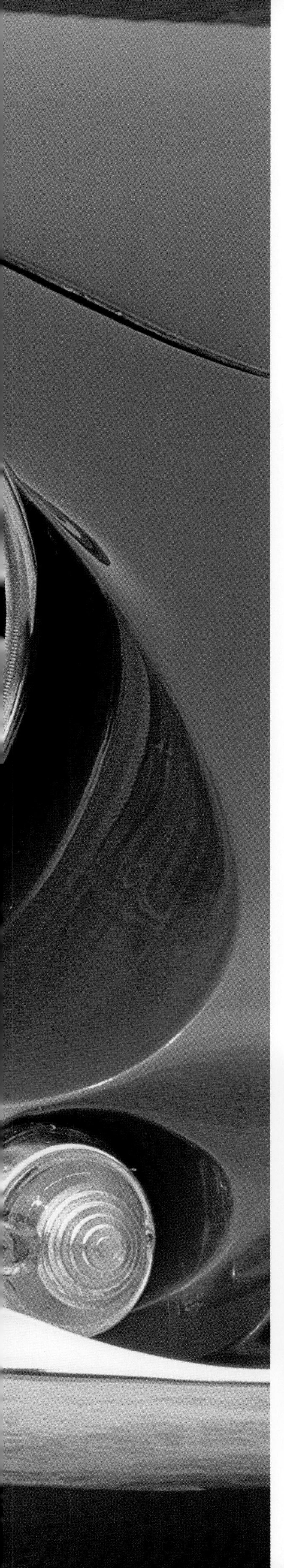

500 SUPERFAST

Ferrari ne s'embarrassa guère de préjugés quand il lui fallut choisir un nom au jouet qu'il destinait à sa très riche clientèle : il la baptisa Superfast, en toute simplicité. Il s'agissait d'une extravagance signée Pininfarina, capable de créer l'événement au coin de la rue. L'une des voitures les plus chères au monde, le modèle absolu en matière d'excellence automobile de ce début des années 60. On a pu dire que la Superfast était à Enzo Ferrari ce que la Royale était à Ettore Bugatti. En réalité, il n'y eut pas une Superfast, mais une famille, fondée sur l'extraordinaire envolée lyrique de Farina inaugurée à Paris, au salon de 1956, et culminant avec la petite série de celle qui nous intéresse, la 500 Superfast, apparue au salon de Genève, en1964.

Entre ce moment et août 1966, date à laquelle il ne se présenta plus de millionnaire pour l'acquérir, la seconde série de Superfast, légèrement modifiée, comptait trente-sept exemplaires, auxquels il faut ajouter les cinq voitures exposées dans les salons, toutes différentes.

L'histoire commença donc avec la Superamerica, en 1956, qui remplaçait la 375 America. C'était une voiture de commande, ou peu s'en fallait, et, sur les trois séries principales qui furent assemblées, il ne se trouvait pas deux véhicules identiques. Elles furent d'abord construites sur un châssis à empattement long, habillé par Pinin Farina, à quelques exceptions près (un coupé par Ghia, un autre par Boano ainsi qu'un cabriolet). Vint ensuite une série à châssis raccourci, carrossée par Farina, à une exception près due à Scaglietti. Enfin la troisième série, entièrement réalisée par Pinin Farina. Au total, moins de quarante voitures, mais le prix de chacune d'elles compensait leur petit nombre.

A l'occasion du salon de Paris en 1956, Pinin Farina (il changea son nom en 1958 seulement) transforma une des plus anciennes Superamerica en une machine étourdissante qu'il baptisa Superfast. Il s'agissait alors sans doute de la Ferrari la plus « extrême » entre toutes. La ligne du pavillon, très basse, semblait venir en porte à faux des montants de la lunette arrière, très inclinés. A cause de l'absence de montants, le pare-brise et les vitres latérales ne paraissaient faire qu'un. D'imposantes dérives verticales surmontaient les ailes arrière, pourvues de demi-carénages de roues. Une peinture deux tons, bleu et blanc, ainsi qu'une profusion de chromes apportaient la touche finale. Sous un immense capot trônait le V12 à double allumage de 380 ch, emprunté à la 410 Sport-compétition. La Superfast était, au sens propre, sensationnelle !

En 1957, à Turin, Pinin Farina présenta une Superfast utilisant aussi le moteur de 4,9 litres, d'une ligne très semblable, mais les dérives avaient disparu alors qu'on avait ajouté des montants au pare-brise. Puis vint le tour de la Superfast II, à Turin, en 1960 : un projet Pininfarina cette fois, et non Ferrari. La base était empruntée à la 400 Superamerica, le modèle qui

La série des 500 Superfast trouve à son origine les prototypes d'exposition de Pininfarina. La 500 Superfast fut mise en production en 1964 (*ci-dessous* et double *page suivante*). Le long museau, derrière son étroite calandre ovale et ses optiques de phares simples, camouflait le plus gros moteur jamais monté sur une Ferrari de série.

remplaçait la 410 en 1959. La Ferrari 400 intégrait un moteur Colombo V12-4 litres « seulement », ce qui représentait un tour de force pour un moteur qui conservait l'entre-axe des cylindres d'un moteur né avec une cylindrée de 1 500 cm³. Pour une obscure raison, Ferrari n'utilisa pas pour ce modèle la désignation habituelle exprimant la cylindrée unitaire, mais la baptisa 400, en rapport avec la cylindrée totale.

Rétrospectivement, Farina paraît avoir regroupé les deux premières Superfast sous la dénomination Superfast I. Les Superfast II, moins flamboyantes, constituent une étape supplémentaire vers le modèle de production en série. Ses lignes pures, étudiées en soufflerie, servirent de référence pour l'habillage d'une douzaine de coupés *aerodinamica*, faisant partie de la série des 400 Superamerica. La Superfast II fut aussi le point de départ du prototype de la 250 GTO...

Les Superfast III et IV furent présentées au cours de l'année 1962. Les deux modèles étaient, en fait, des Superfast II modernisées, notamment dans le traitement de l'avant de la voiture. La Superfast III se distinguait par des phares escamotables (comme la SF II), alors que la Superfast IV portait à l'avant deux doubles optiques qui faisaient paraître encore plus élancé le long capot plongeant.

Et la 500 Superfast apparut enfin sur la scène ; non pas en tant que prototype Farina, mais bien comme un modèle de production Ferrari. Pininfarina en avait, bien entendu, dessiné la carrosserie. On retrouvait beaucoup des lignes de la 400 Superamerica, mais l'arrière fuyant de celle-ci avait été tronqué, dans le style Kamm ; le long capot était flanqué de deux optiques simples, non carénées.

Il ne faisait aucun doute que la Superfast, comme la Superamerica, avait été conçue pour les Etats-Unis. Sur le plan commercial, ce qui était bon pour l'Amérique, l'était également pour Ferrari. D'une manière générale, ce que voulait l'Amérique, c'était disposer de plus de puissance afin de rouler plus vite. Après tout, n'était-ce pas là-bas qu'était née la croyance selon laquelle « rien ne remplace la cylindrée » ? L'opinion finirait, bien plus tard, par se lasser de cette course à la puissance, mais, tant qu'elle durerait, Ferrari donnerait à ses clients ce qu'ils réclamaient. Il ne vendrait peut-être pas un très grand nombre de Superfast, mais le prestige de celle-ci rejaillirait sur d'autres modèles qui trouveraient ainsi un plus grand nombre d'acheteurs.

Le moteur de la 500 Superfast était exclusif de ce modèle. Avant l'avènement de la 288 GTO, en 1984, et de son V8-2,8 litres à double turbo-compresseur, elle était la plus puissante des Ferrari de Grand Tourisme. Le sigle 500 était là pour rappeler les cinq litres de cylindrée ; avec 4 953cm³, son moteur était le plus puissant jamais installé dans une Ferrari de route. Il fut surpassé par les 4 994 cm³ du moteur de la 512 Sport-compétition, et par les 6 222 cm³ du monstrueux V12 Can Am qui fit campagne, sans grand succès, en 1968 et 1969.

Le moteur n'était ni un Lampredi ni un Colombo, mais une synthèse des deux. Sur un « bloc long » Lampredi de 410 Superamerica étaient posées des culasses amovibles de type Colombo, pourvues d'un simple arbre à cames en tête par rangée de cylindres, entraîné par chaîne. Alimenté par trois carburateurs Weber inversés, il développait 400 ch à 6 500 tr/min, puissance extraordinaire pour une voiture de tourisme en 1964 ; la 500 Superfast était à tout point de vue une voiture extraordinaire.

Le châssis, semblable dans les grandes lignes à celui de la 330 GT, présentait à l'avant une suspension indépendante à triangles superposés et ressorts helicoïdaux, alors qu'à l'arrière, l'essieu moteur était rigide avec des ressorts à lames semi-elliptiques. Les freins étaient à disque sur les quatre roues. A l'origine, les voitures étaient équipées de boîtes à quatre rapports plus *overdrive*, mais les derniers modèles bénéficiaient, comme les 330, d'une véritable boîte à cinq rapports. Les acheteurs pouvaient choisir entre un grand nombre d'options, en matière de rapport final, selon qu'ils désiraient privilégier des accélérations foudroyantes ou une vitesse de croisière très élevée puisqu'elle flirtait avec les 260 km/h.

Et c'est là que se trouvait le terrain favori de la 500 Superfast : les grandes routes, avalées à très vive allure, grâce à la puissance impressionnante de son moteur. Elle pouvait y démontrer sa brillante tenue de route et sa précision. En ville, ou sur les petite routes, elle était comme un poisson hors de l'eau, trop massive, trop lourde, mais, après tout, elle n'était pas faite pour cela. C'était une voiture exigeante qu'il fallait mériter ; pour user d'une expression sexiste : une voiture d'hommes, vraiment. Après avoir fait entrer une telle cavalerie sous son capot, Ferrari se soucia de lui donner un intérieur digne d'une limousine : cuir, bois précieux et profonde moquette, ou l'environnement que s'attendait à trouver celui qui dépensait le double du prix d'une Rolls Royce pour acquérir une deux places et demi de tourisme. Ces acheteurs, au nombre de trente-six pour la production totale des deux séries, étaient soigneusement sélectionnés. Parmi eux, on trouvait Peter Sellers, le colonel Ronnie Hoare, concessionnaire britannique Ferrari (la dernière lui fut destinée), l'Aga Khan, qui témoignait d'une ferveur aussi grande pour le Cheval Cabré que pour les chevaux de course. Le shah d'Iran eut le privilège d'en posséder deux exemplaires : dans le monde de la Superfast, l'excès était empereur sinon roi...

Avec presque 5 litres de cylindrée, le V12 (*ci-contre*) développait 400 ch. Une telle puissance permit à Ferrari de se montrer généreux en matière d'équipement et d'habillage intérieur. La finition extérieure (*page de gauche*) flattait le goût des clients d'outre-Atlantique.

500 SUPERFAST
CARACTÉRISTIQUES

MOTEUR
12 cylindres en V à 60°

CYLINDRÉE
4 962 cm³

ALÉSAGE A COURSE
88 X 68 mm

RAPPORT VOLUMÉTRIQUE
8,8 : 1

PUISSANCE
400 ch

DISTRIBUTION
Simples arbres à cames en tête

ALIMENTATION
3 carburateurs Weber 40 DCZ 6

TRANSMISSION
Boîte manuelle à 5 rapports

SUSPENSION AVANT
Indépendante : doubles triangles superposés et ressorts hélicoïdaux, amortisseurs télescopiques hydrauliques.

SUSPENSION ARRIÈRE
Non indépendante, essieu moteur rigide, ressorts à lames semi-elliptiques, bras tirés parallèles, amortisseurs télescopiques hydrauliques.

FREINS
Disque sur les 4 roues

ROUES
A fil, écrou central

POIDS
1 451 kg

VITESSE MAXI
249 km/h

NOMBRE D'EXEMPLAIRES FABRIQUÉS, DATÉS
36 environ, 1964-1966

250 LM

Dans le monde de la course automobile, l'habileté d'Enzo Ferrari à interpréter voire manier les règlements était légendaire. Il possédait une confiance absolue dans ses propres capacités ; son entêtement féroce, son individualisme lui conféraient une aura et une réputation contre lesquelles se brisaient, parfois, les faiseurs de règles euxmêmes. Au reste, il prenait un malin plaisir à les vaincre à leur propre jeu.

Pour faire triompher son point de vue, il était capable d'abandonner avec fracas une course ou un championnat ou à y revenir. Si quelque autorité l'avait contrarié dans ses projets, il n'hésitait pas à engager ses voitures sous les couleurs d'écuries privées. Il discutait à l'infini les nouveaux points du règlement, au plus haut niveau, avant leur application. Nombre de ses adversaires croyaient volontiers que cette agitation était au mieux cynique et, au pire, une véritable feinte destinée à transgresser les règles. Pour Ferrari, ces parades faisaient partie du jeu.

Elles lui réussirent souvent, mais pas toujours. Au début des années 1960, avec la 250 LM, Ferrari perdit la partie. La belle 250 LM, née sous une mauvaise étoile, fut présentée comme une voiture de course théoriquement utilisable sur route. Elle devait être la première Ferrari de production à moteur central, mais Ferrari fit fiasco.

Le début des années 60 s'annonçait comme une époque troublée à Maranello ; la situation financière était précaire, et le sport automobile entrait dans une période qui serait dominée par la recherche scientifique et par la puissance économique venue de l'Amérique du Nord. Avec son programme « Total Performance », Ford ne cherchait rien moins qu'à remporter le championnat du monde des Conducteurs, la victoire à Indianapolis et aux Vingt-Quatre Heures du Mans. En 1963, il confia à Lotus la mission Indianapolis, mais Ferrari barrait ostensiblement la route des deux autres objectifs, et Ford était conscient d'être plus riche d'argent que de temps. Espérant alors que l'Italien se montrerait sensible à l'argument financier qui lui apporterait la stabilité, l'empire auto-

Avec la 250 LM, Ferrari essaya une fois de plus, de façon très audacieuse, de détourner les règlements de la catégorie GT. Il produisait aussi l'une de ses voitures les plus réussies (*à droite*). Si la 250 LM avait été homologuée, elle serait peut-être devenue la première routière Ferrari à moteur central arrière.

La ligne de pavillon très particulière (*ci-dessus* et *ci-contre*) est apparue pour la première fois en 1964 sur les dernières 250 GTO. La faible surface frontale réduisait le maître-couple, le tunnel formé par les montants postérieurs créait une zone dépressionnaire au-dessus du capot moteur.

mobile américain lui fit une offre d'achat. Au mois de mai, on était bien près de signer un accord sur des projets de véhicules destinés à la compétition et à la production en série. C'est alors que Ferrari annonça qu'il voulait exercer le contrôle sur toute l'activité en compétition du groupe, y compris celle de Ford aux Etats-Unis. Ce dernier point fit échouer la tentative de rapprochement.

Si Enzo Ferrari tenait tant à ce contrôle c'est que, plusieurs années auparavant, il avait eu un entretien avec Carroll Shelby, dans le but de l'engager comme pilote d'usine. Ferrari se montra-t-il aussi méprisant qu'il pouvait l'être parfois avec les simples mortels ? A cette époque, Shelby avait déjà l'ambition de construire ses propres voitures de sport : au terme d'une conversation sans doute mouvementée, il fit savoir à Ferrari, avec une admirable clarté, qu'un jour viendrait où, tout Texan qu'il était, il se ferait une joie de « lui botter le cul »... Or, à l'époque où Ford tentait d'annexer Ferrari, Shelby produisait ses Cobra sous le patronage de Ford et remportait des succès en compétition. Enzo Ferrari aurait donc pu se retrouver le patron de Shelby...

Ford tourna les talons, construisit et mit au point sa GT 40. Un bras de fer opposa bientôt les deux hommes.

En 1962, Ferrari avait fait homologuer sa GTO – alors que trente-neuf exemplaires seulement sur cent imposés avaient été construits, en arguant du fait qu'elle n'était qu'une version différemment carrossée de la 250 GT SWB, déjà homologuée. En 1963, Shelby répliqua par l'homologation du coupé Daytona présenté comme étant une Cobra redessinée elle aussi. Et il n'en construisit que sept ! L'année suivante, en 1964, Ferrari fit annuler l'avant-dernière manche du championnat GT, à Monza, alors que Shelby semblait pouvoir remporter le titre, le laissant dans l'impossibilité de gagner les points qui assureraient son triomphe dans la dernière manche. En 1965, Ferrari se retira du championnat au cours de la saison, abandonnant aux Daytona de Shelby un titre qu'elles auraient sans doute conquis de toutes façons, mais les privant de la gloire d'avoir triomphé des italiennes.

Le retrait de Ferrari était motivé par le fait que la FIA, pour une fois sourde à la volonté du maître, n'avait pas consenti à homologuer la 250 LM. Rendu sans doute trop optimiste, après les mystifications réussies des deux années

7
APB

Les principales prises d'air du compartiment moteur furent intégrées avec élégance dans le haut des ailes arrière par Pininfarina (*ci-contre*). La façon dont il réussit à loger le V12 en position centrale, sans déséquilibrer visuellement la voiture, est admirable.

Quoi qu'en dise le catalogue, la 250 LM fut une pure voiture de course, depuis son intérieur strictement fonctionnel (*ci-dessous à gauche*) jusqu'aux imposants bouchons de remplissage à ouverture rapide (*en bas à gauche*). Tout l'arrière de la voiture se soulevait (*ci-dessous* et *en bas*), permettant un accès aisé à la mécanique.

Loger le gros V12 en position centrale ne représentait pas une mince affaire pour les ingénieurs Ferrari (*ci-contre*). Seule la première voiture reçut un moteur 3 litres ; toutes les autres furent dotées d'un 3,3 litres sans que Ferrari changeât la désignation du modèle.

précédentes, Ferrari avait tenté de faire passer la 250 LM (LM pour Le Mans, bien sûr) pour une évolution de la 250 GTO. La FIA s'était laissé abuser par la GTO et la Daytona, on ne la bernerait pas avec la « variante » à moteur central d'une automobile à moteur avant ! Au reste, seul le premier prototype aurait dû s'appeler 250 LM. Tous les autres, en vérité, méritaient amplement le sigle 275 LM, car Ferrari avait subrepticement porté leur cylindrée du V12 Colombo à 3,3 litres...

Le projet de la 250 L M n'était pas tombé du ciel : reléguée en catégorie prototype, elle était surclassée par la Ford GT 40, mais si Ferrari était parvenu à l'imposer en catégorie GT, ainsi qu'il en avait eu l'intention, la confrontation avec les Daytona de Shelby eut sans doute été sévère.

Loin de prolonger la lignée des 250 GT, la voiture était une extrapolation de la 250 P de 1963, elle-même destinée, cette année-là, aux Vingt-Quatre Heures du Mans, dans la catégorie Sport-prototypes. Dans un châssis de Dino 246 SP (à moteur central), Ferrari avait glissé un V12-3 litres de Testa Rossa. Cette combinaison formerait la première Ferrari Sport-compétition à moteur V12-3 litres en position centrale. Elle indiquait clairement la voie qu'emprunterait Ferrari par la suite. Quatre 250 P furent construites et remportèrent les lauriers au Mans (deux fois si l'on inclut la victoire de la 275 P en 1964) et à l'issue de nombreuses autres épreuves. La 250 LM fut parfois décrite comme « une 250 P, munie d'un toit ».

Elle en était, sur le plan de l'esthétique, très proche, ses formes fluides et voluptueuses restant l'œuvre de Pininfarina. Sous sa tôle, se trouvait un châssis fort complexe en treillis de tubes, en remplacement du châssis échelle des GT. Il était muni d'une suspension indépendante sur les quatre roues, à doubles triangles superposés et ressorts hélicoïdaux, alors que les GT avaient conservé leur essieu moteur rigide. Le premier modèle excepté, toutes les 250 LM reçurent le moteur Colombo V12-3,3 litres développant 320 ch, transmis à travers une boîte/différentiel à cinq rapports. Bien qu'elle fût sans équivoque une voiture destinée à la compétition, offrant un poste de pilotage exigu et dépouillé, privé du moindre volume qui eût pu dignement accueillir un bagage, Ferrari tenta de la faire passer pour une GT, utilisable sur route. Sur les trente-deux voitures construites, deux bénéficièrent d'une finition et d'un équipement plus complets; quelques courageux propriétaires s'aventuraient parfois hors des pistes...

Dans l'épreuve de force entre la FIA et Ferrari, c'est l'Italien qui eut le dernier mot avec la 250 LM. Aux Vingt-Quatre Heures du Mans, en 1965, Jochen Rindt et Masten Gregory furent engagés dans une 250 LM, en catégorie Prototypes, sous les couleurs de l'écurie de course de Luigi Chinetti (N.A.R.T.). Ils devaient lutter contre les Ford GT 40, et les spécialistes les voyaient par avance battus. Résignés à faire de la figuration, ils s'efforcèrent néanmoins de maintenir un train soutenu. Alors que leurs concurrents, plus rapides, prenaient le large, tour après tour, ils se satisfaisaient du rang finalement honorable qui semblait leur être destiné. Mais il arriva que les voitures de tête, y compris les Ferrari officielles, abandonnèrent les unes après les autres ; il ne resta bientôt plus à la LM de Rindt et Gregory qu'à s'acheminer tranquillement vers une victoire qui resterait dans les mémoires. Mieux encore : les deuxième et troisième places furent prises par des Ferrari ; toutes les Ford GT 40 ayant abandonné, seule une Daytona engagée par Shelby fut à l'arrivée, en huitième position au classement général, et deuxième seulement de la catégorie GT, derrière... une Ferrari ! Bien que les voitures engagées par l'usine eussent, elles aussi, été contraintes à l'abandon, Enzo Ferrari esquissa certainement un sourire ce jour-là.

250 LM (275 LM)
CARACTÉRISTIQUES

MOTEUR
12 cylindres en V à 60°

CYLINDRÉE
2 953 cm³ (3 286 cm³)

ALÉSAGE A COURSE
73 x 58,8 mm (77 x 58,8 mm)

RAPPORT VOLUMÉTRIQUE
9,7 : 1

PUISSANCE
300 ch (320 ch)

DISTRIBUTION
Simples arbres à cames en tête

ALIMENTATION
6 carburateurs Weber 38 DCN

TRANSMISSION
Boîte manuelle à 5 rapports

SUSPENSION AVANT
Indépendante : doubles triangles superposés et ressorts hélicoïdaux, amortisseurs télescopiques hydrauliques.

SUSPENSION ARRIÈRE
ndépendante : doubles triangles superposés et ressorts hélicoïdaux, amortisseurs télescopiques hydrauliques.

FREINS
Disque sur les 4 roues

ROUES
A fil, écrou central

POIDS
861 kg

VITESSE MAXI
257 km/h

NOMBRE D'EXEMPLAIRES FABRIQUÉS, DATÉS
35, 1963-1966

HAA 230D

275 GTB

La nouvelle Ferrari, qui fut lancée au salon de Paris à la fin de l'année 1964, était l'une des grandes routières les plus achevées parmi celles proposées par la firme. Il s'agissait tout simplement de la génération montante qui enterrait la fière dynastie des 250 GT, dont étaient issues depuis dix ans les voitures de base. La nouvelle venue reprendrait certes la tradition, mais au goût du jour. En théorie, elle héritait de la nature duale des voitures précédentes, avec un peu plus de confort et une finition plus soignée. Son élégante carrosserie était due, bien sûr, au crayon de Pininfarina. Plus exactement, ses deux carrosseries élégantes, car Ferrari lança simultanément la 275 GT Spyder, sur un châssis identique, au moteur un peu moins puissant, mais possédant son propre habillage.

Les deux voitures, au demeurant, offraient peu de ressemblances. La berlinette suivait un nouveau dessin, aussi aérodynamique et lisse qu'il était possible, alors que la spyder épousait une ligne plus anguleuse, plus ornementée, qui seyait mieux à sa vocation de voiture de tourisme. Elle ressemblait au produit du croisement entre une 250 GT Spyder et une 330 GT 2+2. Scaglietti construisit les carrosseries des berlinettes, Pininfarina se chargea de celles des spyders.

Il revenait, bien sûr, à Ferrari d'assembler les châssis et les moteurs dans l'usine de Maranello ; et les flancs de ces voitures contenaient un grand nombre d'innovations. La 275 GTB fut la dernière Ferrari à utiliser le fidèle moteur Colombo à « bloc court » dans sa configuration simple ACT. Mais avec une cylindrée accrue, il était loin d'avouer ses limites ; et restait un superbe moteur.

La cylindrée, 3 286 cm^3 ou, pour respecter la désignation en vigueur, 275 cm^3 par cylindre, était à nouveau obtenue par augmentation de l'alésage. Ce serait la dernière fois. La course restait à 58,8 mm, comme sur les 250, ce qui faisait du 275 un moteur plus supercarré et encore plus souple que ses prédécesseurs.

Les 275 GTB et 275 GTS étaient bien autre chose que de simples améliorations d'un modèle plus ancien : ils représentaient l'avenir de Ferrari en matière de châssis.

En 1964, les Ferrari de tourisme ne possédaient toujours pas de suspension arrière indépendante. Elles se contentaient, en général, d'un essieu moteur rigide et de ressorts à lames semi-elliptiques, la géométrie étant maintenue par des bras tirés parallèles. Rien de très sophistiqué. Pour la 275 GTB (GTS), Ferrari adopta une suspension à quatre roues indépendantes identique à celle de ses modèles de compétition. A partir de la 275 GTB/GTS, les Ferrari de tourisme furent dotées sur leurs quatre roues de suspensions à triangles superposés inégaux, à ressorts hélicoïdaux et amortisseurs télescopiques, qui amélioraient notablement le contrôle du train arrière. L'abandon de l'essieu rigide, s'il appelait une nouvelle épure de suspension, obligeait, en outre, Ferrari à repenser toute la transmission. Au lieu d'être accolée au moteur, la boîte de vitesses ne faisait plus qu'un avec le différentiel, à l'arrière de la voiture ; seuls la cloche d'embrayage et l'embrayage lui-même demeuraient à l'avant.

Le tunnel de transmission s'en trouvait réduit, abandonnant du volume aux passagers, et l'équilibre de la voiture en était amélioré. Malheureusement, la précision du levier de vitesses, constatée sur les modèles précédents, en pâtit, le lien direct avec la boîte étant remplacé par une tringlerie génératrice d'à-coups.

Et certes, la nouvelle conception n'était pas exempte de défauts ; c'est ainsi que sur la berlinette les joints de cardan de l'arbre furent tout d'abord redessinés avant que Ferrari

Quand fut lancée la 275 GTB, le sport automobile s'intéressait déjà autant à l'aérodynamique qu'à la puissance des moteurs. Les superbes lignes fluides de cet exemplaire (*page de gauche*) reflètent cette philosophie. La présence de vitres de custode (*ci-contre*) signale un des tout premiers modèles.

n'ajoutât un tube dans lequel tournait l'arbre de transmission et destiné à absorber les forces de réaction ainsi qu'à assurer l'alignement entre l'embrayage et la boîte de vitesses.

Mais enfin, l'ensemble formait une voiture superbe à voir et fort plaisante à piloter. Elle alliait le confort de la 250 GT Lusso à l'allure sportive de la 250 GT SWB. Elle pouvait atteindre 240 km/h, mais cette vitesse mettait en évidence l'un de ses défauts : une fâcheuse tendance à perdre de l'adhérence sous le train avant. L'année suivante, avec plusieurs modifications de détail, la 275 GTB gagna un nez allongé.

Naturellement, de nombreux propriétaires voulurent se mesurer au chronomètre ; alors, comme pour les 250 GT Tour de France, Ferrari proposa une version compétition de la 275 GTB.

Sous sa carrosserie tout en acier, à l'exception des portières, du capot et du couvercle de coffre, le moteur de la 275 GTB normale développait 250 ch. Il était alimenté par trois carburateurs. Il existait une version à six carburateurs, moins souple mais délivrant environ 20 ch supplémentaires. Une douzaine de 275 GTB, plus spécialement destinées à la compétition, furent assemblées en 1964 et 1965. Elles ne présentaient pas toutes des caractéristiques identiques, mais combinaient une carrosserie en aluminium – étrangement, avec le nez court original – à un moteur à six carburateurs, équipé, pour certaines, d'une lubrification à carter sec. Ferrari proposa par ailleurs, en 1966, une variante de la 275 GTB, totalement dédiée, celle-ci, à la course en catégorie GT : la 275 GTB/C (le « C » pour Competizione) et, peut-être encore échaudé par l'accueil réservé à sa 250 LM par la FIA, il prit garde à ne pas tenter le diable. Si l'on ne tenait pas compte des ailes élargies ni de l'absence du tube de réaction de l'arbre de transmission, la 275 GTB/C ressemblait à une autre 275 GTB à long nez, très légère grâce à sa coque tout en aluminium, à ses vitres latérales et à sa lunette arrière en matière plastique. Homo-

Les louvres sur les montants postérieurs arrière du pavillon assistent la ventilation d'un habitacle à la finition exemplaire (*en haut*). Les roues en alliage léger (*à droite*) constituent une première sur une Ferrari routière.

HAA 230D

loguée uniquement en version à trois carburateurs, elle était plus puissante, grâce à son moteur à arbres à cames différents, grâce aussi à ses plus grandes soupapes et à sa lubrification à carter sec.

Ferrari construisit jusqu'en 1966 plus de quatre cent cinquante exemplaires de sa 275 GTB, douze de la 275 GTB/C et deux cents cabriolets 275 GTS, puis il cessa de produire les modèles Competizione et Spyder (ce dernier remplacé par la 330 GTS). Mais, en 1966, au salon de Paris (son préféré), soit exactement deux ans après l'introduction de la 275 GTB, il présenta une version de sa berlinette qui fit grande impression.

En plus du châssis à suspension indépendante sur les quatre roues, des quatre freins à disques et de la boîte/différentiel suspendue à l'arrière, la nouvelle venue bénéficiait d'un atout supplémentaire : elle fut la première Ferrari de Grand Tourisme à être équipée d'un moteur à deux ACT par rangée de cylindres, qui, dans sa version à six carburateurs et carter sec, développait 300 ch au régime de 8 000 tr/min.

La voiture baptisée 275 GTB/4 atteignait, grâce à ces perfectionnements, une vitesse supérieure à 240 km/h, tout en conservant une remarquable souplesse de moteur. Ceux qui ont piloté une 275 GTB, qu'elle fut à deux ou quatre ACT, assurent que son ample puissance, disponible sur une large plage de régime, ses dimensions réduites, son faible poids et son excellente suspension en faisaient une voiture relativement aisée à piloter. En 1966 et 1967, Ferrari produisit environ deux cent quatre-vingts GTB/4 (plus dix 275 GTS/4 Spyder – sur base berlinette cette fois – sur commande de toute spéciale de son importateur de la Côte Est des Etats-Unis, Luigi Chinetti, patron du North American Racing Team). Puis la 275 GTB/4 céda la place à la 365 GTB/4 Daytona.

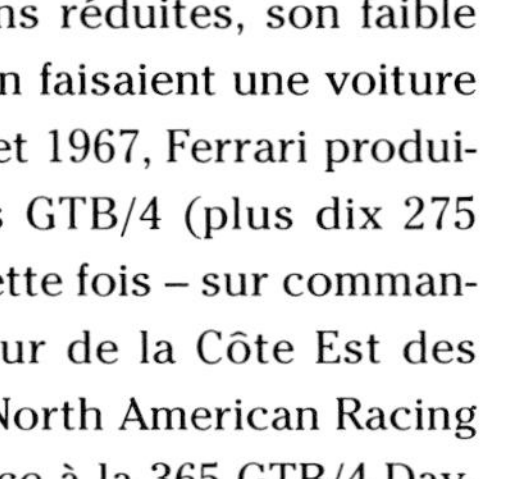

Les 275 GTB de la première génération possédaient un moteur à simple ACT par rangée de cylindres (*ci-contre*) ; plus tard, elles furent dotées de moteur à double ACT et prirent la désignation 275 GTB/4. Les six carburateurs n'étaient disponibles que sur option, mais dans cette configuration, les moteurs simples ACT ne fournissaient que très peu de puissance face aux moteurs double ACT. Le nez de la 275 GTB (*page de gauche*) fut allongé pour résoudre le manque d'appui aérodynamique sur l'avant à grande vitesse. Le tableau arrière de style Kamm (*en haut*) donnait, lui, toute satisfaction.

275 GTB
CARACTÉRISTIQUES

MOTEUR
12 cylindres en V à 60°

CYLINDRÉE
3 286 cm^3

ALÉSAGE A COURSE
77 x 58,8 mm

RAPPORT VOLUMÉTRIQUE
9,2 : 1

PUISSANCE
250 ch

DISTRIBUTION
Simples arbres à cames en tête

ALIMENTATION
3 carburateurs Weber 40 DCZ 6

TRANSMISSION
Boîte manuelle à 5 rapports

SUSPENSION AVANT
Indépendante : doubles triangles superposés et ressorts hélicoïdaux, amortisseurs télescopiques hydrauliques.

SUSPENSION ARRIÈRE
Indépendante : doubles triangles superposés et ressorts hélicoïdaux, amortisseurs télescopiques hydrauliques.

FREINS
Disque sur les 4 roues

ROUES
A fil, écrou central

POIDS
1315 kg

VITESSE MAXI
241 km/h

NOMBRE D'EXEMPLAIRES FABRIQUÉS, DATÉS
455, 1964-1966

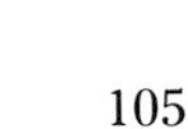

330 GTS

Le milieu des années 60 fut une époque faste pour la vente des Ferrari décapotables. Mais l'Amérique manifestait aussi un intérêt croissant pour les questions relatives à la sécurité et à l'environnement. Ainsi, l'avocat Ralph Nader, auteur du livre *Unsafe at any speed*, qu'on pourrait traduire par « Vous n'êtes pas en sécurité dans votre automobile, quelle que soit votre vitesse », jetait les bases de la défense des consommateurs et soulevait un bel ensemble d'avertissements qui sonnèrent tel un glas aux oreilles des vrais amoureux des voitures de sport. Les règlements qui suivirent les premières campagnes en faveur de la sécurité au volant provoquèrent un concert de plaintes.

Le marché de l'automobile fut affecté par les effets de la lutte pour la protection de l'environnement, mais aussi par les simples lois économiques : les crises pétrolières successives condamnaient les grosses voitures gourmandes en carburant. Ferrari commença par proposer des moteurs de plus forte cylindrée mais moins polluants. Puis les normes furent plus sévères encore, au point de compromettre toute vente aux Etats-Unis. Mais Ferrari n'était pas le seul à souffrir de la situation : c'est toute l'industrie automobile qui sut relever le défi et fabriquer des moteurs plus « propres » et puissants.

Le nouveau puritanisme s'intéressa aussi à l'aspect extérieur des automobiles. Il s'attaqua aux décapotables en particulier et décréta qu'elles faisaient courir un grave péril à ses occupants lorsqu'elles se retournaient. Sans prendre de véritables mesures d'interdiction, la « terre de toutes les libertés » laissa les constructeurs et leurs avocats peser leur responsabilité et tirer leurs propres conclusions ; qui furent les suivantes : les décapotables étaient, surtout « politiquement », condamnées. Après 1968 et l'application de mesures très strictes concernant les moteurs des grosses cylindrées et la sécurité routière, les ventes mondiales des voitures décapotables furent menacées de se voir amputer du fructueux marché de la Côte Ouest des Etats-Unis, constamment ensoleillée. Ainsi, entre le petit nombre de Daytona Spyder présentes au catalogue jusqu'en 1973 et le cabriolet Mondial présenté en 1984, Ferrari ne produisit plus de vrai cabriolet. L'« anachronique » Daytona Spyder mise à part, les dernières Ferrari décapotables avant la Mondial datent des années 60.

Cette famille, qui connut un franc succès, naquit avec la 275 GTS, en 1964, et s'éteignit avec la 365 GTS, en 1969. Ferrari en vendit trois cent vingt exemplaires, répartis en trois séries, pour la plupart aux Etats-Unis. Leur charme provient

La GTS offrait, en plus du confort du coupé 330 GTC, les agréments d'une décapotable (*à droite*) à la carrosserie élégante, discrète et à la vocation Grand Tourisme affirmée (*double page suivante*).

RUOTE

de la simplicité avec laquelle elles étaient conçues : assez courtes, dotées d'un intérieur fonctionnel, traité avec goût, discret mais suffisamment original. La 275 GTS fut exposée, comme de bien entendu, au salon de Paris, en 1964. A côté de la 275 GTB, elle représentait, en quelque sorte, un juste milieu ; elle en reprenait le châssis à empattement court (2 400 mm) et le moteur Colombo V12-3,3 litres, mais le dessin de sa carrosserie était empreint d'un classicisme de bon aloi, signé Pininfarina. Construite dans ses ateliers, la 275 GTS ressemblait beaucoup plus à une version découverte de la 330 GT 2+2 qu'à une 275 GTB privée de son pavillon. A l'avant, elle avait pourtant adopté deux simples optiques de phares – qui n'apparaîtraient sur la 2+2 qu'en 1965, en remplacement des doubles optiques mal aimées de la 330 originale de 1963. Sa puissance elle-même était un peu plus raisonnable que celle de la 275 GTB, avec 260 ch (contre 275). Son châssis fut équipé d'un arbre de transmission en plusieurs parties assemblées par des joints de cardan mais ne bénéficia jamais du tube de réaction concentrique à celui-ci, destiné à éliminer les problèmes d'alignement entre le moteur et l'ensemble boîte/différentiel, qui apparut sur les 275 GTB. Bref, la 275 GTS était une routière décapotable rapide et confortable, pas une voiture de course.

La formule fut très bien accueillie, et Ferrari en vendit exactement deux cents exemplaires jusqu'au mois de mai 1966. A l'automne, à Paris, lorsqu'il remplaça la 275 GTS par la 330 GTS, il savait déjà qu'il tenait un cheval gagnant.

La Ferrari 330 GTS ne se contentait pas de l'habituel moteur de plus grosse cylindrée ; de la 275, elle avait conservé la souple carrosserie et les proportions compactes, mais le nez anguleux avait cédé la place à un museau plus arrondi qui lui donnait un sourire moins large et moins agressif, apparemment emprunté à la prestigieuse 500 Superfast, tout comme le faisait sa sœur, la 330 GTC. La 330 GTS était véritablement la version décapotable du coupé 330 GTC présenté en mars 1966 au salon de Genève. Sous sa surface, on trouvait donc un châssis assez différent de celui de la 275 GTS ; il comportait, cette fois, le tube de réaction contenant l'arbre de transmission monté sur quatre blocs souples en caoutchouc, qui contribuaient notablement à l'abaissement du niveau sonore dans l'habitacle.

Le moteur V12-Colombo « bloc long » de la 330 GT 2+2 voyait, lui, ses supports légèrement modifiés ; à ce détail près, il restait inchangé. La cylindrée du moteur de type 330 avait été obtenue par accroissement de la course du nouveau vilebrequin ainsi que par l'adoption d'un bloc plus haut, plutôt que par des alésages de plus grand diamètre. Cette dernière solution restait envisageable car l'espacement des cylindres avait été lui aussi augmenté afin d'améliorer le refroidissement. Mais Ferrari n'avait pas encore jugé nécessaire de franchir ce pas. Avec ses nouvelles caractéristiques d'alésage/course de 77 X 71 mm, le moteur (toujours dénommé génériquement Colombo, bien que n'ayant plus qu'un lointain rapport avec le dessin original) devenait moins supercarré que le « Colombo » précédent, le 275, mais demeurait efficace. Alimenté par trois carburateurs Weber à double corps inversés, il développait 300 ch au régime de 7 000 tr/min, beaucoup plus raisonnable dans une décapotable que les 8 000 tr/min d'une 275 GTB/4 qui développait une puissance comparable. Avec 40 ch de plus qu'une 275 GTS, la voiture était à peine plus rapide, mais elle gagnait en souplesse et en vivacité ; la vitesse de pointe restait identique (230 km/h) à celle d'une 275 GTS/4 ACT mais, grâce à ses brillantes accélérations, était atteinte plus rapidement. Le châssis, muni de ses quatre suspensions indépendantes par doubles triangles superposés et ressorts hélicoïdaux, de ses quatre freins à disques, n'entravait nullement cette lourde décapotable (1 500 kg) à vitesse élevée.

Ferrari construisit cent exemplaires de la 330 GTS, jusqu'aux derniers mois de 1968 ; ils vinrent s'ajouter aux deux cents unités de la 275 GTS déjà vendues. Ces chiffres sont relativement faibles comparés à la production des coupés 330 GTC (six cents exemplaires) mais ils forment la plus grande série de décapotables produite jusqu'alors par Ferrari. C'est à l'époque de la 330 GTS, pourtant, que commencèrent à se faire sentir les effets des normes de sécurité évoquées plus haut. Ferrari feignit de s'en préoccuper, à la fin de l'année 1968, quand il introduisit la série des 365 GT à moteur 4,4 litres. Il proposa donc le spyder 365 GTS, parallèlement au coupé, comme il l'avait fait pour la série des 330. Ferrari avait déjà abandonné le spyder 365 GT California, qui faisait double emploi, après en avoir construit une douzaine. Mais, à la vérité, le spyder 365 California n'était pas très réussi ; il avait conservé l'ensemble moteur/boîte à l'avant et se trouvait encore affligé de l'essieu moteur rigide ainsi que d'un châssis trop long.

La 365 GTS était, quant à elle, bien plus que la California, digne de prendre la succession de la 330 GTS. Elle rencontra pourtant d'autres difficultés, et sa production fut abandonnée au milieu de 1969 (vingt modèles environ avaient été construits). La 365 GTB/4 suivit, qui n'offrait pas des caractéristiques comparables, pourtant, il ne faisait aucun doute qu'avec son moteur à quatre ACT et son toit rigide, la Daytona pouvait légitimement espérer un avenir autrement plus souriant aux Etas-Unis.

Les roues Borrani coiffaient des freins à disques, comme sur toutes les Ferrari de l'époque (*page de gauche*). La silhouette de la 330 GTS reprenait celle de la 275 GTS, à l'exception d'un museau allongé (*ci-contre*). L'absence d'arceau de sécurité (*ci-dessus*) fit faire la grimace aux groupes de pression américains.

330 GTS
CARACTÉRISTIQUES

MOTEUR
12 cylindres en V à 60°

CYLINDRÉE
3 967 cm³

ALÉSAGE A COURSE
77 x 71 mm

RAPPORT VOLUMÉTRIQUE
8,8 : 1

PUISSANCE
300 ch

DISTRIBUTION
Simples arbres à cames en tête

ALIMENTATION
3 carburateurs Weber 40 DCZ 6

TRANSMISSION
Boîte manuelle à 5 rapports

SUSPENSION AVANT
Indépendante : doubles triangles superposés et ressorts hélicoïdaux, amortisseurs télescopiques hydrauliques.

SUSPENSION ARRIÈRE
Indépendante : doubles triangles superposés et ressorts hélicoïdaux, amortisseurs télescopiques hydrauliques.

FREINS
Disque sur les 4 roues

ROUES
A fil, écrou central

POIDS
1 542 kg

VITESSE MAXI
233 km/h

NOMBRE D'EXEMPLAIRES FABRIQUÉS, DATÉS
100 environ, 1966-1968

365 GTB/4 DAYTONA

En 1968, Ferrari dut considérer un nouveau et sérieux concurrent sur le marché de la voiture d'exception, un rival dont la philosophie, ouverte aux idées nouvelles, contrastait singulièrement avec le conservatisme profond qu'affichait parfois Ferrari. On raconte que ce nouvel adversaire avait épousé la profession de constructeur de voitures de sport, au début des années 60, à la suite d'une rencontre orageuse avec Ferrari en personne.

Vingt kilomètres à peine séparait le lieu de naissance des deux hommes, mais le prétendant était, à l'origine, un fabricant de tracteurs agricoles de la région de Ferrare, en Italie du Nord. Il dirigeait maintenant une usine moderne d'où sortaient des voitures exceptionnelles, sise à Sant'Agata Bolognese, à l'est de Modène. Naguère, il avait possédé plusieurs Ferrari et constaté plus d'une gène dans leur utilisation quotidienne. Comme il s'en ouvrait à Enzo Ferrari, celui-ci balaya ses doléances en le traitant de fabricant de tracteurs, incapable et indigne de porter un jugement sur ses pur-sang !

Evidemment ulcéré par cet accueil, Ferrucio Lamborghini – car c'était lui – se serait alors donné comme objectif de vaincre Ferrari sur son propre terrain. Alors que les années 60 touchaient à leur fin, le monde entier reconnut qu'il était sur la bonne voie. Cependant, même s'il était contrarié par l'ascension de Lamborghini, Ferrari se garda bien de le montrer ; Lamborghini, après tout, ne relevait pas le défi sur les circuits et, s'il avait véritablement enflammé les esprits avec sa formidable Miura, technologiquement très en avance, Ferrari ne comptait pas lui emboîter le pas.

Il eut certes pu construire une voiture de tourisme à moteur central. Depuis 1960, ses monoplaces avaient adopté cette architecture, ainsi que les voitures Sport-compétition. Pininfarina avait également présenté au salon de Paris, en 1965, un exercice de style : la première Berlinetta Dino, pourvue d'un moteur en position centrale. La 206 Dino GT allait être fabriquée dès les premiers mois de 1968. Quand la magnifique 365 GTB/4 entra en scène, cette même année, son glorieux V12 se trouvait, de toute évidence, à l'avant, en bonne place sous le capot : la 365 GTB/4 était aussi fidèle à la tradition que la Miura était en avance sur

Si la technologie à moteur avant de la Daytona (*à droite* et *double page suivante*) datait un peu comparée à celle de la Lamborghini Miura de même époque, ses performances étaient parfaitement identiques. Et Pininfarina en avait fait l'une des plus agressives routières portant l'écusson Ferrari.

CROMODORA

VXC 1J

son temps. Pourtant, qui aurait alors désespéré de l'attitude d'un Ferrari renonçant à se servir du langage technique moderne pour ne pas donner l'impression de mettre ses pas dans ceux de Lamborghini, celui-là, c'est sûr, se serait trompé lourdement. La nouvelle Ferrari, la Daytona, nom sous lequel elle allait rapidement connaître la célébrité, la plus coûteuse des modèles de série de la firme, possédait la stature d'une Grand Tourisme confortable, agréable à conduire sur de grandes distances fiables, sans exiger de son pilote des qualités exceptionnelles. Enfin, une automobile remarquable pour un usage qu'on aurait pu qualifier de quotidien s'il ne s'était agi d'une Ferrari. Bref – et malgré la Miura – la voiture de série la plus rapide du monde.

En 1968, Ferrari avait besoin d'un nouveau modèle. L'adorable 275 GTB/4 datait de 1964 et voyait venir sur ses talons non seulement Lamborghini ou Maserati mais encore des concurrentes moins bien nées, telles les Bizzarani et les Iso. La 275 avait été, en son temps, une splendide automobile, la première Ferrari de série à être équipée d'une suspension indépendante sur les quatre roues, la première à recevoir la boîte/différentiel à l'arrière. Elle traitait ses passagers avec plus d'égards que beaucoup de celles qui l'avait précédée. Mais son moteur Colombo V12-3,3 litres n'offrant plus de perspectives de développement, il ne pouvait donc plus conserver sa place dans la course à la puissance.

La 365 GTB/4 (365 cm³ de cylindrée unitaire, Grand Tourisme Berlinetta, 4 ACT) fut donc dessinée autour d'une nouvelle version du toujours vert V12 à 60°, à course courte et « bloc long » d'Aurelio Lampredi, dont l'origine remontait au début des années 50. Avec quatre ACT entraînés par chaîne et une cylindrée de 4390 cm³, le V12, alimenté par six carburateurs Weber double corps inversés, développait une puissance confortablement supérieure aux 300 ch du 275 GTB/4, et jusqu'à 352 ch (au régime de 7500 tr/min) ; merveilleusement souple, il produisait 44 kgm de couple à 5500 tr/min tout en étant assez peu polluant, afin de satisfaire aux normes américaines.

Ses caractéristiques étaient comparables à celles de la Miura pour laquelle Lamborghini revendiquait 350 ch ; jusqu'à l'arrivée de la Miura S et de ses 370 ch, Ferrari conserva, mais d'un cheveu, la tête dans la course à la puissance.

La Daytona avait adopté le même empattement que la 275 GTB/4. Dessinée par Pininfarina et construite en série par Scaglietti, ses dimensions hors tout excédaient de très peu celles de cette dernière. Sur les premières Daytona, quatre projecteurs fixes trouvaient place derrière un carénage en Plexiglas couvrant tout le nez de la voiture. Le marché américain y fut peu sensible, et on leur substitua bientôt des optiques escamotables, mieux adaptées aux divers marchés. Munie de tels équipements, auxquels s'ajoutait une carrosserie en acier (seuls les capots et les panneaux de portières utilisaient l'aluminium), et du gros moteur Lampredi, la Daytona n'était pas un poids plume ; mais la puissance du V12 permettait de conserver un rapport poids/puissance avantageux de 1 ch par 5 kg. Le couple, impressionnant, apportait une souplesse d'utilisation inimaginable avec le « petit » moteur.

Avec une vitesse de pointe de 279 km/h, vérifiée par des autorités indépendantes, un chronomètre de 5,4 secondes pour

Reconnaissable entre toutes, la silhouette de la Daytona s'impose par son immense capot, son arrière très court, tronqué, et sa ligne de caisse assez haute. A l'époque de sa création, la technologie des pneumatiques évoluait elle aussi, et les roues en alliage avaient presque supplanté les roues à fil.

Véritable sculpture mobile, la Daytona représente un tour de force de la part de Pininfarina et Ferrari ; un superbe habitacle, un soin du détail inouï et, bien sûr, la puissance phénoménale du V12 à 4 ACT, dernier descendant d'une glorieuse lignée.

passer de 0 à 100 km/h, et de 12,6 secondes pour atteindre 160 km/h, départ arrêté, la Daytona permettait à Ferrari de dominer ses adversaires de la tête et des épaules pour quelque temps encore.

S'il s'agissait bien d'une voiture à moteur avant, la Daytona était conçue dans les règles de l'art ; l'imposant bloc-moteur en aluminium avait été reculé le plus possible dans le châssis tubulaire, la boîte/différentiel suivait la pratique inaugurée sur la 275 GTB et trouvait place à l'arrière. La suspension, entièrement indépendante, était assurée par des doubles triangles inégaux superposés et des ressorts hélicoïdaux sur les quatre roues, des barres antiroulis complétant l'épure. Les freins étaient à disques.

Ces caractéristiques conféraient à la Daytona, parmi toutes les voitures d'exception à moteur avant, une excellente tenue de route. D'un maniement difficile à petite vitesse, mais un miracle de légèreté à vive allure, probablement aussi « accrocheuse » que la Miura, mais pardonnant d'avantage de fautes que celle-ci quand approchait la limite de dérapage du train arrière ou encore quand l'avant cédait trop de son appui aérodynamique. Sur la route, elle détenait sans doute le titre de voiture la plus rapide de son temps, avec cela confortable et généreuse par son volume réservé aux bagages, digne d'une voiture de Grand Tourisme. Les Daytona osèrent s'aligner en compétition, ce que ne firent pas les Miura, toujours sous les couleurs d'écuries privées. Leur poids, et leur freins, à peine suffisants, leur autorisèrent les cinquième et neuvième places au classement général – dans des versions « allégées » de 450 ch – en 1972, au Mans, et la deuxième place du classement à Daytona, précisément, en 1972.

La Daytona connut peu de transformations au cours de son existence. Il est vrai qu'elle en appelait peu. L'événement le plus important fut l'entrée dans la famille de la 365 GTS/4 Spyder au salon de Francfort, en 1969. Aujourd'hui, les prix auxquels se négocient les spyders atteignent des sommets inflationnistes et ont pour conséquence de condamner à la décapitation plus d'un innocent coupé, dans le simple but d'accroître sa valeur marchande. Sur un total de 1 400 Daytona vendues, seuls cent trente acheteurs avaient à l'origine choisi l'option décapotable.

La production du modèle Daytona cessa en 1974 et, avec elle, tomba le rideau sur l'époque des grandes routières Ferrari à moteur avant. Ferrari a construit depuis, il est vrai, les 400 et les 412 à moteur avant, mais la Daytona fut réellement le dernier maillon d'une grande lignée. Quand, en 1974, apparut sa remplaçante, la première berlinette Boxer, le moteur était alors placé au centre de la voiture. Pourtant, il ne viendrait à l'idée de personne de nier que la dernière création de Ferrari avec un moteur avant fut un triomphe.

365 GTB/4 DAYTONA
CARACTÉRISTIQUES

MOTEUR
12 cylindres en V à 60°

CYLINDRÉE
4 390 cm³

ALÉSAGE A COURSE
81 x 71 mm

RAPPORT VOLUMÉTRIQUE
9,3 : 1

PUISSANCE
352 ch

DISTRIBUTION
Doubles arbres à cames en tête

ALIMENTATION
6 carburateurs Weber 40 DCN

TRANSMISSION
Boîte manuelle à 5 rapports

SUSPENSION AVANT
Indépendante : doubles triangles superposés et ressorts hélicoïdaux, amortisseurs télescopiques hydrauliques.

SUSPENSION ARRIÈRE
Indépendante : doubles triangles superposés et ressorts hélicoïdaux, amortisseurs télescopiques hydrauliques.

FREINS
Disque sur les 4 roues

ROUES
Alliage léger, écrou central

POIDS
1 769 kg

VITESSE MAXI
279 km/h

NOMBRE D'EXEMPLAIRES FABRIQUÉS, DATÉS
1 285 coupés, 127 spyders, 1968-1974

VV 365

365 GTC

La 365 GTC fait un peu figure de bouche-trou dans la gamme Ferrari. Elle fut produite pendant à peine un an, à cent cinquante exemplaires, et les amateurs de la marque la trouvent souvent ennuyeuse et plutôt ordinaire ; mais ceux qui ont eu le loisir de l'utiliser la décrivent comme l'une des meilleures grandes routières portant l'estampille de la firme de Maranello.

Son plus gros tort fut sans doute de naître à la fin de 1968, au moment même où la séduisante 365 GTB/4 Daytona, qui faisait de l'ombre à toutes les autres, commençait sa carrière. Mais peut-être souffrit-elle du dédain avec lequel on regarde parfois une « fin de race ». La 365 GTC et la 365 GTS – mécaniquement semblables (construites à vingt exemplaires seulement – étaient-elles davantage, lors de leur présentation, que des versions, motorisées de neuf, des 330, qu'on connaissait depuis plusieurs années déjà ?

La 330 elle-même, lancée au début de 1966, n'apportait rien de spectaculairement nouveau. Elle intégrait intelligemment des éléments préexistants, tels que le châssis de la 275 GTB et le moteur V12-4 litres employé par la 330 GT 2+2 au début de l'année 1964. Le moteur 4,4 litres lui-même, dont la cylindrée unitaire, selon la tradition, fournissait la numérotation de la voiture, n'était pas franchement nouveau. La 365 GT 2+2 (qui prit la suite de la 330 GT 2+2) en disposait déjà depuis son lancement au salon de Paris, en 1967. Lorsque le moteur prit sa place dans les coupés et les cabriolets 365, seules des modifications de détail portant sur son alimentation furent apportées. Le châssis, quant à lui, était un descendant direct de celui des 330, à peine perfectionné par l'adoption d'une marque de freins différente. Aussi performant qu'il fût, il n'eût pas provoqué à lui seul la ruée des acheteurs surexcités ! La carrosserie ne brillait pas davantage par sa nouveauté.

La seule trace de flamboyance ou d'agressivité dans le dessin de la 330 GT était les larges ouïes de ventilation à trois volets qui ornaient les flancs des ailes et servaient à l'échappement de l'air chaud du compartiment moteur. Sur la 365 GTC, malgré le moteur plus gros, elles étaient moins ostentatoires et situées sur le capot, juste devant le pare-brise. C'était là le seul changement par rapport à la 330 GT de Pininfarina. La voiture paraissait donc bien terne à côté de la prestigieuse Daytona. Excitante, bien que de petites dimensions, la Dino à moteur central, récemment ajoutée à la gamme, ne fit rien pour améliorer l'image de la 365 GTC. Alors, tout le monde pensa que cette voiture n'était là que pour combler l'attente d'une nouvelle génération. C'était injuste. Bien sûr, son dessin empruntait à plusieurs modèles, mais sa simplicité même le rendait agréable. La

L'aspect extérieur de la 365 GTC se trouve presque inchangé comparé à celui de la 330 GTC ; on retrouve le long capot emprunté à la 400 Superamerica (*à gauche*) et le profil doté d'une ceinture de caisse assez haute (*double page suivante*). Les Ferrari de la fin des années 60 paraissent plus trapues que les voitures qui les ont précédées, en raison surtout des pneumatiques modernes, à taille basse, équipant des roues en alliage léger, ce qui signifiait la disparition des

VV 365

MPH

délicatesse de la ligne basse du pavillon, pourvu d'étroits montants, les larges surfaces vitrées panoramiques ne manquaient pas de faire penser à la 250 GT Lusso. Le capot élancé venait mourir sur la calandre, d'une ellipse parfaite ; les phares, découverts et très reculés dans les ailes, provenaient, à l'évidence, de la 400 Superamerica ; quant au coffre, sa ligne, très basse, semblait appartenir à la 275 GTS, en plus carrée, plus trapue. Ordonné par un styliste quelconque, un tel puzzle de styles différents eût menacé de tourner au désastre, mais la magie du trait de Pininfarina opéra cette fois encore.

Oh, certes ! Elle ne pouvait pas prétendre au titre de Ferrari la plus originale, mais elle ne revendiquait d'ailleurs pas ce titre. Ses vrais atouts, il fallait les chercher dans son aptitude remarquable au Grand Tourisme. Elle avait été conçue dans le but avoué d'en faire une voiture aussi confortable que rapide ; l'intérieur spacieux, clair, doté d'un système de ventilation efficace, s'il n'offrait que deux places seulement, était pourvu de tout le confort et de l'équipement nécessaire à une utilisation quotidienne pendant de grands trajets, sans oublier un beau volume pour les bagages.

Plus qu'à beaucoup d'autres de ses sœurs, l'adjectif luxueux lui convenait : un garnissage en cuir, un tableau de bord en bois verni la distinguait des modèles sportifs ; des tapis et une isolation acoustique de qualité rendaient possible l'écoute du poste de radio (proposé en série), même à vitesse soutenue, alors que c'était à peine si l'on s'entendait penser dans les autres modèles de la marque ! Le châssis, portant le tube de réaction dans lequel passait l'arbre de transmission, emprunté à la 330 (laquelle le tenait de la 275 GTB), n'était pas étranger au confort et à la bonne tenue de route de la voiture. Les bruits mécaniques et les vibrations de la transmission montée sur des supports élastiques en quatre points seulement, étaient considérablement réduits. Ce relatif silence de fonctionnement, récent et propre aux modèles 330 et 365, fut considéré comme la principale amélioration.

La liste des options comprenait même la climatisation et des lève-vitres électriques ; tous ces raffinements n'avaient pas été obtenus au détriment des performances ni de l'équilibre que doit présenter une Ferrari. Le moteur était une version actualisée du fidèle bloc Colombo déjà monté sur la 330, un peu plus long pour accommoder l'espacement plus généreux des alésages, marginalement plus haut pour permettre le montage d'un vilebrequin à la course allongée, mais toujours moins encombrant que le « bloc long » Lampredi. A la cylindrée plus importante du 365 correspondait plus de puissance disponible : 320 ch à 6 600 tr/min (300 ch à 7 000 tr/min pour la 330), et un couple lui aussi plus important : 37 kgm. La 365 GT alliait une formidable souplesse à une grande vélocité.

Avec cent cinquante exemplaires de la GTC et vingt seulement de la GTS, la Ferrari 365 fait pâle figure à côté des six cents unités fabriquées de la 330 GTC et des cents exemplaires de la GTS, produits pendant les trois ans précédant l'arrivée de la 365. Pourtant, la fabrication de celle-ci ne cessa officiellement que pour produire davantage de Daytona. Il est tout de même significatif de constater que, hormis les quelques Daytona Spyder qui apparurent en 1969, la 365 GTS fut le dernier cabriolet Ferrari (qu'on distinguera des découvrables de style targa telles les Dino 308 et 328 Spyder) jusqu'à l'arrivée du cabriolet Mondial en octobre 1983. La 365 GTC fut, elle, la dernière des *Gran Turismo* aussi spacieuses que luxueuses.

A la vérité, les 365 firent leur entrée un peu tardivement dans le monde automobile. Malgré leurs qualités, ce type de coupé et de cabriolet à moteur avant ne se justifiait plus commercialement pour Ferrari ; leur place sur le marché américain se réduisait comme une peau de chagrin sous les effets conjugués des normes antipollution et de sécurité ; de plus, il ne pouvait être question de rendre (économiquement) conformes ces magnifiques représentants d'une époque révolue si le volume de ventes prévisible sur le continent américain restait faible ; le petit marché européen se passa donc, lui aussi, des cabriolets Ferrari.

C'est ainsi qu'il revint à la Daytona, plus facile à adapter aux normes américaines, avec ses culasses à quatre ACT et sa conception plus récente, de porter l'étendard du haut de gamme Ferrari aux Etats-Unis. Dans le même temps, Ferrari vendit aussi en grand nombre et avec profit sa Dino, même s'il ne pouvait se résoudre à lui faire porter son nom. Aux amateurs, il ne resta que le souvenir de l'excellence des 330 et des 365.

La 365 GTC était une deux-places de tourisme, luxueusement équipée (*page de gauche*), et sa visibilité, excellente grâce aux fins montants et à la lunette panoramique (*ci-dessous*). Les ouïes de ventilation du compartiment moteur la distinguaient du modèle précédent (*ci-contre*).

365 GTC
CARACTÉRISTIQUES

MOTEUR
12 cylindres en V à 60°

CYLINDRÉE
4 930 cm³

ALÉSAGE A COURSE
81 x 71 mm

RAPPORT VOLUMÉTRIQUE
8,8 : 1

PUISSANCE
320 ch

DISTRIBUTION
Simples arbres à cames en tête

ALIMENTATION
3 carburateurs Weber 40 DCN

TRANSMISSION
Boîte manuelle à 5 rapports

SUSPENSION AVANT
Indépendante : doubles triangles superposés et ressorts hélicoïdaux, amortisseurs télescopiques hydrauliques.

SUSPENSION ARRIÈRE
Indépendante : doubles triangles superposés et ressorts hélicoïdaux, amortisseurs télescopiques hydrauliques.

FREINS
Disque sur les 4 roues

ROUES
Alliage léger, écrou central

POIDS
1 632 kg

VITESSE MAXI
241 km/h

NOMBRE D'EXEMPLAIRES FABRIQUÉS, DATÉS
150 environ, 1968-1970

La 365 GTC était une deux-places de tourisme, luxueusement équipée et spacieuse (*page de gauche*). La visibilité était excellente grâce aux fins montants et à la lunette panoramique (*ci-dessous*). A l'extérieur, les ouïes de ventilation du compartiment moteur la distinguaient du modèle précédent (*ci-contre*).

246 GT
DINO

L'une des voitures les plus importantes jamais construite par Ferrari eut un début singulier : elle ne portait ni le nom ni l'écusson au cheval cabré sur sa carrosserie, celle-ci, en outre, étant radicalement différente. Son moteur ne comptait pas douze cylindres mais la moitié seulement ; c'était aussi la première routière produite à Maranello dont le propulseur fut situé derrière le conducteur plutôt que devant celui-ci. Sa production fut lancée postérieurement à une version construite par Fiat (dont le moteur était placé, conventionnellement, à l'avant), plus de vingt-quatre mois avant que Fiat ne prît le contrôle financier de Ferrari. De cette automobile descendent en ligne directe toutes celles de la gamme moyenne offerte par Ferrari jusqu'au milieu des années 70 et, peut-être, par l'esprit, les modèles qui les remplacèrent.

La Dino Berlinetta, voiture d'exposition signée Pininfarina et présentée au salon de Paris, en octobre 1965, avait annoncé son arrivée, tout comme la Dino Berlinetta GT exposée en novembre de l'année suivante au salon de Turin. La Dino fut lancée sous sa forme quasi définitive, un an plus tard exactement, en 1967, au salon de Turin. Au milieu de 1968, elle sortait de l'usine sous le nom de Dino 206 GT. Grâce à trois séries successives de 246 GT, en version coupé ou spyder, la Dino poursuivit sa carrière jusqu'en 1974, date à laquelle elle fut remplacée par la 308 GT4 à moteur huit cylindres ; une Ferrari par le nom mais peut-être toujours une Dino par l'esprit.

Pour Enzo Ferrari, la famille des Dino fut l'occasion de « lancer », de vendre en nombre et avec profit une voiture plus aisée à construire, sans pour autant offenser les puristes pour qui une Ferrari qui ne portait pas dans ses flancs un V12, n'était pas digne du nom. Cela lui permit aussi d'homologuer un moteur produit en « grande série » pour la nouvellement créée Formule 2 et, enfin, d'honorer la mémoire de son fils disparu. Enzo Ferrari avait souhaité voir Alfredo Ferrari, son fils, lui succéder à la tête de l'entreprise. Dans son enfance, on l'appelait affectueusement Alfredino et par son diminutif, Dino, qui lui resta de cette époque. Alfredo Ferrari naquit en janvier 1932 ; sa naissance incita son père à abandonner sa carrière de pilote de course

Confronté au défi que représentait la création d'une voiture à moteur central-arrière de dimensions réduites, Pininfarina laissa libre cours à son génie – le nez plat de squale (double *page suivante*) et les contreforts aux lignes fuyantes (*à droite*) impressionnent autant aujourd'hui qu'il y a vingt ans.

Ferrari
TMD
280M

pour embrasser celle – beaucoup moins dangereuse – de directeur d'écurie de course. Cette décision devait l'entraîner à construire ses premières voitures et, ainsi, à fonder l'empire Ferrari lui-même.

Quand Ferrari commença à fabriquer ses voitures, Dino était adolescent et recevait l'éducation qui devait lui permettre de travailler avec son père, puis de lui succéder. Il fit des études d'ingénieur à l'institut Corni de Modène et suivit des cours de commerce à l'université de Bologne. Il passait de nombreuses heures à l'usine où il se fit aimer de tous ceux qu'il côtoyait, des pilotes de course aux mécaniciens. Son père parvint à le tenir éloigné des risques du métier de pilote de course et ne le laissait, en général, conduire que les modèles les moins puissants. Malgré ces précautions, la vie du garçon serait courte, tragiquement entravée par des périodes de maladie dont la cause originelle était une dystrophie musculaire. Il mourut en juin 1956, âgé de 24 ans, d'une néphrite, conséquence de son état général.

Enzo Ferrari ne se remit peut-être jamais complètement de la mort de Dino. Pendant de nombreuses années, il se rendit chaque jour sur sa tombe ; à l'usine, il transforma le bureau de son fils en mausolée. L'hommage public que Ferrari lui rendit prit la forme du tout premier moteur V6-Dino de compétition, puis celle des voitures portant le même nom. La contribution du jeune homme, miné par la maladie, à la conception du moteur qui porte son nom, se limita en fait à en définir la configuration en accord avec Vittorio Jano, qui se chargea d'établir les plans. Mais la mort de Dino Ferrari eut des effets à très long terme sur la firme. S'il avait vécu et rejoint son père à la direction de l'usine, Fiat n'en aurait peut-être jamais pris le contrôle. Contrairement à cette hypothèse, la nouvelle petite voiture, qui portait son nom et qui multiplia la production de Ferrari au cours des années 60 et 70, établit les premiers liens qui conduisirent finalement au rachat par Fiat de Ferrari en 1969. Les implications financières mises à part, la Dino est souvent considérée comme une aberration dans la famille des véritables Ferrari, et ce parfois même par des personnes très avisées. Ce n'est pas lui rendre justice. Aussi petite fût-elle, la Dino, en plus d'étrenner le tout nouveau V6 et la position centrale de celui-ci (sur une routière), était indéniablement une Ferrari, née pour la course. C'était l'héritage de Dino ; le premier V6 à porter ce nom tourna peu de temps après sa mort, en 1956, dans la nouvelle voiture de Formule 2 ; puis la famille de ces moteurs ne cessa de s'agrandir jusqu'à comprendre des versions destinées à tous les usages : de la Formule 1 à l'endurance en passant par la course de côte, sans oublier la propulsion des voitures de série Fiat, Lancia et, bien entendu, Ferrari. C'est le lien direct avec la compétition qui donna naissance aux Dino de tourisme, qu'elles s'appellent Fiat ou bien Ferrari ; car peu d'autres motifs auraient convaincu Ferrari de transiger avec ses principes et d'aller construire des voitures et des moteurs en si grand nombre et en collaboration avec un autre fabricant, celui-là même qui devait par la suite l'absorber.

Pour satisfaire aux conditions d'homologation de la nouvelle Formule 2, Ferrari devait produire cinq cents unités du moteur V6-1,6 litres ; la production totale de la firme à l'époque se montait à sept cents véhicules par an ; une nouvelle approche se révélait donc nécessaire, et Ferrari, pour une fois, accepta un compromis : il mettrait au point un moteur V6, et Fiat se chargerait de le fabriquer en nombre suffisant pour rendre possible son homologation. Ainsi Ferrari finirait-il par construire lui aussi la petite voiture de sport sur laquelle il avait si souvent médité. Les exercices de style de Pininfarina furent bien accueillis ; c'est

La différence la plus nette entre le modèle de production et les premiers prototypes réside dans le traitement des nez de la voiture (*ci-contre* et *ci-dessous*). La voiture d'exposition avec ses quatre optiques protégées par un carénage transparent accuse terriblement son âge, alors que le modèle définitif n'a pas pris une ride.

ainsi qu'au mois de novembre 1966, Fiat lança sa Fiat-Dino à moteur avant, sous la forme d'un spyder inspiré par le talent de Pininfarina ou bien d'un coupé signé Bertone. Le moteur était un Dino V6 à 65° à quatre ACT de troisième génération, dessiné par Franco Rocchi – qui avait été autrefois l'assistant de Vittorio Jano – et témoigne des contraintes dictées par la production de masse. La version compétition présentait une cylindrée de 1,6 litres ; la version production, une cylindrée de 2 litres tout aluminium. Quand la Ferrari Dino fut dévoilée en 1968, elle fut donc baptisée 206 GT.

Bien entendu, Pininfarina signait la magnifique carrosserie, aux dimensions réduites, de superbes proportions et incorporant un traitement original et très astucieux des montants postérieurs du pavillon, ces contreforts aux lignes fuyantes si

Les deux capots arrière (*ci-dessus*) donnaient accès au moteur ainsi qu'à un espace mesuré pour les bagages. La beauté sculpturale de la Dino 246 transparaît jusque dans les poignées de portes ou les entrées d'air du compartiment moteur (*ci-contre*).

caractéristiques de la première Ferrari à moteur central. Ferrari annonçait une puissance de 180 ch pour le moteur monté transversalement. Malheureusement, il présentait quelques inconvénients : il avait tendance à « avaler » ses soupapes à cause du mauvais fonctionnement du tendeur de chaîne d'arbre à cames; il montrait aussi une propension à la surchauffe et « claquait » ses joints de culasses. Ces problèmes sont en partie la cause de l'abandon rapide de la 206 GT; cent cinquante exemplaires furent construits avant qu'elle ne soit remplacée à la fin de l'année 1969 par la 246 GT.

La désignation 246 GT recouvrait bien plus qu'un simple accroissement de cylindrée à 2,4 litres; aux fins d'aider Fiat à surmonter ses problèmes de surchauffe, le moteur utilisait maintenant un bloc en fonte d'acier, plus lourd mais aussi plus puissant avec ses 195 ch. Le couple, lui aussi en hausse, rendait le moteur plus souple à bas régime. Ce moteur équipa les 246 GT et les 246 GTS Dino jusqu'en 1974 et les Fiat Dino jusqu'en 1972. C'est ce même moteur qui remporta trois championnats du monde des Marques successifs en rallye international, à bord des Lancia Stratos en 1974, 1975 et 1976. Dans cette dernière configuration, certaines versions expérimentales du moteur équipées d'un turbo-compresseur développaient jusqu'à 350 ch. Le rallye de Monte-Carlo vit également leur victoire en 1979. Pendant toutes ces années, la Dino Ferrari acquit une réputation mondiale pour son excellente tenue de route. Pour les besoins supplémentaires de la production, on ajoute une aile de 10 000 m² à l'usine de Maranello. Fiat tenait le rôle du propriétaire. Quant à la Dino Ferrari, elle n'avait rien d'une figurante…

246 GT DINO
CARACTÉRISTIQUES

MOTEUR
6 cylindres en V à 65°

CYLINDRÉE
2 418 cm³

ALÉSAGE A COURSE
92,5 x 60 mm

RAPPORT VOLUMÉTRIQUE
9 : 1

PUISSANCE
195 ch

DISTRIBUTION
Doubles arbres à cames en tête

ALIMENTATION
3 carburateurs Weber 40 DCNF/7

TRANSMISSION
Boîte manuelle à 5 rapports

SUSPENSION AVANT
Indépendante : doubles triangles superposés et ressorts hélicoïdaux, amortisseurs télescopiques hydrauliques.

SUSPENSION ARRIÈRE
Indépendante : doubles triangles superposés et ressorts hélicoïdaux, amortisseurs télescopiques hydrauliques.

FREINS
Disque sur les 4 roues

ROUES
Alliage léger, écrou central

POIDS
1 270 kg

VITESSE MAXI
233 km/h

NOMBRE D'EXEMPLAIRES FABRIQUÉS, DATÉS
4000 environ (y compris les 246 GTS Spyder), 1969-1974

365 GT4/BB
BERLINETTA BOXER

Avec le lancement officiel de la 365 GT4/BB au salon de Paris, en 1973, Enzo Ferrari rompit de façon brutale avec sa propre tradition inébranlable, adoptant par la même occasion, à un moment crucial, un concept plus contemporain. La 365 GT4/BB n'était pas simplement une voiture nouvelle depuis les sculptures des pneux jusqu'au sommet du pavillon, mais aussi le fondement de la nouvelle philosophie de Ferrari en matière de voitures routières.

La firme de Maranello franchissait ainsi plusieurs étapes à la fois ; la première partie du sigle « 365 GT4 » ne recelait pas de mystère pour un passionné de Ferrari ; il signifiait que la voiture sur laquelle il était apposé appartenait à la catégorie Grand Tourisme, que son moteur accusait une cylindrée totale de 4 390 cm^3 et qu'il était doté de quatre ACT. Le sigle était en cela peu différent de celui gravé à l'arrière de la Daytona adulée des amateurs et que la nouvelle venue, la 365 GT4/BB, allait remplacer. Si les sigles étaient semblables à première vue, les voitures n'auraient pu être plus différentes.

Le premier « B » signifiait berlinette dans le cas de la 365 GT4/BB comme dans celui de la 365 GTB/4 Daytona ; le second « B », en revanche, apparaissait pour la première fois sur un modèle destiné au public ; sa traduction se lisait Boxer. Cette simple lettre signalait le passage du classique V12, cheval de bataille de Ferrari depuis tant d'années, au 12 cylindres à plat, dans lequel les pistons allaient et venaient horizontalement tels les poings d'un boxeur.

Les nouveautés qu'impliquait le passage de la Daytona à la BB ne s'arrêtaient pas là. Le moteur de celle-ci se trouvait en position centrale, une architecture novatrice sur une Ferrari de route de cette cylindrée, qui devait en principe garantir une disposition parfaitement équilibrée des éléments mécaniques. La valeur de cette disposition, de rigueur sur les circuits depuis des années, avait déjà été démontrée par Ferrari sur les magnifiques petites Dino, ainsi que par un pressant rival, Lamborghini, qui possédait à son catalogue depuis six années une exceptionnelle voiture de ce type, la Miura.

La tradition meurt difficilement à Maranello, et Ferrari, en concevant sa première GT équipée d'un douze cylindres en position centrale, ne manqua pas de déchaîner la controverse. Selon le point de vue de chacun et son degré de conservatisme, ou Ferrari se hissait dans le monde moderne ou bien encore abjurait une foi qui l'avait comblé pendant de nombreuses années. Plus d'un journaliste, alors, a mis aux prises une berlinette Boxer et une ancienne Daytona sans pouvoir affirmer par la suite que la BB était une meilleure voiture. Une partie du problème était liée au fait que, pour souhaitable que fût la modernisation ou la mise au goût du jour de ses voitures, on ne pouvait accuser Ferrari d'être sur le déclin avec sa gamme à moteur avant. La Daytona restait l'une des voitures les plus perfectionnées que Ferrari ait conçues. Quelques-uns ne manqueront pas d'affirmer même qu'il s'agissait de la meilleure voiture à moteur avant jamais construite. Néanmoins, l'heure était venue pour elle de se retirer car, quelle que fût la loyauté qu'on éprouvait à son égard, Lamborghini, le nouveau prétendant, avait indéniablement ravi à Ferrari sa place au sommet, en 1966, grâce à sa Miura à moteur central transversal. Ferrari gardait jusqu'à ce moment sa foi dans la supériorité du moteur avant alors qu'il est, par ailleurs, certain que les moyens technologiques ne lui faisaient pas défaut. Il avait utilisé des moteurs en position centrale sur ses voitures de course dès le début des années 60, et des moteurs à plat, de temps à autre, depuis une dizaine d'an-

La première Ferrari de série équipée d'un moteur V12 en position centrale-arrière paraît presque sage à côté de la sensationnelle Miura et de l'extraordinaire Countach (*page de gauche*). Certains éléments, tels le capot moteur (*ci-dessous*), manquaient d'allure. Les matériaux antireflet conféraient un aspect très fonctionnel à l'habitacle (*ci-contre*).

nées. De plus, pour une firme désormais beaucoup plus orientée vers le succcès commercial que ne l'avait envisagé à l'origine son fondateur, et considérant que les voitures de Formule 1 et les prototypes de Sport-compétition étaient équipés de moteurs à plat en position centrale, il devenait très « politique » de refléter dans sa gamme commerciale la technologie de ses voitures de course.

Lamborghini ne s'était jamais lancé dans la compétition ; pourtant, grâce à son innovation technologique, il menaçait sérieusement la suprématie de Ferrari. Les admirateurs de Ferrari reçurent un choc quand ce dernier franchit le pas et présenta sa BB à moteur central ! La première du concept de la BB avait eu lieu au salon de Turin, en 1971. Le changement fut d'autant plus facilement accepté qu'était récemment apparu le prototype – sensationnel ! – de la Lamborghini Countach.

A côté de cette dernière, la BB paraissait presque sage, mais elle possédait toutes les grandes qualités d'une Ferrari, démontrées en compétition, ainsi qu'une réalisation sans défaut. L'architecture n'était pas tout à fait conventionnelle. Le montage en position centrale du moteur signifiait généralement que celui-ci prenait place entre le conducteur et la boîte de vitesses, en avant des roues motrices. Sur la BB, pour réduire l'encombrement, la boîte de vitesses fut installée en dessous du moteur, large mais de faible hauteur. Le différentiel était accolé en arrière de la boîte. Le radiateur se retrouvait à l'avant de la voiture, ce qui le dispensait des écopes de refroidissement qui fleurirent rapidement sur la carrosserie de la Countach.

La solution, pour séduisante qu'elle fût, évitait en outre de donner l'impression que Ferrai emboîtait techniquement le pas à Lamborghini ; son seul inconvénient était de placer le centre de gravité du groupe propulseur un peu plus haut qu'il n'était idéal. Le moteur conservait les dimensions internes de celui de la Daytona, ce qui rendait possible l'utilisation de pistons et de bielles identiques. A ces éléments près, tout le reste était nouveau. Autre caractéristique nouvelle : l'entraînement des ACT par courroie crantée. Alimenté par deux carburateurs Weber à triple corps au-dessus de chaque rangée de cylindres, le moteur Boxer de 4,4 litres développait 344 ch et 41,6 kgm de couple, soit presque autant que le très puissant moteur de la Daytona. La BB n'était, en revanche, guère plus légère que la 365 GTB/4 Daytona. La carrosserie – signée Pininfarina – était construite en

La ligne en coin, très basse (*à gauche et ci-dessous*) rendait impossible une implantation traditionnelle des phares en conformité avec les normes internationales. La solution fut trouvée avec des phares rétractables.

Si le moteur se trouvait à l'arrière (*ci-dessus*), le radiateur prenait place à l'avant ; pour le loger, le styliste dessina un nez assez renflé (*à gauche*) et muni de louvres sur le capot (*en haut à gauche*). La BB était assez large (*page de gauche*) mais très ramassée, spécialement de l'arrière (*ci-contre*).

acier ; seuls les portières, le capot avant et le capot moteur étaient en aluminium. Les bas-de-caisse, noirs, qui en soulignaient la ceinture, étaient en résine et fibre de verre. Cet habillage reposait sur un châssis, typique d'une Ferrari, réalisé pour la plus grande partie en tubes de section carrée ; il était muni de suspensions indépendantes à doubles triangles superposés et ressorts hélicoïdaux sur les quatres roues ; les ressorts étaient doublés à l'arrière puisqu'ils supportaient la majeure partie du poids de la voiture. Malgré les préjugés du public, la Berlinette Boxer était une réussite. Peut-être manquait-elle des qualités pratiques qui faisaient de la Daytona une véritable *Gran Turismo*. En revanche, la BB se montrait très rapide, plus rapide même que la Daytona, et ses accélérations étaient tout à fait comparables ; très légère à piloter, douée d'une tenue de route et d'une maniabilité exceptionnelles, elle pardonnait moins facilement les erreurs quand on la poussait vers ses limites, comme toutes les berlinettes à moteur central. Ferrari vendit moins de quatre cents exemplaires de cette première version en presque quatre ans, mais, grâce à la BB, il avait les moyens d'affronter Lamborghini et sa Countach. Tant et si bien qu'après avoir établi la validité de la formule, il améliora le moteur Boxer en 1976 en portant sa cylindrée à 4 942 cm³ par une légère augmentation de l'alésage ainsi que par un accroissement plus marqué de la course. Le moteur développait ainsi 360 ch et presque 46 kgm de couple. Il avait gagné à la même occasion une lubrification à carter sec, un embrayage renforcé ainsi que des rapports de boîte modifiés. En baptisant 512 BB le fruit de ces mises au point, Ferrari utilisait l'autre système de désignation, en vigueur sur les V6 et les V8 : « 5 » pour la cylindrée et « 12 » pour le nombre de cylindres. Extérieurement, la 512 BB ressemblait beaucoup à la 365 GT4/BB ; elle avait pourtant gagné des prises d'air destinées au refroidissement des freins arrière, un becquet à l'avant dans le but de parfaire l'équilibre aérodynamique, et une croupe plus large et un peu plus longue recouvrant des roues arrière, plus larges elles aussi. Sa « personnalité » fut transformée par le moteur plus puissant, tournant moins vite et d'une nature plus souple. Les performances n'étaient qu'en très légère augmentation, mais ce moteur permettait à Ferrari de se conformer aux normes antipollution toujours plus sévères. Celles-ci provoquèrent une dernière révision en 1981 quand la BB adopta un système d'alimentation par injection mécanique Bosch, sacrifiant ainsi quelque vingt chevaux afin de réduire les émissions de gaz polluants. En 1984, la première Ferrari douze cylindres en position centrale céda le terrain à la seconde : la Testarossa.

365 GT/4 BB
CARACTÉRISTIQUES

MOTEUR
12 cylindres à plat

CYLINDRÉE
4 391 cm³

ALÉSAGE A COURSE
81 x 71 mm

RAPPORT VOLUMÉTRIQUE
8,8 : 1

PUISSANCE
344 ch

DISTRIBUTION
Doubles arbres à cames en tête

ALIMENTATION
4 carburateurs Weber 40 IFC 3

TRANSMISSION
Boîte manuelle à 5 rapports

SUSPENSION AVANT
Indépendante : doubles triangles superposés et ressorts hélicoïdaux, amortisseurs télescopiques hydrauliques.

SUSPENSION ARRIÈRE
Indépendante : doubles triangles superposés et ressorts hélicoïdaux, amortisseurs télescopiques hydrauliques.

FREINS
Disque sur les 4 roues

ROUES
Alliage léger, écrou central

POIDS
1 723 kg

VITESSE MAXI
281 km/h

NOMBRE D'EXEMPLAIRES FABRIQUÉS, DATÉS
387 environ, 1973-1976

TESTAROSSA

Pendant plus de dix ans, un très sérieux problème se posa à Ferrari, d'ordre technique avant tout, mais qui paraissait avoir des conséquences commerciales insurmontables. Entre 1973 et 1984, le porte-drapeau de la gamme Ferrari, la Berlinetta Boxer, dans ses versions successives, n'eut jamais officiellement droit de cité sur l'immense et lucratif marché américain. Cela ne signifie d'ailleurs pas qu'aucune BB ne traversa l'océan Atlantique, mais elles furent importées à l'unité, par leurs propriétaires et eurent à subir diverses modifications destinées à les mettre en conformité avec les lois antipollution de plus en plus draconiennes qui remodelaient le marché des Etats-Unis. Ces modifications coûtaient, bien entendu, une partie de sa puissance à la voiture.

Il convient d'ajouter que Ferrari s'était mis tout à fait consciemment dans cette situation. A l'époque même où le moteur Boxer était conçu, les lois fédérales antipollution devenaient plus sévères. Son individualité forcenée ne laissa que peu de place au compromis, ni au sujet de la réduction de puissance liée aux rejets polluants des moteurs, ni au sujet des dipositifs destinés à absorber les chocs ajoutés à la carrosserie. Ferrari adopta la logique selon laquelle les Américains, s'ils ne pouvaient acheter leurs voitures d'exception libres de tous ces artifices, ne les achèteraient plus du tout ; il continuerait donc à leur vendre les modèles V8 plus aisés à rendre conformes et réserverait les 12 cylindres intacts aux Européens, seuls capables de les apprécier.

Cette politique se révéla délicate à mettre en œuvre, et, bien que Ferrari consentît à adapter ses voitures aux prescriptions européennes, elles-mêmes de plus en plus sévères – en remplaçant, en 1977, le moteur 4,4 litres par le 512-5 litres et les carburateurs Weber par un système d'injection mécanique Bosch, en 1981 –, il refusait toujours de faire les concessions nécessaires à la satisfaction des normes américaines.

Il ne lui fut plus possible de conserver cette attitude alors que s'approchaient les années 80. Les voitures les plus « exotiques » étaient aussi celles qui se vendaient le plus cher et donc rapportaient, en termes de bénéfices, davantage que les modèles plus ordinaires, fussent-ils des Ferrari V8. D'autre part, l'amélioration de l'image « sociale » de la BB ainsi que les perfectionnements qui la rendaient acceptable sur le marché européen lui avaient rogné les ailes. La 512 n'était pas aussi rapide que l'ancienne 365 GT4/BB. Avec du recul, la 512 n'aurait probablement pas pu être adaptée au marché américain sous sa forme originale. Si le scénario envisagé par Ferrari s'était révélé exact, cela n'aurait pas eu grande importance, malheureusement, Lamborghini avait démontré que le marché des voitures ultraperformantes, malgré la législation, était loin d'avoir disparu.

En 1978, Ferrari se résolut à commander à Farina l'étude d'une nouvelle génération de voiture de haut de gamme à moteur 12 cylindres, fondée sur l'ancienne BB mais flattant les vices du Nouveau-Monde. Ferrari devait plus tard panser son orgueil blessé avec la 288 GTO dessinée sans aucune contrainte ; pour l'heure, il démontrerait qu'il pouvait, non seulement se soumettre aux législateurs, mais encore offrir une Ferrari perfectionnée, vraiment hors du commun et parfaitement civilisée, poussant encore plus loin la notion de GT.

Il ne s'appelait pas Ferrari pour rien; la nouvelle voiture serait légalement et « socialement » acceptable, plus facile d'emploi, mieux équipée, plus confortable; elle offrirait même la place

Pas d'ouïes de refroidissement sur le museau (*en haut*). Malgré une magnifique calandre, les radiateurs prennent place dans les flancs de la voiture (*ci-dessus*) derrière les entrées d'air aux nervures caractéristiques. Ni les occupants ni le moteur ne craindront désormais le « coup de chaleur ».

pour les bagages que n'avait jamais eue la Berlinette Boxer. Plus pratique en somme ; il fallait qu'elle fût aussi plus rapide, plus vive et dotée d'une meilleure tenue de route, de freins plus performants et qu'elle possédât un plus grand appui aérodynamique.

La source de l'une des plus fréquentes critiques adressées à la BB allait ici se tarir. Le radiateur, placé à l'avant sur la 512 BB, et la tuyauterie le reliant au moteur longeant l'habitacle avait tendance à surchauffer ce dernier. La nouvelle voiture serait donc équipée de radiateurs placés dans les flancs, en arrière des portières, comme sur les Formule 1 ; cette disposition réduirait aussi la surchauffe de l'habitacle, elle améliorerait la distribution des masses en les déplaçant des extrémités vers le centre, elle dégagerait un espace à l'avant pour quelques bagages et rentabiliserait les dimensions généreuses de l'arrière de la carrosserie destinées à abriter un train de pneus plus large.

Cette disposition allait donner à la voiture, après que Pininfarina eut developpé la nouvelle forme en soufflerie, son trait de caractère distinctif : les profondes entrées d'air des radiateurs et leurs cinq nervures intégrées à la coque. Elles reçurent d'abord un accueil mitigé ; on les trouvait tape-à-l'œil sur une Ferrari. Elles étaient en fait très fonctionnelles et non pas le seul parti pris du dessinateur : elles dirigeaient avec précision le flot d'air tout en satisfaisant à l'exigence de la législation relative à la protection de ces larges ouvertures latérales.

En arrière des entrées d'air et des radiateurs prenait place une nouvelle version du moteur Boxer tout aluminium 12 cylindres, 5 litres, 4 ACT, assez semblable dans son architecture au 512, mais présentant des innovations, tels des culasses à quatre soupapes par cylindre, un système d'injection électromécanique Bosch KE Jetronic et un allumage électronique programmé Marelli-Microplex. Cette refonte avait permis de gagner du poids (20 kg) et des chevaux (50), la puissance atteignait

La Testarossa, pour imposante qu'elle soit (*page de droite*), n'accueille que deux personnes (*ci-dessus*). Ferrari l'a voulu plus pratique à l'usage que la BB ; elle dispose d'un équipement et d'une finition plus soignés ainsi que de commandes moins raides.

maintenant 390 ch à 5 300 tr/min ; le couple, lui aussi, s'était accru de 4 kgm pour passer à 50 mkg, à 4 500 tr/min. Le moteur se trouvait toujours au-dessus de la boîte et du différentiel, évitant ainsi de reprendre des options choisies par Lamborghini : moteur transversal sur la Miura, moteur longitudinal inversé sur la Countach.

La peinture rouge craquelée des couvercles d'arbres à cames et la surface nervurée de même teinte des chambres de tranquillisation contribuaient à lui donner son nom : Testarossa ou Tête rouge. Ce n'était pas un nom que Ferrari employait à la légère ; il traduisait l'héritage historique acquis en compétition par ses Testa Rossa de la fin des années 50 au début des années 60, quand apparut pour la première fois ce nom sur une Ferrari de route.

A peine sortie de la planche à dessin, la nouvelle voiture atteignit ses objectifs ; elle était conforme aux normes américaines, retrouvait une vitesse de pointe de 290 km/h, demandait 5,8 secondes pour passer de 0 à 100 km/h, et 12,7 secondes pour atteindre 160 km/h, départ arrêté, lui suffisaient. La souplesse de son moteur en faisait une voiture d'un usage très aisé. Son châssis en treillis de tubes greffé sur une section centrale monocoque était dérivé de celui de la 512 BB ; il bénéficiait des mêmes suspensions par triangles superposés et ressorts hélicoïdaux sur les quatre roues. La Testarossa avait pourtant un empattement allongé et des voies élargies, considérablement pour ce qui concerne la voie arrière. Sa surface de pneu au sol supérieure lui procurait une meilleure accroche ; sa suspension moins sèche apportait du confort ; la redistribution des masses rendait la tenue de route plus prévisible que celle de la BB – l'arrière restant toutefois assez lourd – mais toujours aussi saine et bien plus agile que ne le laissait supposer sa taille imposante ; la voiture était flatteuse pour un conducteur moyen mais apportait d'énormes satisfactions à un pilote fervent et chevronné. Des freins à disques ventilés, de 300 mm de diamètre, équipés d'étriers à quatre pistons opposés, complétaient l'ensemble. Un embrayage bi-disque surdimensionné absorbait le surcroît de puissance ; cette amélioration contribuait à rendre la Testarossa aussi civilisée que le permettait sa vocation de deux-places rapide. Comparé à celui de la BB, l'habitacle, plus spacieux, était encore amélioré par un emplacement prévu derrière les sièges et destiné aux bagages, auquel s'ajoutait un espace dans le coffre avant. Quelques raffinements tels qu'une colonne de direction modulable en hauteur, des sièges réglables électriquement et la climatisation d'origine avaient fait leur apparition comme dans n'importe quelle voiture de luxe. C'était bien à ce statut que prétendait la Testarossa, en plus de celui de voiture ultrasportive. Telle qu'elle se présente, elle est prête à affronter les années 90 et sera peut-être un jour dotée d'une transmission à quatre roues motrices et de quelques autres améliorations. Si la Testarossa représente l'avenir de Ferrari dans le domaine des voitures de tourisme, celui-ci s'annonce enchanteur.

Les nervures qui courent sur les flancs de la voiture (*ci-dessus*) dissimulent les larges entrées d'air, en dirigent le flot et satisfont aux règlements qui imposent une protection pour d'aussi larges ouvertures. La Testarossa possède une silhouette en fer de lance dramatiquement élargie dans sa partie postérieure (*ci-dessous*).

TESTAROSSA
CARACTÉRISTIQUES

MOTEUR
12 cylindres à plat

CYLINDRÉE
4 942cm³

ALÉSAGE A COURSE
82 x 78 mm

RAPPORT VOLUMÉTRIQUE
9,2 : 1

PUISSANCE
390 ch

DISTRIBUTION
Doubles arbres à cames en tête

ALIMENTATION
Injection Bosch K. Jetronic

TRANSMISSION
Boîte manuelle à 5 rapports

SUSPENSION AVANT
Indépendante : doubles triangles superposés et ressorts hélicoïdaux, amortisseurs télescopiques hydrauliques.

SUSPENSION ARRIÈRE
Indépendante : doubles triangles superposés et ressorts hélicoïdaux, amortisseurs télescopiques hydrauliques.

FREINS
Disque sur les 4 roues

ROUES
Alliage léger, écrou central

POIDS
1 814 kg

VITESSE MAXI
289 km/h

NOMBRE D'EXEMPLAIRES FABRIQUÉS, DATÉS
Lancée en 1984, toujours en production

288 GTO

Gran Turismo Omologato : voilà la signification du sigle GTO. Ferrari ne l'utilisait pas à la légère. Il apparut pour la première fois en février 1962, sur les 250 GTO qui écrasèrent toute opposition pendant trois années consécutives, jusqu'en 1964. Il fut employé une deuxième fois en 1984, sur la 288 GTO. Entre-temps, il y eut des GT, des LM, des GTB, GTC et GTS, des P, des M, des Dino, des Daytona, mais pas de GTO. Reprendre ces trois lettres sacrées, au salon de Genève de 1984, était de la part de Ferrari un acte lourd de symbole mais parfaitement légitime. Comme au temps de la légende des années 60, *Omologato* signifiait que la voiture était destinée à la compétition et devait être homologuée pour cet usage. Pour satisfaire au règlement alors en vigueur, Ferrari devait en construire un certain nombre prévu par la FIA. En 1962, trente-neuf exemplaires de la 250 GTO avaient suffi, dans le cas de la 288, il en faudrait 200 pour autoriser la voiture à courir en Groupe B de la catégorie GT.

Un événement extraordinaire avait décidé Ferrari à revenir à la compétition de voitures de sport, discipline que l'usine avait abandonnée en 1974 pour se consacrer exclusivement aux Grand Prix. Après toutes ses victoires, au fil des ans, Ferrari savait l'impact commercial de ces catégories et avait probablement observé du coin de l'œil ce qui s'y passait, prévoyant un retour. Pendant les années 70 et une partie de la décennie 80-90, les règlements avaient favorisé les voitures originellement destinées à courir dans les catégories sport et laissaient peu de chances de succès à des véhicules tels que ceux que Ferrari aurait pu faire dériver de ses modèles de production. De plus, la firme n'avait guère les capacités de courir plusieurs lièvres à la fois. Ses ressources techniques et financières étaient presque entièrement absorbées par la rude bataille qu'elle menait pour demeurer au niveau du championnat du monde des Conducteurs.

C'est alors que la FIA introduisit le Goupe B, une catégorie qui, espérait-elle, élargirait cette classe – où régnaient des voitures très spécialisées, toujours plus chères à construire – à des constructeurs ayant des intérêts commerciaux diversifiés. La catégorie ne se limitait pas à la course sur circuit mais comprenait aussi les rallyes ; les voitures pour l'essentiel devaient être utilisables sur la route, du moins en théorie, et leur homologation était soumise à l'obligation d'en construire au moins deux cents unités. Ainsi, tout demandeur devrait vendre la majorité de sa production comme autant de routières, quel que fût le prix de chaque voiture. Quel attrait pour Ferrari ! Le Groupe B lui ouvrait à nouveau les portes de courses prestigieuses telles que Le Mans, avec des chances de succès (même si c'était par le biais d'écuries privées) ; il lui permettrait également de vendre bon nombre de voitures très chères mais à forte rentabilité. La voitu-

La GTO conserve les splendides proportions (*ci-dessous*) de la 328, malgré ses dimensions plus importantes, un empattement et des voies avant et arrière en augmentation. Voitures de course ou de tourisme, leurs lignes, signées Pininfarina, sont d'une rare élégance.

Vue du dessus, la 288 GTO offre l'aspect d'une grosse bouteille de Coca-Cola, qui la représente bien comme une « 328 ayant pris du muscle ». Les projecteurs rétractables (*ci-contre*) sont la conséquence du nez surbaissé.

Ferrari

Ferrari

Ferrari
GTO
C224 EUL

A l'inverse de la F 40 qui lui succèderait et des autres voitures rentrant dans la même catégorie, la GTO est dépourvue de tout appendice aérodynamique, si l'on excepte le discret redent sur le bord de fuite du panneau arrière et les ouïes de ventilation supplémentaires (*à gauche, page de gauche* et *double page précédente*). La différence majeure entre la GTO et la 328 vient de l'implantation du moteur longitudinal (*ci-contre*). La boîte/différentiel prend place en arrière du bloc moteur et non en dessous. La voiture gagne ainsi en équilibre et l'accessibilité mécanique s'en trouve améliorée, un avantage dans l'optique de carrière sportive initialement prévue.

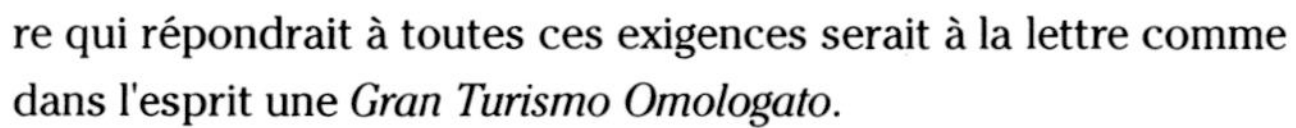

re qui répondrait à toutes ces exigences serait à la lettre comme dans l'esprit une *Gran Turismo Omologato*.

En apparence, la GTO des années 80 pourrait n'être qu'une 328 qui aurait pris du muscle. A tort : la ligne de la voiture, sortie du crayon de Pininfarina, empruntait certes à la 328, mais quant au reste... L'empattement du châssis multitubulaire en acier avait gagné 115 mm par rapport à celui de la 328, les voies s'étaient substantiellement élargies, devant comme derrière. Sous la surface, on trouvait un V8 monté longitudinalement et non plus en travers, en avant d'une boîte de vitesses ZF à cinq rapports et d'un différentiel à glissement limité, en lieu et place de la boîte installée sous le moteur dans la 328. Cette disposition se justifiait sur une voiture de course présentant un tel empattement, car elle apportait un certain nombre d'avantages : plus de place pour le moteur, un accès facilité et un centre de gravité placé plus bas. Le moteur, lui, s'il ne possédait pas 12 cylindres, devint quand fut lancée la voiture le plus puissant jamais installé par Ferrari sur une routière. Aujourd'hui, seul le moteur de la F 40 le surclasse. Comme le suggère la désignation, la cylindrée accuse 2,8 litres répartis entre 8 cylindres ; une course courte et de larges alésages laissant la place à quatre soupapes par cylindre donnaient au moteur la capacité de tourner jusqu'à 7 700 tr/min, limite de la zone rouge. Ces caractéristiques n'auraient cependant pas suffi à produire la puissance souhaitable sur une voiture de compétition : l'addition de deux turbocompresseurs IHI d'origine japonaise, chacun pourvu de son échangeur air/air, fut donc nécessaire. Le réglement de la FIA prévoyait un coefficient de 1,4, par lequel on multiplia la cylindrée de 2 855 cm³ qui se trouva ainsi juste en dessous de la limite, fixée à 4 litres pour les moteurs atmosphériques, dans cette classe. Avec une pression de suralimentation de 0,8 bar, une seule soupape de surpression située à l'arrière du moteur et le double système d'injection Weber-Marelli, le 288 produisait 400 ch et 46,3 kgm de couple en version route ; la version compétition laissait entrevoir 600 ch ou plus.

La puissance seule ne suffit pas ; la compétition exige un contrôle constant du poids. Ferrari choisit, pour la 288, d'utiliser les matériaux les plus légers que la recherche technique mettait à sa disposition et qui n'avaient jusque-là trouvé leur place que sur les véhicules de Grand Prix. La cellule centrale était en matériau composite de fibre de verre, le capot ainsi que l'habillage complet du moteur utilisaient du Kevlar, les cloisons intérieures se partageaient une combinaison de Kevlar, de Nomex antifeu et de nid-d'abeilles en aluminium. Les portières étaient recouvertes d'aluminium. Même dans sa version routière, alourdie de ses équipements, la GTO accusait un poids de 1 224 kg seulement, soit 136 kg de moins que la 328, pourtant plus petite. Le rapport poids/puissance se situait aux environs de 330 ch/tonne (1 ch pour 3 kg) en configuration route. La large plage de régime sur laquelle était disponible le couple (41,4 kgm à partir de 2 500 tr/min), qui culminait à 3 800 tr/min, apportait une incroyable souplesse d'utilisation. A 4 000 tr/min, le moteur développait déjà 300 ch. Malgré les deux compresseurs de petite taille contre un seul, plus gros, le temps de réponse restait sensible à bas régime, mais, une fois passés 2 000 tr/min, il avait presque disparu ; au-dessus de 3 500 tr/min, dans la plage de suralimentation, les accélérations coupaient le souffle. La GTO passait de 0 à 100 km/h en 4,8 secondes, de 0 à 160 km/h en 10 secondes à peine, et elle n'avait pas dit son dernier mot. L'étagement parfait des rapports de boîte autorisait les vitesses de 93, 149, 267 km/h pour les quatre premiers et 304 km/h en cinquième. La 288 GTO méritait le titre de plus rapide routière jamais construite par Ferrari.

Comparés à ceux de la 328, roues et pneus avaient gagné en largeur. Pourtant, quand on s'installait à son volant, elle paraissait à peine plus encombrante que la toute petite 328. Enfin, elle était parfaitement civilisée, correctement pourvue en équipements, contrastant en cela avec la F 40 qui devait lui ravir le titre de la Ferrrari la plus rapide. Elle avait hérité d'une tenue de route hors pair, et son freinage était à la hauteur de ses qualités sportives. La suspension se composait, sur les quatre roues, de doubles triangles superposés et de ressorts hélicoïdaux (montés sur bagues élastiques, pour plus de confort, sur la version route). Les freins à disques ventilés de 320 mm étaient coiffés par des roues à jantes en deux parties de seize pouces de diamètre arborant la classique étoile à cinq branches des Ferrari de compétition.

La GTO n'eut jamais l'occasion de prouver vraiment sa valeur, ni de démontrer qu'elle était la digne et brillante héritière des voitures des années 60, mais c'est là davantage un signe des temps qu'une preuve de la difficulté qu'éprouvait alors Ferrari à concevoir un modèle approprié. La firme n'eut d'ailleurs aucun mal à assembler puis à vendre les deux cents exemplaires requis, auxquels s'ajoutèrent quelques autres. La 288 GTO acquit immédiatement une réputation de véhicule classique, précieux et se négociant à des prix élevés. Elle ne fit pourtant pas de véritable carrière en compétition ; les voitures de Groupe B atteignaient des vitesses exceptionnelles et se montrèrent bien plus dangereuses – en rallye particulièrement – que ne l'avait d'abord envisagé la FIA, car des firmes telles que Lancia, Audi, Ford et Peugeot pouvaient puiser dans leurs vastes ressources financières et techniques. Sur les circuits, la Ferrari aurait pu trouver sa rivale dans la Porsche 959, ultrasophistiquée, mais la confrontation n'eut jamais lieu. A la suite d'une série de terribles accidents en rallye, la FIA supprima le Groupe B en 1986, étouffant ainsi dans l'œuf le retour en compétition des voitures de sport de Ferrari.

288 GTO
CARACTÉRISTIQUES

MOTEUR
8 cylindres en V à 90°
turbo compressé

CYLINDRÉE
2 855 cm³

ALÉSAGE A COURSE
80 x 71 mm

RAPPORT VOLUMÉTRIQUE
7,6: 1

PUISSANCE
400 ch

DISTRIBUTION
Doubles arbres à cames en tête,
4 soupapes par cylindre

ALIMENTATION
Injection Weber Marelli,
deux turbocompresseurs IHI

TRANSMISSION
Boîte manuelle à 5 rapports

SUSPENSION AVANT
Indépendante : doubles triangles superposés et ressorts hélicoïdaux, amortisseurs télescopiques hydrauliques.

SUSPENSION ARRIÈRE
Indépendante : doubles triangles superposés et ressorts hélicoïdaux, amortisseurs télescopiques hydrauliques.

FREINS
Disque sur les 4 roues

ROUES
Alliage léger, écrou central

POIDS
1 224 kg

VITESSE MAXI
304 km/h

NOMBRE D'EXEMPLAIRES FABRIQUÉS, DATÉS
269, 1984-1985

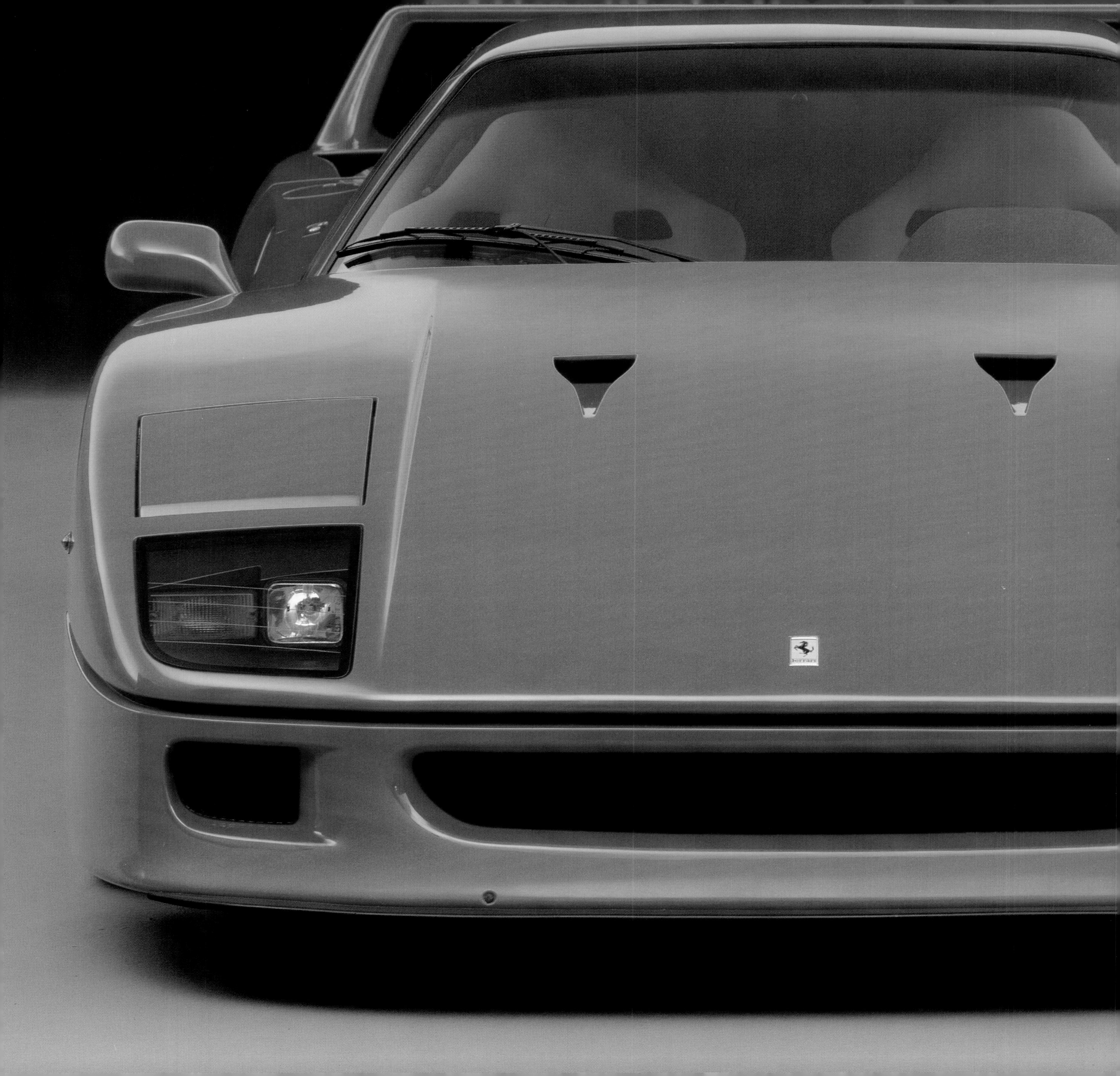

F40

En 1987, alors qu'il entrait dans sa quatre-vingt-dixième année, Enzo Ferrari devait fêter ses quarante ans d'activités de constructeur. N'ayant jamais souffert de modestie immodérée et pressentant peut-être que ce serait son dernier anniversaire, Ferrari se prépara à le célébrer avec faste.

Il en avait le droit ; en se retournant sur son passé, il pouvait contempler huit titres de champion du monde des Constructeurs en Formule 1, dix titres de champion du monde des Conducteurs, presque cent victoires en Grand Prix, neuf victoires au Mans et des milliers d'autres triomphes. Il pouvait apercevoir des voitures devenues des classiques : les premières 166, la dynastie des 250, la Daytona, la Dino et la Testarossa. Et que Fiat ait désormais pris possession de son empire ne changeait rien : Ferrari faisait toujours ses propres déclarations et usait de la même formule : « La meilleure Ferrari à ce jour... » La voiture qui allait couronner sa longue expérience de constructeur automobile se devait d'être pour le moins exceptionnelle. La F 40 serait donc exceptionnelle.

Il convient d'observer que la dernière voiture, la F 40, d'Enzo Ferrari ressemble beaucoup à la première et tisse une sorte de lien entre les routières et les voitures de courses – superbes d'agressivité, dans leurs habillages fonctionnels, redoutables, libres de tout compromis, à la pointe de la recherche. C'est Ferrari lui-même qui la dévoila, avec un air de bravoure malicieuse, à un petit groupe de journalistes et de personnalités, en juillet 1987. Alors que glissait la housse rouge, il fut immédiatement évident que la firme au cheval cabré avait, cette fois encore, porté très haut le flambeau de l'automobile.

La F 40 fut tout simplement présentée comme la routière la plus rapide du monde, ni plus ni moins. Ferrari annonçait une vitesse de 324 km/h. C'était la première fois qu'une voiture routière dépassait 320 km/h (200 mph). Elle passait de 0 à 100 km/h en 3,6 secondes et de 0 à 200km/h en 11,8 secondes. Seule la Porsche 959, ultrasophistiquée, soutenait la comparaison avec de tels chiffres; mais elle ne possédait pas la même aura. La vocation de la F 40 était si exclusive, si évidente que nulle autre ne semblait pouvoir rivaliser avec elle.

Les lignes aérodynamiques très pures de la F 40 (*à gauche*) contribuent autant que la puissance, énorme, de son moteur à faire de la voiture l'une des plus rapides du monde, sans rien sacrifier de sa stabilité sur route ouverte. Le logo F 40, sculpté dans l'aileron arrière (*ci-dessus*).

La voiture de Stuttgart, par exemple, était comme affadie par sa sophistication ; elle présentait pourtant des traits remarquables : une transmission à quatre roues motrices à contrôle électronique, une hauteur de suspensions variable et un amortissement programmables à contrôle automatique, une boîte de vitesses à six rapports, un intérieur luxueux et confortable, comprenant chaîne haute fidélité et climatisation. L'extraordinaire créature originaire de Maranello n'offrait que les attributs de base de la voiture de Sport-compétition : une débauche de puissance, des roues arrière motrices et un poids réduit au minimum. Elle ne comportait même pas d'antiblocage des freins.

Extrêmement rapide, agressive de silhouette (*à droite*), la F 40 est construite en conformité avec la loi. Elle dispose donc d'un éclairage et de rétroviseurs (*ci-dessus*) adaptés à un usage routier.

Alors que la 959 retrouvait les lignes familières souples et arrondies de la 911, la F 40, avec ses imposantes prises d'air, ses ailes élargies et ses arêtes agressives prouvaient une absence de compromis bien digne d'une machine de course. Il était logique que la F 40 fût habillée par Pininfarina. La fonction dictait sa loi à la forme. L'aileron surélevé et le becquet avant au ras du sol contribuaient à fixer la voiture à la route à sa vitesse maximale. Les prises d'air, réparties sur la carrosserie, alimentaient les échangeurs, les radiateurs, les freins et le compartiment moteur, de même que la lunette arrière en Plexiglas ajourée; et si le cœfficient de traînée n'atteignait que 0,34 C_x, c'était pour conserver un maximum d'appui aérodynamique et éviter toute surchauffe.

L'habillage de la voiture était principalement fait de matière plastique et de matières composites. Chaque portière, réduite à sa simple expression, ne pesait que 1,5 kg. Les bas de caisse, recouverts de Kevlar, larges et profonds, à l'état brut, dégageaient un parfum de compétition. Que l'habitacle tout entier développait encore : les sièges baquets en Kevlar, recouverts de velours rouge, étaient percés à hauteur des épaules et des hanches pour laisser passer les sangles des harnais. Le volant trapu, un Momo à trois branches, n'était pas réglable. Nul objet superflu dans cet habitacle. Le tableau de bord, le tunnel central, les montants de pare-brise sont recouverts d'un sobre tissu gris uni. Ni tapis, ni lève-vitres électriques, ni fermeture centralisée des portières, ni rétroviseurs réglables de l'intérieur; pas même une poignée de porte, mais un cordon servant à l'ouverture. Une climatisation rudimentaire, pour épargner au pilote une mort par

La silhouette très pure de la F 40 est parsemée de nombreuses ouïes de refroidissement ainsi que d'appendices aérodynamiques (*ci-contre*). Un très faible coefficient de traînée a été sacrifié en faveur d'un appui maximal, tant sur l'avant que sur les roues motrices ainsi que pour assurer une ventilation adéquate des freins et du compartiment moteur. La vitre arrière elle-même est ajourée à cet effet (*page de droite*).

asphyxie lente dans cet habitacle spartiate. Et pour payer le droit de péage sur l'*autostrada*, il fallait passer le bras à travers un volet coulissant aménagé dans la vitre latérale, en matière plastique. La technologie nouvelle mise en œuvre dans la construction du châssis avait permis de réduire substantiellement le poids de la voiture, qui n'était que de 1 100 kg en ordre de marche. Le châssis se composait d'une structure multitubulaire où se substituaient aux panneaux de tôle normalement en usage des matériaux composites employant le Kevlar et la fibre de carbone, mise en œuvre selon les meilleurs procédés de collage en vigueur dans l'industrie aérospatiale. L'emploi de ces techniques permit de construire un châssis plus léger d'un cinquième que celui que produisaient les méthodes traditionnelles, offrant en plus une rigidité multipliée par trois. Et certes, Ferrari n'avait pas l'intention de fabriquer plus d'une centaine d'exemplaires de sa fabuleuse F 40. Actuellement, un millier ont été constuites.

La suspension était confiée sur les quatre roues à des triangles inégaux superposés et ressorts hélicoïdaux, des amortisseurs télescopiques réglables et des barres antiroulis. Et le freinage, assuré par des disques Brembo de 330 mm de diamètre, contrepercés et ventilés, composés de deux pistes en acier enserrant un noyau en alliage léger de façon à réduire le poids non suspendu; ils étaient pincés par des étriers à quatre pistons de même marque. Les freins trouvaient place à l'intérieur de roues de dix-sept pouces (430 mm) de diamètre et de dix pouces de large (254 mm) à l'avant et de treize pouces (330 mm) à l'arrière, chaussées de pneus Pirelli P Zero en 245/40 à l'avant et en 335/35 à l'arrière. Roues et freins n'auraient pas été déplacés sur un véhicule destiné à la compétition.

Au moment de son lancement, le moteur de la F 40 était le plus puissant jamais proposé sur une voiture routière. Dérivé de celui de la 288 GTO de 1984, il s'agissait d'un V8 de 2 936 cm³ à course courte, suralimenté par deux turbocompresseurs IHI d'origine japonaise, doté d'une distribution à 4 ACT, de trente-deux soupapes et d'une lubrification à carter sec. D'une cylindrée un peu supérieure à celle du 288 GTO, légèrement plus supercarré, il recevait un nouveau vilebrequin et un système de lubrification corrigé ; la pression de suralimentation était un peu augmentée. En configuration route, avec les systèmes d'injection et d'allumage électronique programmé Weber Marelli, dérivés de ceux des F1, le *nec plus ultra* de la technique, le moteur développait 478 ch et 58,6 kgm de couple.

Avec 1 ch pour 2,3 kg, le rapport poids/puissance devenait exceptionnel. C'est par ces traits que la F 40 différait de ses rivales, qui, véritablement, se limitaient à la Porsche 959, à laquelle aujourd'hui s'ajouterait la Lamborghini Diablo (492 ch et 325 km/h).

Une telle personnalité exigeait du pilote un effort soutenu et une habileté supérieure. Les commandes étaient raides, depuis la direction sans assistance jusqu'aux freins surpuissants. A l'évidence, maîtriser le commandement de 478 ch dans un véhicule si léger demandait une dextérité rare. L'habitacle, dépouillé de tout superflu, vibrait et amplifiait le vacarme du moteur, le rétroviseur n'offrait guère plus qu'une vue sur la carrosserie et les écopes de refroidissement. Bien sûr, on pouvait toujours tenter d'imposer à la F 40 un train raisonnable, elle se montrait, jusqu'à un certain point, docile mais elle cachait mal son impatience, voire sa rage. Les énormes pneus arrière offraient une adhérence exceptionnelle, le châssis, très rigide et la suspension, issue de la compétition, étaient le gage d'une précision hors pair. Elle enferme dans ses flancs une puissance prodigieuse qui ne demandait qu'à la propulser en avant, laissant d'épaisses traces de caoutchouc fondu. A 3 900 tr/min, 300 ch ont déjà la bride sur le cou; à 5 000 tr/min, ils sont plus de 400. Entre 3000 et 5 000 tr/min, la courbe de couple est hyperbolique. Une telle créature appartenait en vérité à un autre monde. Décidément, la F 40 refusait tout compromis. Et c'était bien ce qu'avait voulu Ferrari : produire la dernière des grandes voitures à moteur central arrière, témoin de l'époque précédant l'ère de « l'asservissement électronique », comme, avant elle, la Daytona avait été la dernière des puissantes «classiques» à moteur avant. La F 40 se montrait à la hauteur de ses espérances.

F 40
CARACTÉRISTIQUES

MOTEUR
8 cylindres en V à 90° turbo compressé

CYLINDRÉE
2 936 cm³

ALÉSAGE A COURSE
82 x 69,5 mm

RAPPORT VOLUMÉTRIQUE
7,8: 1

PUISSANCE
478 ch

DISTRIBUTION
Doubles arbres à cames en tête, 4 soupapes par cylindre

ALIMENTATION
Injection Weber-Marelli, deux turbocompresseurs IHI

TRANSMISSION
Boîte manuelle à 5 rapports

SUSPENSION AVANT
Indépendante : doubles triangles superposés et ressorts hélicoïdaux, amortisseurs télescopiques hydrauliques.

SUSPENSION ARRIÈRE
Indépendante : doubles triangles superposés et ressorts hélicoïdaux, amortisseurs télescopiques hydrauliques.

FREINS
Disque sur les 4 roues

ROUES
Alliage léger, écrou central

POIDS
1 088 kg

VITESSE MAXI
323 km/h

NOMBRE D'EXEMPLAIRES FABRIQUÉS, DATÉS
Lancée ne 1988, toujours en production

Ferrari

348

Finalement, chaque Ferrari constitua un cap qu'il fallait toujours doubler pour atteindre le prochain. C'est ainsi qu'Enzo Ferrari se lançait à lui-même un défi. Un modèle chassait l'autre et relançait la course à l'excellence, à la puissance, à l'élégance aussi.

La première Ferrari des années 90 ne fait pas exception à cette règle. La 348, quand elle remplaça la voluptueuse 328, à la fin de l'année 1989, fut jugée presque ordinaire par certains. En particulier, l'usage qu'avait fait le styliste d'une fausse calandre, quand bien même le radiateur avait émigré à l'arrière, fut sévèrement critiqué.

La Ferrari d'entrée de gamme et son 8 cylindres peuvent faire figure de parent pauvre, à côté de la spectaculaire F 40 ou de la fascinante Testarossa ; pourtant, la réalité est tout autre.

La 348 est le dernier modèle en date de ces voitures qui maintiennent Ferrari en activité. Bien loin d'être le produit d'une occupation annexe, bâclée par les ingénieurs entre deux projets plus importants, elles doivent être sans reproche. Car ce sont elles qui répondent aux goûts du plus grand nombre, les investisseurs. Elles ont de redoutables concurrents : Porsche, l'ennemi de longue date, mais les Japonais aussi, depuis peu, avec la Honda NSX, fort appréciée, et proposée à un prix de solde comparé à celui de la Ferrari. Non, décidément, dans cette catégorie de classe junior, porter l'illustre nom de Ferrari n'est pas suffisant pour s'imposer.

La 348 possède un atout qui manquera toujours aux japonaises, aussi évoluées soient-elles : le lignage, le sang qui lie entre elles les Ferrari. La 348 est la descendante directe des 328 et des 308, ainsi que, avant elles, et par l'esprit au moins, des Dino, fondatrices de la dynastie des « petites Ferrari », au début des années 60 (à l'origine, la 206 en 1968, puis la 246 en 1969).

La famille des V8, elle, naquit avec la 308 GT4 signée Bertone en 1974, qui rencontra l'incompréhension, puis prit son essor grâce à la 308 GTB de 1975 et à sa sœur, la 308 GT Spyder de 1977. En 1980, à côté des deux-places GTB et GTS, apparurent les Mondial, voitures 2 + 2 à la carrosserie plus anguleuse, mieux acceptées que l'infortunée 308 GT4. En 1982, s'ajouta une version plus puissante et plus perfectionnée du V8-3 litres : le *quattrovalvole*, qui comportait quatre soupapes par cylindre. En 1985, la famille des V8 prit du coffre et adopta une cylindrée de 3,2 litres avec les

En prenant un peu d'embonpoint, comme avant elle les 328 et les 308, la « petite Ferrari » est parvenue à la maturité. La parenté entre la Testarossa est évidente dans le traitement des feux arrière (*page de gauche*). Certains éléments résistent à tout changement (*ci-dessus*).

modèles 328 GTB et GTS et la Mondial 3,2 litres dont existaient une version cabriolet et une version coupé.

Plus récemment, à la fin de 1989, les Mondial furent équipées d'une version 3,4 litres du fidèle moteur V8, et une nouvelle voiture, la 348, remplaça, parmi les cris de désespoir, la 328. Très vite, plus vite que d'autres modèles qui l'avaient précédée, la 348 fut acceptée et ses mérites reconnus. Les sceptiques admirèrent les progrès réalisés par rapport à la 328, voiture vraiment nouvelle, entrée dans l'âge adulte, et cependant sophistiquée, bref, tout ce qu'il faut pour conserver sa place parmi la nouvelle génération où, à puissance égale, l'achat se décide souvent sur des critères de confort, de finition ou d'équipement.

Sa grande distinction, son aspect lisse et sans défaut ne se limitent pas à la superbe carrosserie de Pininfarina mais imprègnent la voiture tout entière, tellement différente. Sa ligne trapue, carrée, ses prises d'air latérales «à la Testarossa» la font ressembler davantage à une Mondial qu'a une 328. Pourtant la Mondial est une 2+2 alors que la 348 demeure une deux-places, strictement. A l'intérieur, elle est plus luxueusement équipée, plus spacieuse – surtout en largeur –, ses sièges sont plus profonds et d'un plus joli dessin, les pédales, plus espacées et moins décentrées.

A l'intérieur toujours, la construction en série se laisse identifier, notamment par le garnissage orné d'un relief. Si les interrupteurs et les commodos proviennent toujours d'humbles modèles Fiat, l'ensemble ne suggère pas un excès «de bric et de broc».

Il ne saurait être question de confondre la Ferrari 348 avec un véhicule d'une autre marque. On retrouve la grille en métal à six encoches du fin levier de vitesse chromé, les cadrans caractéristiques et le cheval cabré dans le moyeu du volant. Et toujours une aura indéfinissable, l'impression que la voiture a été conçue à partir d'une seule idée en tête. Aucune concession n'est faite à une complication inutile ou un modernisme de mauvais aloi. Si elle propose un ABS, la 348 n'offre pas de direction assistée, qui enlèverait de la précision, pas de dispositif électronique pour suppléer au conducteur dans sa recherche de l'équilibre entre puissance et adhérence. Pas d'esbroufe, en somme.

Et s'il subsistait le moindre doute, il suffirait de mettre en marche : comme le suggère la désignation, le moteur de

Ferrari a bâti sa légende grâce à des moteurs V12. Pourtant, les V8 sophistiqués, tels celui de la 348 – injection et allumage gérés électroniquement – (*en haut à gauche*) sont indissociables de l'expansion de Ferrari en cette fin de siècle. La factice calandre (*ci-dessus à gauche*) attirera sans doute la critique des puristes, qui ne manqueront quand même pas de saluer le savoir-faire de Pininfarina (*ci-dessus*).

la 348 est un V8 de 3,4 litres de cylindre, et le successeur en ligne directe des 308 et des 328, un *quattrovalvole*, naturellement. Quatre arbres à cames en tête entraînés par courroie actionnent quatre soupapes par cylindre. Il donne de la voix comme sait le faire le moteur d'une Ferrari pur-sang. Alésage et course ont subi une faible augmentation ; l'accroissement de cylindrée, pour limité qu'il soit, est assorti d'un gain en souplesse assez important, grâce, notamment, au dessin amélioré, des conduits d'admission. Ferrari revendique 300 ch tout rond pour ce moteur, et 33 kgm de couple qui autorisent la «petite» Ferrari à jouer dans la cour des grandes.

Plus remarquable encore que la puissance accrue, la complète refonte de l'architecture du châssis et du groupe propulseur : alors que sur la 328 et sur la Mondial, le moteur était installé transversalement dans sa position centrale arrière, au-dessus de la boîte, la 348 revient à une disposition longitudinale du moteur associé à une boîte transversale (afin de limiter l'encombrement du groupe, et héritée des machines de GP), qui permet d'installer le moteur plus près du sol que sur les 328 et de mieux équilibrer la voiture. Le châssis ne fait plus appel à la construction en treillis de tubes traditionnelle mais à une combinaison d'éléments préfabriqués, plus proche de la structure monocoque des voitures modernes produites en série, habillée comme à l'habitude d'acier et d'aluminium.

Les traditionnalistes n'eurent aucune raison de s'inquiéter car la nouvelle structure, ainsi construite, comprenait une plate-forme plus rigide sur laquelle venaient se greffer des suspensions à triangles superposés et ressorts hélicoïdaux. La tenue de route, excellente, en parfaite harmonie avec le moteur, restait ferme et raide, acceptable toutefois pour un conducteur des années 90, rendu délicat par de récentes habitudes de luxe.

La 348 est la première représentation de ce qu'est Ferrari après Enzo Ferrari, le lien avec les Ferrari du futur. Elle est certes plus sophistiquée, plus civilisée que celle qui la précédait, mais n'en est-il pas ainsi depuis le début ? La 166 Inter de 1948 était déjà plus civilisée et plus sophistiquée que la 166 MM avant elle ; les 195 Inter accomplissaient un tour de roue supplémentaire dans cette direction par rapport aux 166. Tout en respectant la tradition, Ferrari se sou-

vient qu'il ne peut survivre qu'en progressant. Evolution ne signifie pas nécessairement abandon de ses caractères, perte de sa personnalité : quand on est au volant d'une Honda NSX, on sait que l'on est dans un véhicule qui bénéficie de toutes les avancées de la technologie; quand on prend les commandes d'une Ferrari, l'évidence s'impose, ou l'intuition, un signal, quelque chose de fort et d'imperceptible tout à la fois, et il ne fait aucun doute, alors, que cette voiture porte ce nom de légende : Ferrari. C'est toute la différence !

Les lignes simples et douces sont à l'honneur dans les années 90 – comme le montrent les prises d'air discrètes sous les montants arrière du pavillon et le bouchon de remplissage encastré (*page de gauche*).

Si l'intérieur de l'habitacle prend un aspect plus contemporain (*ci-dessous*), impossible d'oublier qu'on se trouve en présence d'une Ferrari (*ci-contre*).

348
CARACTÉRISTIQUES

MOTEUR
8 cylindres en V à 90°

CYLINDRÉE
3 405 cm^3

ALÉSAGE A COURSE
86 x 75 mm

RAPPORT VOLUMÉTRIQUE
10,4: 1

PUISSANCE
300 ch

DISTRIBUTION
Doubles arbres à cames en tête, 4 soupapes par cylindre

ALIMENTATION
Injection Bosch Motronic 2,5

TRANSMISSION
Boîte manuelle à 5 rapports

SUSPENSION AVANT
Indépendante : doubles triangles superposés et ressorts hélicoïdaux, amortisseurs télescopiques hydrauliques.

SUSPENSION ARRIÈRE
Indépendante : doubles triangles superposés et ressorts hélicoïdaux, amortisseurs télescopiques hydrauliques.

FREINS
Disque sur les 4 roues

ROUES
Alliage léger, 5 écrous

POIDS
1451 kg

VITESSE MAXI
265 km/h

NOMBRE D'EXEMPLAIRES FABRIQUÉS, DATÉS
Lancée ne 1989, toujours en production

F 355

Les plus critiques n'ont que très rarement formulé des observations négatives sur une Ferrari alors qu'elle figurait encore sur le programme de livraison. Ce n'était plus le cas quelques années plus tard. C'est ce qui s'est produit avec la 348 tb de 1989-1994. Tout le monde la considérait au début comme une magnifique voiture, alors que les critiques portant sur ses caractéristiques de conduite se sont avérées par la suite véhémentes. La version qui lui a succédé, la F355, apparue en 1994, a eu la vie dure. Elle ne devait pas se contenter d'être une Ferrari de course (si tant est que ce qualificatif ait été employé). En effet, il était naturellement attendu d'elle qu'elle soit plus performante que la 348 tb à laquelle elle succédait.

Les ingénieurs de Maranello, qui n'avaient plus à se préoccuper de conflits internes omniprésents jusqu'à la mort d'Enzo Ferrari, à la fin des années 80, ont semble-t-il réussi ce chef-d'œuvre. En effet, dans un article du journal « Autocar », on peut lire : « Tous ceux qui ont eu une fois l'occasion de conduire une 348 sur une bonne route ou sur un circuit, et à subir quelques poussées d'adrénaline s'accordent à dire que la F355 est la meilleure voiture jamais construite par Ferrari. Ce n'est pas seulement une voiture impressionnante, c'est aussi une voiture très différente, d'un autre temps. À tel point qu'on semble approcher les limites de performance d'un véhicule. »

Pour des raisons financières, le châssis de la voiture à moteur central 348 a dû être conservé. Toutefois, l'équipe de constructeurs a pu modifier, améliorer ou remplacer, presque tous les autres éléments. Par rapport à la 348, le moteur était plus gros et plus solide, la transmission nouvelle et la suspension retravaillée de manière à être plus prévisible. La carrosserie de Pininfarina était complètement originale et, pour la première fois, on était parvenu à appliquer, sur un véhicule routier, des mesures aérodynamiques sous la carrosserie. Mais ce n'était que le début, tant les finitions et les réglages permettaient au conducteur d'une voiture aussi excitante de passer du plaisir de la conduite à l'extase.

À tout point de vue (c'est ce que devraient démontrer les chiffres des ventes au cours des cinq années suivantes), la F355 était la voiture biplace dont on était le plus fier chez Ferrari.

Comme toujours pour les nouvelles voitures sortant de Maranello, le moteur a été la priorité. Même si le V8 avait toujours une inclinaison de 90° provenant du moteur V8 de la 308 GT4 Dino de 1973, il a pu être largement amélioré. Grâce à une course de 2 mm de plus, la cylindrée est passée de 3 405 à 3 496 cm^3, et la puissance a fait un bond de 300 à 380 ch. Un accroissement de la puissance de 26 %, grâce à une augmentation de la cylindrée de seulement 2,7 %, signifiait naturellement de profondes modifications sous le capot. Il s'agissait, en effet, du premier moteur d'une Ferrari routière disposant de cinq

soupapes par cylindre (trois soupapes d'admission et deux soupapes d'échappement ; chaque série de cylindres était gouvernée par un double arbre à cames en tête). Le moteur pouvait ainsi plus profondément et mieux respirer. À cela, se sont également ajoutés des bielles en titane, le système d'injection électronique ultramoderne « Motronic 2.7 » de Bosch, des gicleurs et un système d'échappement remaniés. La transmission était particulièrement remarquable.

Pour utiliser dans les meilleures conditions les capacités du châssis, un système de transmission optimal a dû être installé. Cette nouvelle transmission possédait six vitesses manuelles. Elle a été montée de manière transversale à la direction de conduite. Grâce à une réduction du poids de l'embrayage et à de nouveaux anneaux de synchronisation permettant un passage plus rapide des rapports, la F355 a pu, sur la route, bénéficier d'un comportement de conduite très proche des voitures de course. Toute cette technologie était, bien entendu, habillée par la nouvelle carrosserie développée par Pininfarina. Cette carrosserie était, également, une variante aux jolies formes classiques du coupé à moteur central biplace tellement typique de cette société (comme toujours, un Spider décapotable a rapidement été développé). La carrosserie bénéficiait de formes plus arrondies que la 348. Les prises d'air latérales étaient sobres et, pour la première fois sur une Ferrari, un spoiler arrière aussi compact qu'élégant avait été installé. Toutefois, les réelles améliorations se trouvaient sous la tôle. Notamment, le châssis en plastique, permettait, à grande vitesse, de ne pas limiter le flux d'air, ce qui n'avait jamais autant été le cas jusqu'alors.

Ferrari a lentement modernisé l'apparence de l'habitacle. En effet, la F355 disposait d'une armature qui ne correspondait plus aux exigences du marché. Les célèbres pédales en aluminium et leurs alvéoles fiables l'équipaient toujours, mais le levier de vitesses, souvent sollicité, proposait alors sept positions au lieu de six.

De nombreuses nouveautés mécaniques ont reflété la conception de la voiture routière chez Ferrari. Le châssis provenant de la 348 était 30 % plus étroit, ce qui signifiait que les mouvements des roues étaient plus faciles à contrôler. Le parallélisme des roues avant et arrière a été élargi afin de gagner en stabilité. Les roues, en alliage de magnésium, étaient plus grosses (457 mm de diamètre) et les pneus plus larges, alors que la suspension des roues avant et arrière avait été assouplie et que les stabilisateurs rotatifs étaient plus raides. Quant au nouvel amortisseur, deux réglages étaient possibles : sportif ou confortable. Cette atténuation intervenait au niveau du réglage, en fonction de la vitesse, des accélérations longitudinale, verticale et latérale, ainsi que

Grâce au travail de développement et à la finesse du détail, le résultat est réellement satisfaisant et excitant. La conduite peut alors devenir une véritable extase.

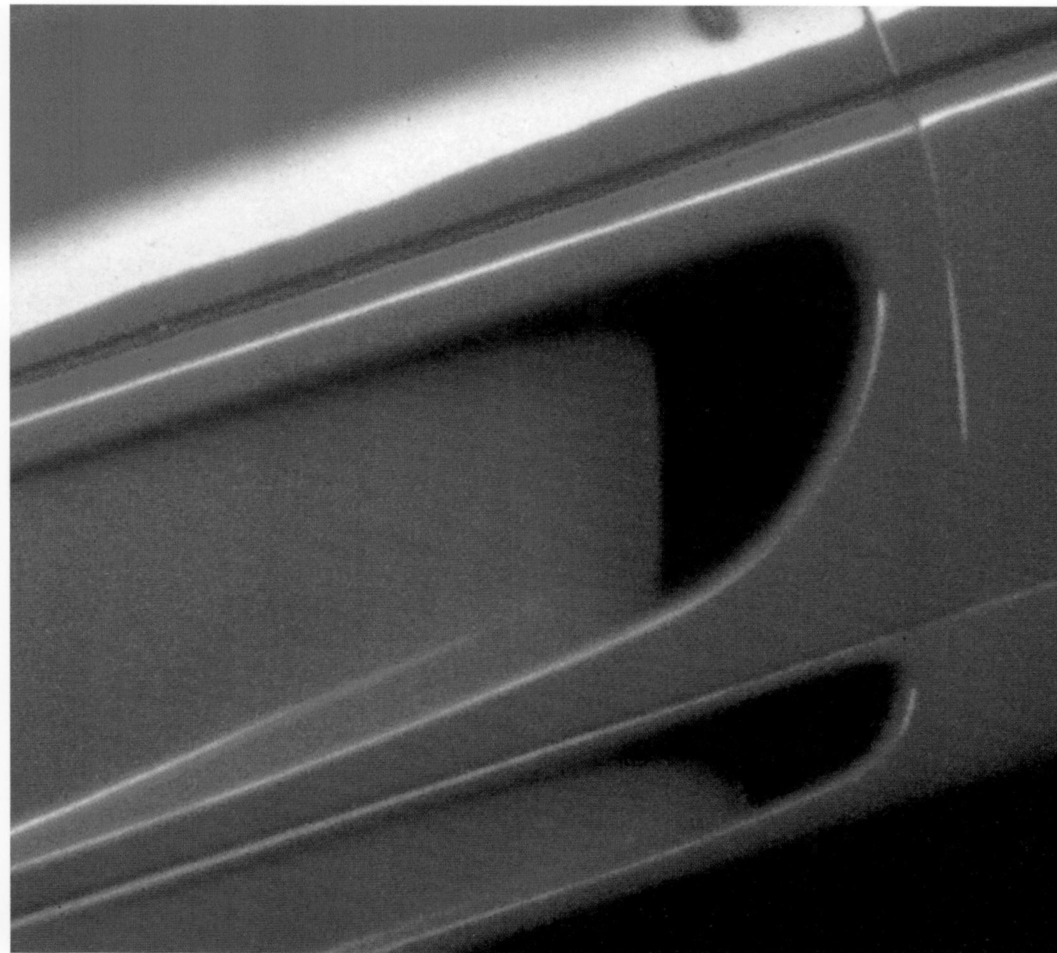

de la pression du circuit de freinage. En outre, un servomoteur modulé par la vitesse a été ajouté, ainsi qu'une climatisation de série et l'ABS (pouvant ou non être utilisé). Il apparaissait ainsi clairement que Ferrari se rapprochait, dans l'équipement de ses voitures, de ses rivaux allemands et japonais.

Cependant, comme toujours, la capacité et la puissance qui se reflétaient dans tous les composants de la voiture, étaient la priorité de Ferrari. Si le moteur V8 de la F355 fonctionnait correctement, même à 1 500 ou 2 000 tours, il ne montrait toutes ses capacités qu'à partir de 4 000 tours. C'est à ce stade que le rugissement du moteur se faisait réellement entendre, jusqu'à ce que le conducteur doive, à regret, passer la vitesse supérieure à 8 350 tours.

Cette voiture était pour tous la meilleure sportive à moteur central jamais développée par Ferrari. Même les fans de la F40 l'admettent.

F355

Caractéristiques

Moteur :
V8 90°

Cylindrée :
3 496 cm^3

Alésage et course :
85,0 x 77,00 mm

Compression :
11,1 : 1

Puissance :
380 ch

Distribution :
Double arbre à cames en tête, cinq soupapes par cylindre

Alimentation :
Injection « Bosch Motronic »

Transmission :
Boîte manuelle six vitesses

Suspension avant :
Indépendante : doubles triangles superposés et ressorts hélicoïdaux, amortisseurs télescopiques à réglage électronique, stabilisateurs rotatifs

Suspension arrière :
Indépendante : doubles triangles superposés et ressorts hélicoïdaux, amortisseurs télescopiques à réglage électronique, stabilisateurs rotatifs

Freins :
Freins à disques

Roues :
Alliage léger (magnésium), cinq écrous

Poids :
1 450 kg

Vitesse maximale :
278 km/h

Année de construction, unités :
1994-1999, 11 000

F50

On a souvent entendu dire que Ferrari ne pourrait plus progresser après la F40 réalisée en 1989. Ce modèle, développé à l'occasion du 40ème anniversaire de Ferrari, était étonnamment rapide et possédait des formes surprenantes. Son moteur affichait des performances si élevées qu'il était à peine envisageable de l'améliorer. C'est pourtant ce qu'est parvenu à réaliser Ferrari. Le résultat : la célèbre F50 de 1995.

Contrairement au moteur à turbocompresseur de la F40, un moteur V12 a été installé comme moteur à aspiration et a remplacé le moteur V8 de la F40. Impossible pour ce moteur de dissimuler ses liens avec la F1. En outre, les capacités de production déjà limitées ont été davantage réduites pour ce modèle. Ferrari était, en effet, décidé à faire de la F50 une voiture encore plus rare que la F40, en promettant de ne produire que 349 exemplaires. Cette promesse a bel et bien été tenue. La F40 avait été construite à 1 311 exemplaires. La F50 est donc quatre fois plus rare.

Lorsque le projet fut lancé en 1990, l'objectif était clair : prendre la structure de l'ancienne voiture de course F1 monoplace et en faire une biplace routière.

La F50 a été construite sur la structure monocoque en fibre de carbone sur laquelle était appliquée une carrosserie en fibre de carbone, en kevlar et en matériau composite nomex. Le moteur était inspiré du V12 cinq soupapes de la F1. Même si cette voiture était équipée d'une climatisation dans les pays chauds, d'autres options considérées comme inutiles ont été retirées, comme le servomoteur, l'ABS et le dispositif de montage d'un autoradio.

Néanmoins, les 349 clients de ce modèle étaient satisfaits. Ils bénéficiaient, d'une voiture biplace qui dépassait les 320 km/h. Grâce à son moteur V12 de 4,7 litres de cylindrée, l'exclusivité était garantie. Le style de la carrosserie de Pininfarina pouvait rendre envieux ceux qui n'avaient pas la chance d'en profiter. En outre, la F50 était décapotable.

Elle symbolisait pour ainsi dire la sexualité au volant et cela plus encore que tous les précédents modèles de l'usine Maranello, exception faite peut-être de la 250GTO de 1962, dont la supériorité et le style avaient tant marqué les esprits.

Certains modèles Ferrari ont été des voitures pratiques, d'autres étaient plus simples à conduire. Celle-ci représentait tout simplement la voiture de rêve. Pour tous ceux qui n'ont jamais eu l'occasion de conduire une Ferrari ou une voiture de course, la F50 devenait la priorité des priorités.

En termes de poids et de dimensions, la F50 était presque identique à la F40, mais sa construction était beaucoup plus compliquée, ce qui explique ses coûts de fabrication.

Alors que la F40 affichait encore des angles, des arêtes et d'opulentes surfaces, la ligne de la F50 a été arrondie et ses formes rendues plus fluides. Toutefois, la principale caractéristique de la F50 résidait dans le gros volume de son moteur V12 dont la construction datait encore des débuts de Ferrari.

De la famille des F1 ? Cela ne fait aucun doute, tant Ferrari

La F50 était tout simplement la voiture ultime, un rêve. Elle descend directement de la voiture de course monoplace Ferrari F1 dont on a fait une voiture biplace routière.

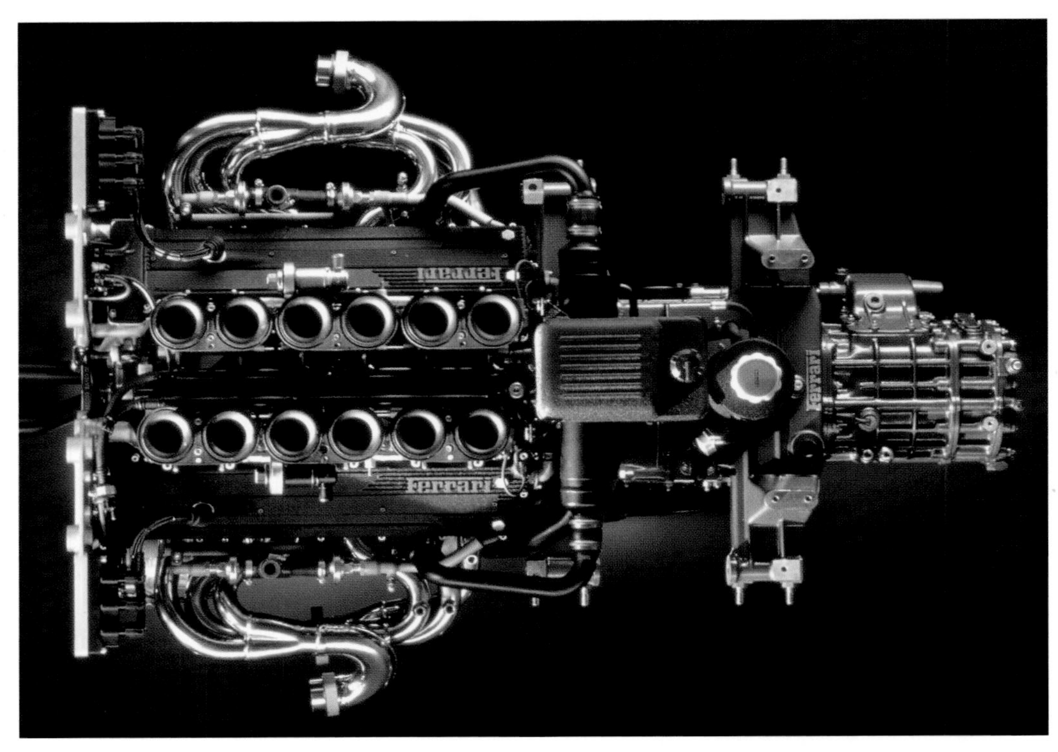

Même si la F40 affichait encore des angles, des arêtes et d'opulentes surfaces, la ligne de la F50 a été arrondie et fluidifiée. Cependant, la principale caractéristique de la F50 réside dans le gros volume de son moteur V12 dont la construction provenait des débuts de Ferrari.

a tout mis en œuvre pour conserver, autant que possible, l'héritage de l'ancienne monoplace. Que la période de développement de la F50 ait duré quatre ans avant sa commercialisation, permet de confirmer qu'un temps considérable est nécessaire pour construire une voiture en série.

Le moteur V12 était une version plus grosse du moteur de la F1, grâce à l'inclinaison du bloc-moteur de 65°. L'alésage et la course étaient plus importants afin de parvenir à un couple plus élevé. L'arbre à cames était légèrement moins précis. Les ressorts de soupapes en acier (à la place de ressorts en plastique), limitaient le régime à 9 000 tours. Le moteur, avec ses cinq soupapes par cylindre et son double arbre à cames par série de cylindres, aurait certainement pu tourner plus vite (en F1, le régime pouvait atteindre 13 000 tours et plus). Mais avec ses 520 ch, la F50 avait le moteur le plus puissant jamais construit par Ferrari. Sa vitesse pouvait dépasser les 320 km/h. Par ailleurs, la carrosserie de la F50 était un mélange fascinant de matériaux ultramodernes dont certains provenaient même de la technologie spatiale, ce qui prolongeait la durée de finition. Dès que la carrosserie avait pris forme, elle devait subir un long traitement à haute température, à l'abri de l'air dans une chambre chaude. Ce processus durait plusieurs jours au lieu de quelques heures.

Tous les autres gros composants (moteur, boîte de vitesses, suspension, direction et systèmes de refroidissement) devaient être directement appliqués par incrustation d'aluminium collée à la structure sur la carrosserie. Au niveau de la géométrie et de la forme, cela permettait d'apporter des améliorations lors du montage, ce qui était également le cas si des nuisances sonores, des problèmes de vibrations ou une sensation de conduite raide, étaient découverts. Même si Ferrari passait des milliers d'heures pour réduire autant que possible ces problèmes, ils étaient toujours présents et rappelaient aux clients qu'ils avaient acheté une technologie F1, et non une pâle copie.

Le reste de la voiture était également réalisé à partir de pièces de très haute qualité. La boîte six vitesses venait se loger dans un boîtier en magnésium. Toutes les roues possédaient une suspension indépendante. La suspension Bilstein électronique était montée à l'horizontal et soutenue par un renfort repris à la F1.

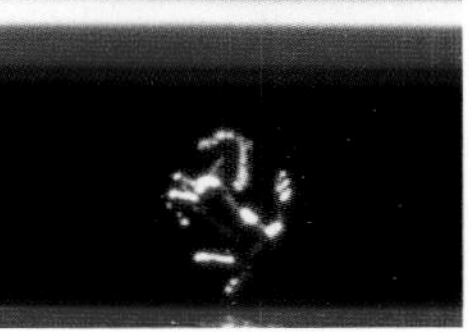

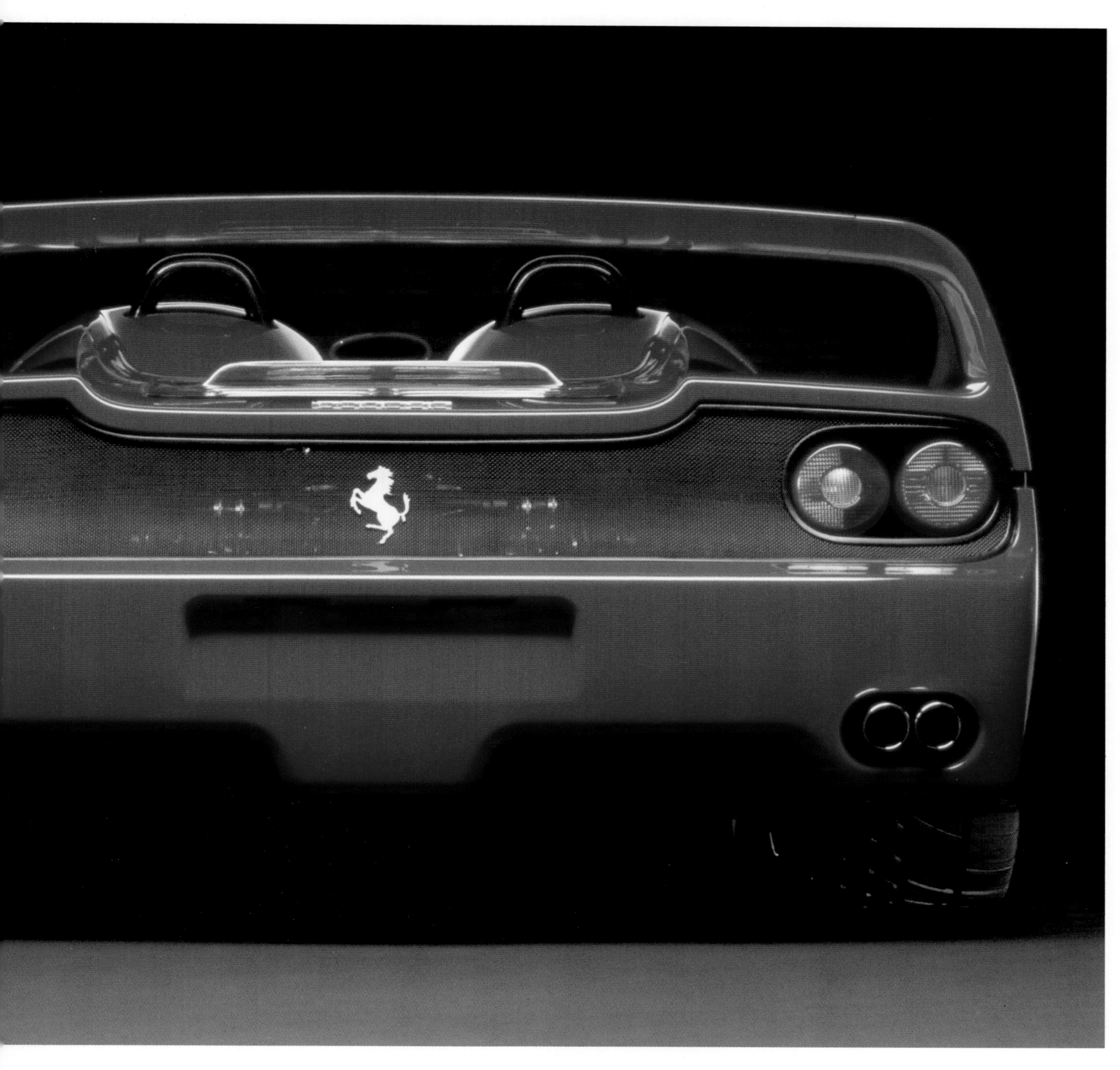

F 50

Caractéristiques

Moteur :
V12 avec inclinaison à 65°

Cylindrée :
4 698 cm³

Alésage et course :
85,0 x 69,00 mm

Compression :
11,3 : 1

Puissance :
520 ch

Distribution :
Double arbre à cames en tête, cinq soupapes par cylindre

Alimentation :
Système d'injection électronique « Bosch Motronic »

Transmission:
Boîte manuelle six vitesses

Suspension avant:
Indépendante : doubles triangles superposés et ressorts hélicoïdaux, amortisseurs télescopiques à réglage électronique, stabilisateurs rotatifs

Suspension arrière:
Indépendante : doubles triangles superposés et ressorts hélicoïdaux, amortisseurs télescopiques à réglage électronique, stabilisateurs rotatifs

Freins:
Freins à disques

Roues:
Alliage léger (magnésium), écrou central

Poids:
1 230 kg

Vitesse maximale:
325 km/h

Année de construction, unités:
1995-1997, 349

Les disques de freins Brembo étaient perforés et ventilés par l'intérieur. Très gros, on avait du mal à croire qu'il s'agissait de disques destinés à des voitures. Les roues Speedline avec blocage centralisé (jantes de roue avant 8,5 et de roue arrière 13,5), et les pneus de course Fiorano de Goodyear, donnaient à cette voiture une allure impressionnante.

Tous ceux qui ont acheté une F50 ont ressenti un réel plaisir de conduite. Il devait toutefois avoir une colonne vertébrale solide et des vertèbres résistantes. Lorsque le conducteur s'asseyait dans le baquet très peu capitonné, il prenait place à bord d'un habitacle dans lequel la fibre de carbone était omniprésente, même au niveau du levier de vitesses. Lors d'une balade par temps sec, il était possible de laisser à la maison le toit en fibre de verre (la F50 n'offrant aucun dispositif de rangement). En outre, un toit en tissu (surnommé « parapluie ») était livré en option. Mais, selon le personnel commercial de Ferrari, il s'avérait inutile à des vitesses supérieures à 50 km/h.

Par rapport à l'évolution technologique de la F1, la F50 était déjà techniquement en retard avant sa sortie (les voitures d'un standing similaire étant équipées de turbomoteurs V10 3 litres). Cependant, cela ne comptait pas pour Ferrari qui n'avait rien dévoilé de la technologie de la voiture avant qu'elle ne soit prête. Ainsi, toutes les voitures étaient déjà vendues avant d'être achevées. Les limites de la conduite d'une voiture sportive sur la route étaient de plus en plus proches. Que pouvait-on encore faire de mieux ?

F 550
MARANELLO

Une traction avant pour remplacer le moteur central ? Un coupé biplace élégant, moderne et spacieux ? Le confort, au lieu d'un habitacle étroit apparenté aux voitures de courses, le moteur hurlant directement derrière l'oreille ? Un V12 à la place d'un moteur à plat douze cylindres ? Qu'est-ce que cela signifie ?

C'est exactement ce qui s'est produit en 1996, lorsque Ferrari a finalement abandonné le moteur V12 à plat qu'il a remplacé, dans ses nouvelles voitures, par un moteur V12 à cylindres. La génération utilisée, dès 1973, avec des moteurs à plat, a été changée par un nouveau modèle doté d'une traction avant. Ce revirement, voire cette révolution par rapport à la philosophie de la marque, au design et au marketing, était si étonnant que des cyniques se sont même demandés si le symbole de la marque, l'étalon se cabrant, et la couleur rouge, n'allaient pas disparaître eux aussi. Si le nouveau modèle s'appelait officiellement la 550 Maranello, on l'appelait tout simplement la « super voiture ». C'était effectivement une Ferrari totalement nouvelle. Cette version proposait un confort et des améliorations de l'habitacle étroit, un espace plus grand pour les jambes et un caractère légèrement plus orienté vers les voitures de course des modèles précédents à moteur central. On avait estimé que la clientèle était constituée d'hommes d'affaires riches et indépendants. Elle voulait bénéficier d'une puissance colossale avec une sensation de conduite calme et sûre, ce qu'offraient les caractéristiques de conduite des autres voitures à traction avant). La spécificité de Ferrari n'avait cependant pas disparu. Sous l'impulsion de son nouveau président, Luca di Montezemolo, la politique d'entreprise de Ferrari, en terme de présentation des modèles, avait évolué. Les nouvelles voitures étaient plus affinées et devaient être plus maniables que les modèles précédents. Il s'agissait naturellement d'une évolution unique dans l'histoire de la société. Dès 2000, cette tendance s'est intensifiée. Ferrari devait certes continuer à proposer des voitures sportives incomparables dans sa gamme de produits (comme la F50 qui avait, depuis peu, été mise sur le marché), mais la voiture de sport Ferrari des futures séries devait être un peu plus « gentleman ». C'est ainsi qu'est née la 550 Maranello, plus une Daytona qu'un modèle Boxer. Elle ressemblait certainement davantage à la 456 GT qu'à la F355 à moteur central de la même classe.

Pour les amoureux de la 275 GTB et de la Daytona, il s'agissait alors d'une sorte de retour aux années soixante. En effet, la ressemblance, en termes de forme et d'apparence générale, voire même du détail, était frappante. En 1964, Ferrari avait présenté la 275 GTB qui constituait une construction entièrement nouvelle. Elle disposait d'un châssis tubulaire et d'un moteur V12 monté à l'avant. La boîte de vitesses et la traction de l'essieu arrière, en revanche, se trouvaient à l'arrière. C'était la première fois que Ferrari utilisait un système de suspension individuelle des roues

sur une routière. Même s'ils n'avaient plus la même apparence, tous ces éléments ont ensuite été retrouvés dans la 550 Maranello. Comme dans toutes les Ferrari de ce type, la carrosserie était réalisée à partir d'un châssis tubulaire. Les blocs-cylindres étaient inclinés à 65°, la boîte de vitesses possédait six vitesses avant. L'ensemble des éléments de la suspension (dont l'amortisseur électronique) étaient modernes et raffinés.

Hormis l'angle d'inclinaison des blocs-cylindres du moteur en V qui correspondait à la F50 biplace, les deux moteurs n'avaient rien en commun. Le turbomoteur de la 550 Maranello était plus gros et plus compact. Il possédait quatre soupapes par cylindre et un double arbre à cames en tête par série de cylindres. Ce solide moteur V12 de cylindrée 5,5 litres développait 484 ch et correspondait, en termes de construction de base, au moteur de la 456GT 2+2, mais il était nouveau et plus résistant à presque tous les niveaux, notamment en raison du fait que le poussoir de soupape à refroidissement liquide et les coudes d'admission, brevetés par Ferrari, étaient utilisés avec des longueurs variables.

L'essieu arrière était également employé avec une boîte six vitesses sur la 456GT, mais les rapports des engrenages de réduction étaient plus étroits. La sixième vitesse utilisait un régime plus élevé. Par ailleurs, un radiateur d'huile destiné à la boîte de vitesses se plaçait au niveau de l'aile arrière. La commande de traction ASR de Ferrari était désormais construite en série, mais les conducteurs audacieux pouvaient choisir, à l'aide d'une commande, entre les positions « normal » et « sportif ».

La technologie de cette voiture, aussi extraordinaire soit-elle, était orientée vers l'extérieur, et la présentation générale passait au second plan. Les amoureux des séries n'étant plus construites, Boxer / Testarossa / 512RT / 512M, raffolaient toujours du charme brut de la construction du moteur central, malgré l'étroitesse de l'écartement de l'essieu arrière et la maniabilité qui posaient quelques difficultés. La nouvelle 550 constituait une réponse idéale à ces problèmes.

Elle a naturellement été peinte en rouge traditionnel par Pininfarina, comme la plupart des voitures de cette série, même si le « visage » de ce modèle était quelque peu différent. Le nez était large et plat, les ailes basses, l'arrière bosselé brutalement coupé et les proportions rappelaient celles de la 275GTB. Comme pour toutes les voitures de qualité disposant d'un moteur V12, la Maranello arborait quatre pots d'échappement dépassant à l'arrière de la carrosserie. En dépit de cela, de nombreux observateurs ont considéré que cette voiture n'était pas aussi extraordinaire que la douze cylindres avec moteur central. Cela était peut-être lié au fait qu'elle proposait quatre phares au lieu de deux ? Ou alors était-ce dû à la réduction du nombre de prises d'air ? Ou encore à ses formes qui, tout simplement, ne plaisaient pas ?

Peu importe. Cette Ferrari biplace était surtout extrêmement rapide et élégante. Elle permettait de dépasser largement, et en toute sécurité, les vitesses autorisées, en étant confortablement assis et en savourant le déploiement de puissance du moteur.

La 550 Maranello, une voiture totalement nouvelle, était toujours la « super voiture ». Elle proposait plus de confort. Elle avait, à bien des égards, été affinée. Cependant la technologie impressionnante est souvent mise de côté au profit d'une apparence et d'un aspect général.

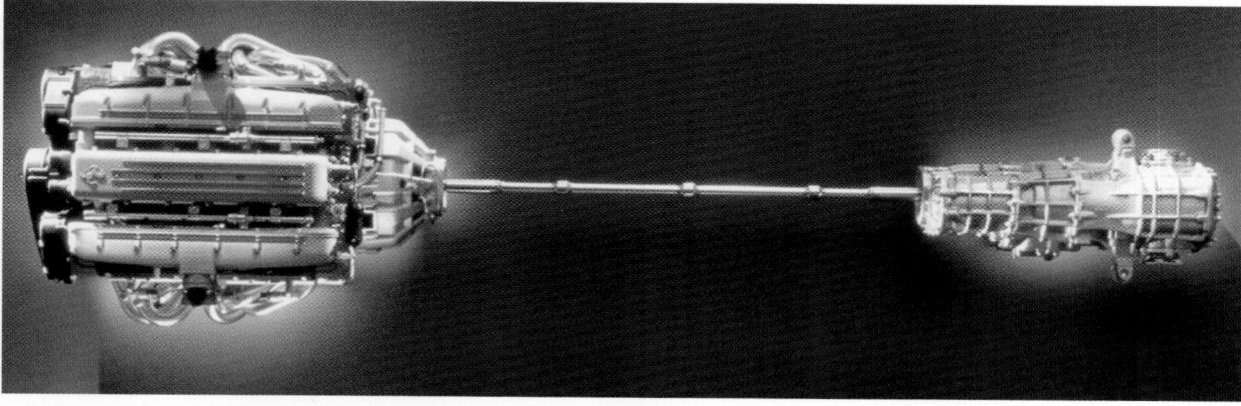

Elle offrait des sensations de sécurité tout en donnant l'impression de flirter avec les limites des possibilités. Dans un contexte où les limitations de vitesse étaient de plus en plus contraignantes, pourquoi donc a-t-on construit une voiture aussi puissante et rapide, qui permettait de dépasser les 320 km/h, tout en profitant d'un habitacle confortable, et dans laquelle on éprouvait des sensations jusqu'à présent inconnues ? Cette voiture était-elle plus performante que les anciens modèles Ferrari à moteur central ? Lorsqu'on examine les chiffres des ventes, le « oui » est évident. Il en est de même pour ses performances. Pour tous les clients, cette Maranello représentait un grand pas en avant.

Cependant, si elle symbolisait la nouvelle orientation de Ferrari, pourquoi est-ce arrivé si doucement ? Et si c'est bien le cas, que devons-nous en retenir ? Des bases allemandes ? Qu'aurait pensé Enzo Ferrari, le célèbre fondateur, pour ce que ses clients estimaient être du dédain ?

F550 MARANELLO
Caractéristiques

Moteur :
V12 avec inclinaison à 65°

Cylindrée :
5 474 cm^3

Alésage et course :
88,0 x 75,00 mm

Compression :
10,8 : 1

Puissance :
484 ch

Distribution :
Double arbre à cames en tête, quatre soupapes par cylindre

Alimentation :
Système d'injection électronique « Bosch Motronic »

Transmission :
Boîte manuelle six vitesses

Suspension avant :
Indépendante : doubles triangles superposés et ressorts hélicoïdaux, amortisseurs télescopiques à réglage électronique, stabilisateurs rotatifs

Suspension arrière :
Indépendante : doubles triangles superposés et ressorts hélicoïdaux, amortisseurs télescopiques à réglage électronique, stabilisateurs rotatifs

Freins :
Freins à disques

Roues :
Alliage léger (magnésium), cinq écrous

Poids :
1 690 kg

Vitesse maximale :
320 km/h

Année de construction, unités :
1996-2001, 3 708

360
MODENA

Plus tard est arrivé le cauchemar de tout constructeur automobile, même lorsqu'il s'agit d'un constructeur créatif comme Ferrari. On peut aisément imaginer à quel point Luca di Montezemolo a dû sourire lorsqu'il a déclaré : « Nous devons remplacer la F355. Oui, bon, nous savons que la F355 s'est très bien vendue. Nous savons également que tout le monde aime cette voiture et que la F355 et la 348 tb ont constitué une grande évolution. Mais nous devons maintenant l'améliorer. Pour 1999, nous souhaitons développer la prochaine « petite » Ferrari qui devra être encore meilleure... »

Un véritable chaos ! Comment faire pour améliorer la F355 et son exceptionnel châssis, ses capacités étonnantes et son indéniable beauté ? Cependant, chez Ferrari, même si cela devait prendre du temps, l'objectif clairement affiché était d'améliorer davantage la technologie de cette voiture et son comportement. N'est-ce pas ?

Cela a pris un peu de temps, mais en mars 1999, le résultat des travaux réalisés à Maranello a été dévoilé. Personne ne fut déçu. Pour la première fois depuis des années, un capot moteur proposait tant de nouveautés que rares étaient les gens soucieux du style de cette dernière-née. Il semblait même que Pininfarina s'y soit attendu puisqu'on était parvenu à créer, par le nouveau châssis avec le moteur central V8, une carrosserie solide relevée, mais dont l'aspect n'a fait tomber personne de son siège. La forme de la carrosserie était toutefois plus retravaillée que celle de la F355 qu'elle devait remplacer. Les prises d'air semblaient presque inexistantes, à tel point que l'on aurait pu penser qu'elles avaient été oubliées sur ce prototype. La voiture ne présentait aucun orifice important à l'avant, afin de permettre l'arrivée d'air au radiateur. Seules restaient les deux prises d'air latérales traditionnelles. Rien d'autre. Le capot moteur était lisse et sans ruptures, de sorte qu'on pouvait voir, à travers le pare-brise avant, une surface ininterrompue de rouge Ferrari. Les phares repris à la Maranello étaient maintenant placés derrière des vitrages en verre. Les phares escamotables avaient disparu. Enfin, la voiture avait été testée par Ferrari dans le tunnel aérodynamique de l'usine et proposait une bonne valeur de résistance, équivalente à quatre fois celle de la F355, résultat qu'aucun modèle Ferrari n'avait pu obtenir.

Malgré cela, il s'agissait bel et bien d'une Ferrari, de part l'origine de la forme de la carrosserie, la présence discréte du symbole Ferrari, à droite, et le « cheval cabré » à l'avant du capot. Cette voiture, caractérisée par ses rondeurs et ses arêtes, dégageait une aura et une assurance que seules possédent les Ferrari.

La carrosserie dissimulait un nouveau châssis révolutionnaire, le plus gros, le plus léger et le plus solide jamais développé jusqu'à présent. Le secret se trouvait dans le montage de la

structure constituée en grande partie d'aluminium. Certes, cela rendait la production plus coûteuse, mais donnait à cette nouvelle voiture de réels avantages. Elle était plus spacieuse que la version précédente et proposait 3 586 cm³, soit la plus grosse version du célèbre moteur V8. L'accélération était également supérieure tout en offrant une consommation moyenne raisonnable de 14 litres aux cent kilomètres.

Avec une accélération de 0 à 100 km/h en seulement 4,2 secondes, elle pouvait décrocher, sans difficulté, n'importe quelle autre voiture. Les pneus arrière, en outre, avaient été abrasés pour une vitesse à couper le souffle. Avec 8,8 secondes pour passer de 0 à 160 km/h, ce modèle était même plus rapide que la F355. La 360 Modena ne s'arrêtait pas d'accélérer et elle pouvait atteindre une vitesse incroyable sur autoroute.

Si dans sa forme générale, la 360 Modena était largement inspirée de la F355, elle se distinguait toutefois sur des centaines de points. Le moteur V8, avec une inclinaison du bloc-cylindres à 90° et les cinq soupapes par cylindre, se trouvaient derrière le siège passager, mais devant la ligne de l'essieu arrière. Cependant, pour la première fois, Ferrari avait monté la boîte six vitesses en longueur. À la demande du client, le système de passage de rapports de course inspiré de la F1 pouvait être livré avec la transmission automatique, ce qui était déjà le cas avec la dernière version de la F355. La commande moteur électronique placée au-dessus de la pédale d'accélérateur, avait, en outre, été montée en série : qui a dit que les pièces des voitures de courses ne pouvaient pas fouler les routes ?

Le châssis en aluminium tubulaire (la décision avait été prise de ne pas utiliser les tubes en acier provenant de petits ateliers situés à proximité de l'usine) était habillé d'une carrosserie réalisée intégralement en aluminium, ce qui n'avait jamais été le cas pour une voiture routière et, tout au plus, dans les biplaces de course de Ferrari. Les tiges de torsion des suspensions indépendantes des roues étaient soudées à l'aluminium et non plus à l'acier. Les radiateurs étaient logés à l'avant de la voiture, ce qui permettait à l'air d'être propulsé par une prise d'air. Le servomoteur était plus léger et plus vif. Le rayon de braquage était également plus petit.

La course du moteur avait, une fois encore, été allongée de 2 mm, ce qui permit d'obtenir un gain de 90 cm³ en terme de cylindrée et d'augmenter la puissance de 20 ch à 8 500 tours. L'empattement de cette voiture avait été allongé de 150 mm, et le poids réduit de 100 kg. En dépit de cela, le directeur technique, Amedeo Felisa, annonçait que la nouvelle structure en métal léger était 44 % plus solide et plus résistante au gauchissement.

La suspension ne fut pas oubliée. Les caractéristiques de conduite avaient été améliorées par des roues avant plus étroites et des roues arrière plus larges. Les freins à disques de Brembo étaient plus gros et la distance de freinage plus courte.

Il est donc presque superflu d'ajouter que la 360 Modena avait rempli, dans tous les domaines, les attentes de Ferrari. Très rapidement, les 2 000 unités proposées ont quitté les entrepôts de Maranello, et une grande partie de celles-ci a été livrée avec la transmission électronique de la voiture de course de F1.

Sous la carrosserie de la 360 se trouve le nouveau châssis révolutionnaire en version allégée en aluminium permettant à la voiture de nombreux avantages. Elle est plus spacieuse que la version précédente et passe de 0 à 100 km/h en 4,2 secondes, encore mieux que sa grande sœur.

F360 MODENA
Caractéristiques

Moteur :
V8 90°

Cylindrée :
3 586 cm³

Alésage et course :
85,0 x 79,00 mm

Compression :
11,0 : 1

Puissance :
400 ch

Distribution :
Double arbre à cames en tête, cinq soupapes par cylindre

Alimentation :
Injection « Bosch Motronic »

Transmission :
Boîte manuelle six vitesses

Suspension avant :
Indépendante : doubles triangles superposés et ressorts hélicoïdaux, amortisseurs télescopiques à réglage électronique, stabilisateurs rotatifs

Suspension arrière :
Indépendante : doubles triangles superposés et ressorts hélicoïdaux, amortisseurs télescopiques à réglage électronique, stabilisateurs rotatifs

Freins :
Freins à disques

Roues :
Alliage léger (magnésium), cinq écrous

Poids :
1 390 kg

Vitesse maximale :
295 km/h

Année de construction :
1999-2005

Les valeurs d'accélération étaient naturellement saisissantes. En effet, même en première, la 360 dépassait largement sur route les vitesses autorisées dans la plupart des pays du monde.

Tous ces résultats s'ajoutaient au confort du siège conducteur, à la simplicité d'utilisation (réglage automatique du siège, colonne de direction réglable en longueur et en hauteur), et à une position améliorée du conducteur, conduisant enfin avec les jambes tendues. Cela signifiait qu'on pouvait, presque sans contraintes, rouler aussi vite qu'avec la F40.

Que pouvait faire l'équipe de l'ingénieur Felisa pour perfectionner davantage ses voitures ?

456M GT/GTA

Avec la 456M, GT ou GTA (automatique), Ferrari a écrit, en 1998, la suite d'une histoire pleine de succès, débutée en 1992. À cette époque, la 456GT imaginée par Pininfarina avait été présentée en Belgique. Le coupé de luxe quatre places (enfin, 2+2 places serait plus réaliste), constituait un coup de maître de beauté intemporelle et de tradition italienne, dans la lignée des Gran Turismo à moteur douze cylindres. Avec la 456M, le constructeur de voitures sportives affichait clairement sa cible qui souhaitait une voiture quatre places alliant le confort d'une Gran Turismo et les performances sportives d'une Ferrari.

Le célèbre carrossier avait réussi, de manière élégante, à réunir pour la 456 des éléments de la partie avant de la 275GTB à ceux de l'arrière de la Daytona, dans une carrosserie harmonieuse en alliage d'aluminium soudé à une grille en acier tubulaire. Il est parvenu à susciter l'étonnement général avec ses formes impressionnantes et ses lignes souples. Le succès de la 456GT/GTA réside notamment dans son aspect extérieur. En 1998, l'évolution de la 456 à la 456M était plutôt douce. Pourquoi aurait-on mis six ans durant lesquels, très exactement, un exemplaire par jour du coupé sportif était vendu, pour, à nouveau, développer complètement la 456 ? Les chiffres de vente étant spectaculaires, les modifications et améliorations techniques apportées sur la 456M, une 456 modifiée, ont été réalisées avec beaucoup de prudence. C'est pour cela que cette version porte la lettre M : M = Modificata, chez Ferrari, un diminutif traditionnel. Le chiffre 456 est également habituel puisqu'il est utilisé pour indiquer la cylindrée d'une douze cylindres en centimètres cubes.

Les principales différences visibles, par rapport au modèle précédent, étaient pourtant mineures : à l'avant, se trouvait un nouveau pare-chocs contenant les phares supplémentaires intégrés à la grille. (Les phares escamotables étaient présents, mais la 456M devait rester jusqu'à ce jour le dernier modèle Ferrari avec cette caractéristique). Sur le capot moteur se trouvaient les rainures d'évacuation de l'air. Le capot était plus lisse et plus arrondi. Son poids avait été réduit, grâce à l'utilisation d'un alliage en fibre de carbone, pour une plus grande solidité, de onze kilogrammes par rapport au modèle précédent. Les jantes sautaient également aux yeux. Elles remplaçaient, pour la première fois sur une Ferrari, le Cavallino noir sur socle jaune. Les armoiries étaient élégamment chromées sur un socle mat.

Parmi les différentes améliorations qui ont contribué à un plus grand confort de conduite déjà impressionnant, on compte notamment un habitacle totalement repensé, clair et dégagé. Il proposait des instruments plus lisibles et plus fonctionnels reliés aux éléments d'utilisation. Le levier de vitesses tenait

encore mieux en main, ce qui ne constitue pas un petit détail pour une voiture aussi séduisante. Le cuir Conolly était sobre, les sièges avant à réglage électrique confortables. Leur forme avait été modifiée et ils étaient plus solides afin d'offrir un plus grand maintien au passager. Le siège conducteur disposait, en outre, de davantage de fonctions de mémoire. Le système d'atténuation du bruit, à l'intérieur de l'habitacle, et la climatisation proposant une température constante, grâce à un capteur de rayons solaires et un nouveau système de commandes, se sont révélés très utiles.

Pour augmenter davantage le confort, un système de gestion du moteur modifié a été mis en place. Il permettait une sérénité de conduite encore améliorée de l'ensemble douze cylindres, grâce à un nouvel ordre d'allumage. La série classique 1-12-5-8-3-10-6-7-2-11-4-9 était plus adaptée aux tours élevés de la formule 1. Le nouvel ordre d'allumage 1-7-5-11-3-9-6-12-2-8-4-10 offrait, en revanche, une répartition plus égale du couple, notamment à bas régime. Cela n'avait naturellement aucune conséquence négative sur la sonorité puissante que le moteur à traction dégageait. Le bruit était, comme toujours, incomparable. Tout simplement Ferrari.

Le moteur monté à l'avant proposait 442 ch. Il était relié à la boîte six vitesses montée sur l'essieu arrière Transaxle (sur la GTA avec la boîte automatique quatre vitesses). Cette organisation permettait une répartition presque optimale du poids, 53,4 % à l'avant contre 46,6 % à l'arrière. Outre un régulateur de niveau automatique situé sur l'essieu arrière, une nouvelle géométrie Anti-Dive de la suspension avant, un régulateur électronique, un ABS quatre canaux avec commande de traction ASR intégrée et une inclinaison de la crémaillère avec servotronic selon la vitesse, garantissaient notamment une tenue de route plus fiable et une plus importante.

Le spoiler automatique relevé, encore présent sous le pare-chocs arrière du modèle précédent, avait pourtant disparu sur la 456M. L'entraînement sur l'essieu avant avait, comme la valeur CW, été réduit par le nouveau style du capot moteur, de la bielle avant et du spoiler avant. Ce dernier conduisait le flux d'air au spoiler arrière fixé dessous, afin de permettre, à grande vitesse,

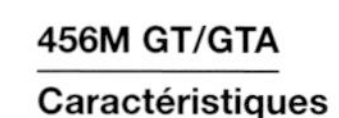

456M GT/GTA
Caractéristiques

Moteur :
V12 65°

Cylindrée :
5 474 cm³

Alésage et course :
88,0 x 75,00 mm

Compression :
10,6 : 1

Puissance :
442 ch

Distribution :
Double arbre à cames en tête, quatre soupapes par cylindre

Alimentation :
Injection électronique « Bosch Motronic M5.2 »

Transmission :
Boîte manuelle six vitesses / automatique quatre vitesses

Suspension avant :
Indépendante : doubles triangles superposés et ressorts hélicoïdaux, amortisseurs télescopiques à réglage électronique, stabilisateurs rotatifs

Suspension arrière :
Indépendante : doubles triangles superposés et ressorts hélicoïdaux, amortisseurs télescopiques à réglage électronique, stabilisateurs rotatifs

Freins :
Freins à disques

Roues :
Alliage léger (magnésium), cinq écrous

Poids :
1 690 kg / 1 770 kg

Vitesse maximale :
298 km/h / 300 km/h

Année de construction, unités :
1998-2003, 580 / 580

une circulation plus sûre de l'air. La vitesse maximale était de 300 km/h (298 km/h pour la version automatique). Cette voiture ne rencontrait aucun problème.

Cependant, les critiques ont porté sur la boîte automatique. Les quatre vitesses n'auraient plus été à la hauteur du niveau actuel de la technologie. Fin 1999, dans un test comparatif réalisé par « Auto moteur et sport » sur deux gros coupés, il est critiqué l'absence de la cinquième vitesse, mais également le passage peu fiable des commandes de clickdown, ainsi qu'une dispersion trop importante des vitesses. Comme l'expliquait ce journal, cette dernière observation n'était pas étonnante pour un système à quatre vitesses devant se répartir un spectre allant de 0 à près de 300 km/h.

Les vilebrequins, les têtes de cylindre et les carters, étaient en métal léger à 65°-V12. Deux doubles arbres à cames en tête géraient 48 soupapes et les bagues du cylindre en aluminium pouvaient être remplacées si nécessaire. Néanmoins, le moteur a, lui aussi, été critiqué : malgré ses 442 ch, les tests réalisés sur la 456M GTA ont révélé un « manque de performance », notamment au-delà des 200 km/h, ce qui ne semblait pas important pour la conduite moyenne sur route. Pour de nombreux clients de Ferrari, en revanche, cela jouait un rôle essentiel. Toutefois, dans le doute, ils ont néanmoins préféré la 456M GTA à un coupé routier de luxe affichant le niveau de sécurité le plus important au monde, preuve que le constructeur italien n'était pas en perte de vitesse.

Un coupé 2+2 places d'une beauté et d'une élégance intemporelles. Ainsi se présentait la 456M, en version GT avec boîte manuelle ou GTA avec boîte automatique. Le Gran Turismo proposait ainsi beaucoup de confort et d'exclusivité à une vitesse de pointe d'environ 300 km/h.

575M
MARANELLO

En 1996, Michael Schumacher avait présenté sur le circuit du Nürburgring la grande sœur de la 575M Maranello, la 550 Maranello, et suscité ainsi un grand enthousiasme. La 550 avait, à l'époque, remplacé la F512M, la dernière descendante de la Testarossa et l'avant-dernière de la série des moteurs Boxer douze cylindres à l'arrière. Ainsi, la 575M Maranello, que les Italiens ont lancée sur le marché en 2002, s'est intégrée dans son illustre généalogie. Cela était naturellement nécessaire, mais elle devait également convaincre par ses propres qualités.

Avec la 575M Maranello, le constructeur italien était encore plus sur la corde raide. Elle devait, en effet, faire preuve d'une certaine maîtrise. Le journal « Auto moteur et sport » avait écrit : «... les différences entre la précédente et la suivante sont si savamment dosées que la 550 construite depuis 1996 semble encore fraîche... et la 575M déjà classique ». En d'autres termes : jusqu'aux grandes admissions de l'air refroidi destiné aux freins avant, les différences étaient visibles au premier coup d'œil. Ferrari n'avait pas voulu modifier « l'équilibre harmonieux » de la voiture. Ainsi, le design de la 550 Maranello a été tellement apprécié par les clients en 2002, qu'il n'y avait aucune raison de proposer d'importantes différences. C'est pour cette raison que le style de la 575M Maranello s'est limité à un léger déplacement du spoiler avant (ce qui a permis d'améliorer un peu l'aérodynamique), à peindre en gris le groupe de phares où les trois lampes étaient organisées par taille, jusqu'au revêtement au niveau de la couleur de la voiture (elle était encore en noir chez sa grande sœur) et à modifier le design des roues. Les feux de croisement Xénon et un dispositif de lavage des phares ont été installés en série. En examinant de plus près, on constatait une petite différence au niveau des orifices d'aspiration du capot moteur et de l'aile arrière gauche où une grille aux mailles plus grosses permettait au moteur et au radiateur de recevoir davantage d'air.

À l'extérieur, la 575M Maranello, dont le chiffre 575 correspond à la cylindrée supérieure de 5,75 litres (exactement, 5 748 cm^3), a été changée avec d'infinies précautions. Le « M » indique, comme toujours, « Modificata » pour « modifié ». L'augmentation de la cylindrée constituait déjà un important changement par rapport au modèle précédent, même si elle a été plutôt faible. En effet, la course avait dû être augmentée de 2 mm et le diamètre de l'alésage de 1 mm. Le V12 avant monté dans la Berlinetta, d'un angle de cylindre de 65°, offrait 30 ch de plus que le modèle précédent, ce qui correspondait au total à 515 ch et à 7 250 tr/min, le couple maximum étant de 589 Nm à 5 250 tr/min. Cette puissance accrue est due à l'augmentation de la cylindrée, de la compression et de 10,8 à 11 : 1 et à l'admission. Hormis cela, les modifications

ont été rares. Deux doubles arbres à cames en tête actionnaient quatre soupapes par cylindre. Le turbomoteur disposait d'un système de graissage à sec avec deux pompes, d'un double filtre, de récipients séparés et d'un radiateur spécial. L'arbre à cames était, tout comme le carter, réalisé en alliage de métal léger.

La répartition du poids devait, selon Ferrari, être optimale lorsque le conducteur était à bord. Ces valeurs idéales étaient possibles, grâce à un élément Transaxle : à l'avant, le moteur, la boîte six vitesses avec différentiel sur l'essieu arrière, les deux reliés par un arbre. Les six vitesses avant étaient appliquées par commande manuelle conventionnelle ou, ce qui constitue peut-être la plus grande nouveauté de la 575M Maranello, par une commande F1 ultrarapide actionnée à partir du volant et qui permettait, grâce à son moteur électrohydraulique, d'enclencher les vitesses plus promptement que le conducteur le plus rapide ne pouvait le faire à la main. La 575M Maranello était la première Ferrari douze cylindres à être équipée pour une utilisation quotidienne d'une telle commande F1.

Le pilote avait également le choix entre deux modes de transmission. Lorsqu'il appuyait sur la touche « sport » du tableau de bord, une secousse perceptible (c'est une image) se faisait sentir à travers la voiture. Le mode « sport » ne permettait pas seulement une transmission F1 plus rapide et plus directe. Les amortisseurs étaient aussi réglés électroniquement pour être plus durs, et le réglage de la marge d'entraînement intervenait plus tard. Ce « Launch Control » permettait, en outre, que la plus grande partie de la puissance soit obtenue également sur la route et que l'accélération de 0 à 100 km/h en 4,2 secondes puisse être moins effective chez les conducteurs peu expérimentés. Ils devaient simplement accélérer à fond une nouvelle fois. Par ailleurs, la boîte F1 (coût : 8000 euros) comportait un réglage « Automatique » et un réglage séparé en cas d'adhérence faible, c'est-à-dire pour les chaussées planes.

Pour ce genre de conduite, le très sportif biplace s'est avéré très confortable et apte à tenir les longues distances. Et ce, grâce à l'électronique qui a permis de contrôler et de régler, en l'adaptant, l'amortisseur de chaque suspension séparément et indépendamment

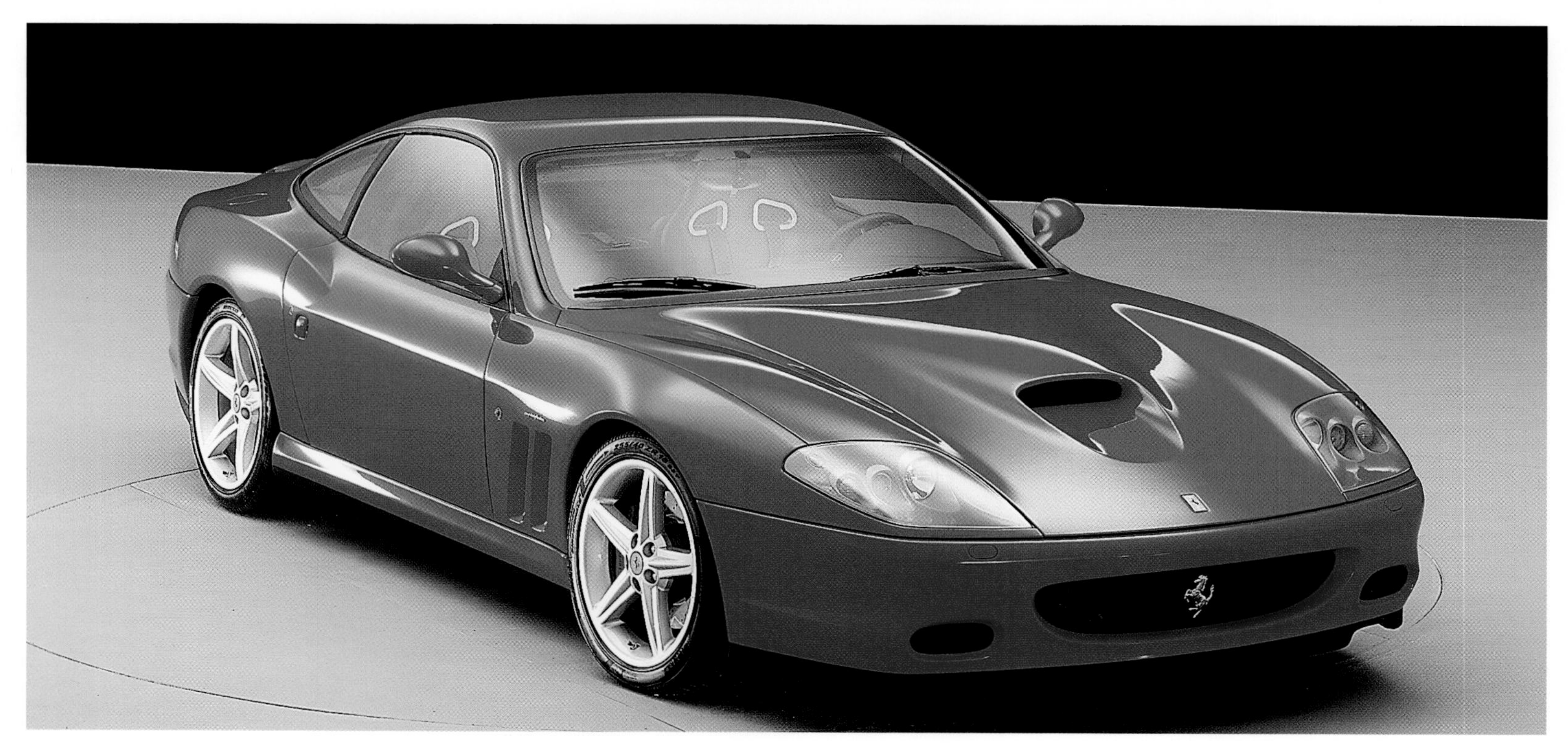

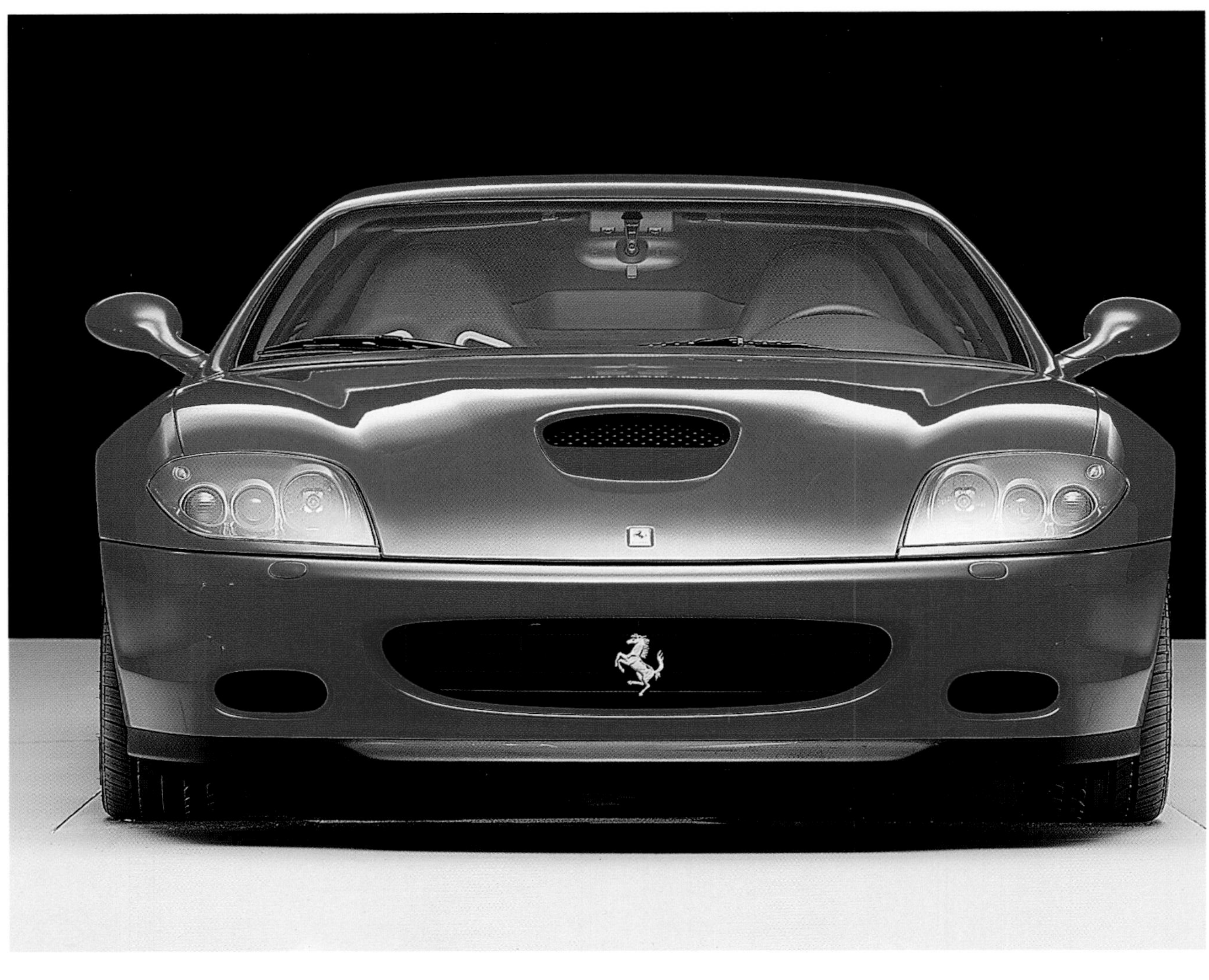

575M Maranello
Caractéristiques

Moteur :
V12 65°

Cylindrée :
5 748 cm^3

Alésage et course :
89,0 x 77,00 mm

Compression :
11 : 1

Puissance :
515 ch

Distribution :
Double arbre à cames en tête par série de cylindres, quatre soupapes par cylindre

Alimentation :
Injection électronique

Transmission :
Boîte manuelle six vitesses / activation électrohydraulique

Suspension avant :
Indépendante : doubles triangles superposés et ressorts hélicoïdaux, amortisseurs télescopiques à réglage électronique, stabilisateurs rotatifs

Suspension arrière :
Indépendante : doubles triangles superposés et ressorts hélicoïdaux, amortisseurs télescopiques à réglage électronique, stabilisateurs rotatifs

Freins :
Freins à disques

Roues :
Alliage léger (magnésium), cinq écrous

Poids :
1 730 kg

Vitesse maximale :
325 km/h

Année de construction :
Depuis 2002

des autres. Pour la conduite sportive sur chaussées déformées ou même sur un trajet plutôt rapide, une adhérence sur route parfaite était ainsi assurée (à chaque pression de bouton) et la qualité du confort avait de quoi surprendre.

Les freins révisés se montrèrent à la hauteur de l'irréprochable châssis. Pour l'évanouissement et la décélération de freinage, tous les freins affichèrent de meilleures valeurs que ceux des précédents modèles et restèrent stables, même en cas de sollicitation extrême. Ces résultats s'expliquent notamment par les modifications déjà énoncées pour la ventilation du système de freinage et par le recours à de nouveaux matériaux. Par ailleurs, le système ABS/ASR avait été amélioré, passant de la version 5.0 à 5.3. La commande de traction électronique différenciait très nettement le mode « Normal » du mode « Sport », se basant notamment sur les valeurs mesurées que lui envoyaient des capteurs dans les roulements de roue.

La conception de l'intérieur de la voiture a également été repensée de fond en comble. Elle devait paraître plus sportive tout en devenant plus fonctionnelle. L'affichage, qui laissait au compte-tours sa position centrale, avait été regroupé et rendu plus accessible au champ de vision du conducteur. Le volant, les revêtements de portes et les éléments de réglage comptaient parmi les nouveautés. Les sièges pouvaient être réglés électriquement sur six positions différentes et disposaient naturellement d'une fonction mémoire. Il était rare que les souhaits particuliers des clients ne soient pas satisfaits, tradition Ferrari oblige.

La 575M Maranello avait laissé testeurs et clientèle admiratifs. Avec elle, Ferrari avait réussi à figurer à nouveau en position de leader mondial dans le classement des meilleures voitures de sport. Le contact avec le public avait d'abord été perdu avec la 550 Maranello, mais le nouveau modèle allait faire bien plus que reconquérir le terrain perdu, déjouant ce que les données brutes en matière d'amélioration des performances laissaient en un premier temps supposer. En janvier 2005, la 575M Maranello a finalement été présentée en décapotable au salon de l'automobile de Detroit sous le nom de « Superamerica ». Son toit n'avait toutefois rien d'un toit en matière brute, il était en verre, petit et s'ouvrait électriquement en seulement dix secondes.

La 575 M Maranello disposait d'un moteur en V de douze cylindres d'une puissance de 515 ch. Le modèle précédent - la F550 Maranello - ayant remporté un grand succès, c'est avec prudence que des modifications ont été apportées, comme en atteste le « M » derrière le nombre 575 qui fait référence à la cylindrée.

ENZO FERRARI

La Ferrari Enzo porte le nom du fondateur de la célèbre usine à voitures de sport italiennes. Celui-ci, dès l'origine, pensait que les bases de la construction automobile devaient provenir de la course automobile. La société Ferrari lui a donc rendu un bel hommage, au début du troisième millénaire, en donnant son nom à une voiture. Elle réalise à l'extrême une sorte de synthèse entre une course - qui dans le cas présent n'est autre que la Formule 1 - et la circulation sur route. Même si cette Ferrari s'appelait « Enzo Ferrari » dans le langage courant, la société a pris la liberté de lui attribuer un diminutif presque officiel : « Enzo ».

Le constructeur de Maranello a toujours essayé de proposer à ses clients des modèles extraordinaires qui, à l'époque, représentaient ce qui était réalisable pour une utilisation sur route, comme par exemple à ses débuts, la 288GTO, la F40 ou la F50. Toutes ces voitures n'étaient alors pas seulement à la pointe de la technologie automobile, elles étaient aussi d'une certaine manière le *nec plus ultra* en matière de distinction, sa production restant extrêmement limitée.

La Enzo était une voiture à part : pas plus de 349 exemplaires devaient voir le jour. Son design inimitable provenait naturellement de Pininfarina. Le nez, qui dominait largement l'avant, rappelait sciemment les bolides de la Formule 1. Les deux prises d'air gauche et droite qui alimentaient les radiateurs d'huile et d'eau, étaient impressionnantes. Entre les deux se trouvait un tunnel permettant au flux d'air, guidé par deux ailettes avant continues et réglables, de longer les canaux Venturi sous le châssis. Et ce, afin d'alimenter les deux diffuseurs situés à l'arrière, en ayant préalablement créé l'effet d'aspiration souhaité.

Cet effet d'aspiration, qui alimentait un spoiler arrière mobile de 75 millimètres, a été renforcé par des pressions supplémentaires sur les roues arrières. Ferrari avait ainsi créé un concept aérodynamique. D'une part, il ne présentait pas de spoiler, dont la taille même aurait nécessité l'ensemble du design. D'autre part, il provoquait un sérieux conflit d'objectifs entre une pression élevée dans les virages pris à vive allure et une résistance à l'air la plus faible qui soit, pour permettre une vitesse finale aussi élevée que possible.

Contrairement à la F50, la Enzo n'a pas seulement conservé le moteur actuel de la Formule 1 - Ferrari pensant en effet qu'avec ses dix cylindres, l'utilisation de ce moteur n'avait véritablement de sens que dans le cadre des restrictions fixées par le règlement de la Formule 1. On était persuadé à Maranello que pour la route, un V12 constituait la meilleure solution sur le plan technique. Ainsi, un moteur douze cylindres totalement nouveau avait été développé pour la Enzo dont la puissance

maximale était de 666 ch à 7 800 tr/min pour une cylindrée de six litres. De plus, il développait un couple maximum de 657 Nm à 5 500 tr/min. Certains emprunts au sport automobile se retrouvaient dans ce turbomoteur, comme par exemple la chambre de combustion en forme d'auvent, la construction de la tête de cylindre, ou encore les prises d'air variables. Comme dans le moteur de la Formule 1, les bielles étaient en titane. Les pistons en aluminium étaient reliés aux chemises de cylindre, elles aussi en aluminium, avec un revêtement en nikasil. La transmission des arbres à cames avait été déplacée d'une courroie crantée sur la chaîne. Pour la première fois chez Ferrari, les arbres à cames étaient également équipés d'un mécanisme permettant de régler le temps de conduite.

La puissance était transmise aux roues arrières par une boîte six vitesses reliée au moteur et activée bien entendu - et conformément à l'évolution technique du moment - par un système électrohydraulique avec l'embrayage, et commandée par la célèbre manette au volant. La Enzo ne présentait aucun levier de vitesses. Mais qui aurait d'ailleurs voulu d'une transmission manuelle sur cette voiture ? En mode course, la transmission électrohydraulique enclenchait les vitesses en seulement 150 millisecondes, une performance dont ne pouvaient rêver que les pilotes de Formule 1 expérimentés. Outre le mode « course », la Enzo proposait également un mode « sport », mais c'est en vain qu'on aurait cherché un mode automatique. La Enzo était par ailleurs équipée du système « Launch Control » pour démarrer, à chaque feu tricolore, comme une Formule 1.

Le châssis complet de la Enzo a été réalisé en plusieurs couches de fibre de carbone et d'aluminium Honeycomb. Malgré son poids peu élevé, il offrait ainsi la solidité et la sécurité recherchées. La carrosserie était, elle aussi, entièrement en matériau composite de fibre de carbone et en aluminium. Les grandes portes papillon ont été fabriquées exclusivement en fibre de carbone. Ainsi, en cas d'accident, la Enzo dépassait nettement la F50 en terme de sécurité.

Les quatre roues étaient suspendues à deux leviers triangulaires, les amortisseurs à ressort étant à l'horizontale et montés au-dessus de l'intérieur de la roue. Les chocs verticaux étaient

Enzo Ferrari
Caractéristiques

Moteur :
V12 65°

Cylindrée :
5 998 cm³

Alésage et course :
92,0 x 75,20 mm

Compression:
11,2 : 1

Puissance:
660 ch

Distribution:
Double arbre à cames en tête, quatre soupapes par cylindre

Alimentation :
Injection électronique « Bosch Motronic ME7 »

Transmission:
Boîte manuelle six vitesses / activation électrohydraulique, différentiel de blocage

Suspension avant:
Indépendante : doubles triangles superposés et ressorts hélicoïdaux, amortisseurs télescopiques à réglage électronique, stabilisateurs rotatifs

Suspension arrière:
Indépendante : doubles triangles superposés et ressorts hélicoïdaux, amortisseurs télescopiques à réglage électronique, stabilisateurs rotatifs

Freins:
Freins à disques céramique et fibre de carbone, ventilés

Roues:
Alliage léger, cinq écrous

Poids:
1 365 kg

Vitesse maximale:
Plus de 350 km/h

Année de construction, unités:
Depuis 2002, 349

transmis par une tringle et une bascule de direction selon le principe Pushrod. Les amortisseurs disposaient d'un système de réglage électronique. À l'avant se trouvait, un dispositif électromécanique de relèvement facilitant les manœuvres de stationnement de 30 centimètres.

Les disques des freins à ventilation intérieure, d'un diamètre de 380 millimètres en matériau composite céramique renforcé avec des fibres de carbone provenaient également, sous cette forme, de la Formule 1, et ont été utilisés pour la première fois dans une Ferrari routière. Ils permettaient des valeurs de retardement impressionnantes tout en garantissant une énorme solidité et en réduisant le poids de 12,5 kilogrammes par rapport aux freins traditionnels.

À l'intérieur de cette routière de course dotée de la technologie de pointe, le conducteur prenait place derrière le volant en fibre de carbone dans sa partie supérieure. Derrière se trouvaient les bascules de direction. Le moment idéal de changement de vitesse était indiqué par des diodes lumineuses au niveau de la jante de commande de direction. Deux boutons d'activation des clignotants étaient également intégrés au volant, tout comme, notamment, les boutons d'activation de la marche arrière, de désactivation de l'ASR et du passage en mode course.

Avant de prendre place pour la première fois à bord de leur voiture, les propriétaires d'une Enzo s'étaient vraisemblablement déjà rendus une fois à l'usine de Maranello afin de s'adapter à ce siège individuel. La coque des sièges en fibre de carbone pouvait être choisie parmi les tailles S, M, L ou XL en fonction de la surface du siège et de son inclinaison. Le client était soumis à sept autres mesures individuelles afin de pouvoir se faire livrer une Enzo avec un siège réellement adapté. Les sièges étaient naturellement recouverts de cuir rouge dans le plus pur style Ferrari, noir ou naturel. Mais ce n'était pas tout. En effet, dès que le client se sentait bien dans son siège, il restait à positionner au mieux les pédales selon les spécificités de chacun.

La Ferrari Enzo était sans nul doute une voiture d'exception et cela ne s'explique pas seulement par le nombre d'unités disponibles ou par son prix inaccessible de 650 000 euros. À Maranello, on rêve. À peine la Enzo terminée, on songe déjà à la prochaine.

La Enzo, cette voiture de rêve comme le disait la presse spécialisée, ne se distinguait pas seulement par son prix et sa production limitée. Elle représentait à la perfection ce que Ferrari était capable de réaliser sur une voiture sportive moderne : un rêve à tout point de vue.

360 CHALLENGE STRADALE

Sur la route de la Ferrari Challenge Cup et de la FIA N-GT-Serie, Ferrari a démontré, avec sa voiture de course 360 Challenge et sa 360GT, ce que l'on pouvait réaliser à partir de la 360 Modena si on l'allégeait et y intégrait la technologie d'une voiture de course. Le modèle de base, la 360 Modena disponible sur le marché depuis 1999, se défendait très bien. Toutefois, chez Ferrari, comme chez certains clients, on souhaitait, autant que possible, rendre accessible sur route aux pilotes Ferrari de tous les jours, les performances des versions de course. Ce défi a été relevé en juin 2003 lorsque la Ferrari 360 Challenge Stradale, limitée à 900 unités, fut commercialisée. Rien que par son aspect extérieur, la peinture rouge clair sautait aux yeux des observateurs, et notamment le « Rosso Scuderia », le rouge de l'écurie Ferrari, signe distinctif de la Formule 1 de Michael Schumacher & Co., voiture à succès s'il en est.

Par rapport à la Ferrari Enzo, cette voiture grâce à laquelle les Italiens ont démontré ce qu'était la construction automobile, la 360 Challenge Stradale ne péchait pas par originalité, au sens où elle proposait une technologie sportive qu'on avait l'habitude de croiser sur la route. Cela a commencé par des mesures importantes de réduction du poids. 110 kilogrammes ont finalement été perdus par rapport à la 360 Modena, grâce à l'utilisation de matériaux plus légers, testés en course. Le poids total se montait ainsi à vide à 1 290 kilogrammes, selon les données constructeur. Sans carburant, il descendait même à 1 180. Pour parvenir à ces résultats, les techniciens se sont notamment penchés sur trois domaines : les matériaux, la technologie de construction et l'optimisation du projet. Le matériau de base, tant pour le châssis que pour le cadre, était l'aluminium qui est près de trois fois plus léger que l'acier traditionnel. Les bielles, les ressorts du châssis et les écrous des roues de la Challenge Stradale étaient, par exemple, en titane. Des matériaux composites en fibres de carbone furent utilisés pour le revêtement des portes, des sièges ou les boîtiers des rétroviseurs et du filtre à air. Le revêtement du châssis, grâce à un nouveau procédé de fabrication, pesait désormais 50 % moins lourd, tout en proposant une résistance à la torsion plus élevée que la 360 Modena. Les pédales perforées et le retrait des tapis de sol ont permis de perdre quelques grammes supplémentaires. Toutefois, l'élément principal de cet allégement est l'utilisation de matériau composite en céramique et fibre de carbone destiné aux disques de freins, qui offrait, en outre, une durée de vie largement supérieure. Parallèlement, et cet élément est peut-être encore plus décisif,

À partir d'un concept laissant peu de place au compromis, la Challenge Stradale a pu lancer sur la route la technologie des voitures de course à l'état pur, tout en se débarrassant des grammes superflus. Ferrari ouvrait toutefois la porte au compromis : un autoradio, un système de navigation, et même une climatisation étaient montés en série sur demande.

ces disques réduisaient largement (et de manière inhabituelle pour cette catégorie de voitures) la course de freinage avec les étriers en aluminium à six pistons.

Le moteur de la 360 Modena avait à nouveau été adapté à la Challenge Stradale. Le V8, avec un angle de cylindre à 90°, 40 soupapes, un double arbre à cames en tête et une cylindrée de 3 586 cm³, affichait les mêmes données que le modèle de base. Les ingénieurs avaient toutefois ajouté 25 ch, grâce à leurs réglages sur le turbomoteur de manière à ce que la Challenge Stradale dispose de 425 ch à 8 500 tr/min. Le couple maximum était de 373 Nm et se situait à 4 750 tr/min. Cette amélioration des performances a notamment été rendue possible par une augmentation de la compression (11,2 : 1), une modification du temps de conduite et un agrandissement des canaux d'admission et d'échappement. Divers réglages précis ont permis d'obtenir une consommation spécifique par litre de 118,5 ch, ou, au total, exactement 425 ch.

Cette pièce centrale prestigieuse de la Challenge Stradale se trouve sous une coupe en verre longeant l'essieu arrière. Elle permet, par sa disposition, une organisation presque optimale de la répartition de la charge de l'essieu. Le centre de gravité de la voiture, qui repose sur d'impressionnantes roues 19 pouces, a été abaissé de 15 mm. Un tablier avant modifié et rabaissé, des ailerons supplémentaires placés sur le diffuseur et une rainure surélevée rendaient la pression plus importante et la tenue de route était donc parfaite pour le conducteur.

La transmission de la Challenge Stradale provenait de la Formule 1. Elle était commandée par un système électrohydraulique et activée parallèlement à l'embrayage *via* les bascules en forme d'ailes sur le volant. Un nouveau système de commande permettait non seulement un passage de rapports précis, mais également une réduction des durées de transmission qui se montaient à chaque rapport à 150 millisecondes. Pour la transmission, deux réglages étaient possibles : « sport » et « course ». Pour chacun de ces réglages, il existait des paramètres différents pour les amortisseurs et la commande de traction (ASR). En mode « Course », le conducteur disposait du « Launch Control » de la Formule 1, même si l'ASR était éteint. Grâce à ces systèmes d'assistance à la conduite à réglage automatique, le démarrage de course fonctionnait sans problème à un régime élevé. Pour être complet, il faut préciser que ce système de haute technologie permettait d'activer la marche arrière *via* un bouton prévu à cet effet, situé sur la console centrale.

Ferrari avait certes appliqué, concernant l'évolution de cette voiture, la devise « aucune faribole ». : tout ce qui ne contribuait pas à une amélioration des capacités de conduite devait être retiré ou, du moins, réduit au minimum. La climatisation a été montée en série sur la Challenge Stradale, tout comme les airbags et le verrouillage centralisé. Les lève-vitres électriques pour les vitres

latérales étaient en verre mais pouvaient être remplacés pour les clients sourcilleux par des vitres en lexane plus légères.

À l'intérieur prédominait la tôle blanche. L'équipement était quelque peu spartiate, mais il pouvait être adapté aux souhaits de chacun (tradition Ferrari oblige). Il n'y avait certes pas d'espace à l'avant des solides sièges-baquets mais ils étaient recouverts par des Alcantara et disponibles en trois tailles. Le client pouvait choisir entre les ceintures-bretelles et les ceintures à trois points d'ancrage. Ceux qui ne transigeaient sur rien en matière de confort pouvaient commander un autoradio avec CD et système de navigation.

Avec la Challenge Stradale, Ferrari était parvenu à résumer l'essence d'une voiture de course dans une routière. Son intérêt et son succès ne résidaient pas seulement dans le fait qu'elle soit une voiture de sport destinée aux hommes dignes de ce nom, ils tenaient aussi à sa production limitée qui attirait les investisseurs fortunés en quête de pièces de collection..

360 Challenge Stradale
Caractéristiques

Moteur :
V8 90°

Cylindrée :
3 586 cm³

Alésage et course :
85,0 x 79,00 mm

Compression :
11,2 : 1

Puissance :
425 ch

Distribution :
Double arbre à cames en tête, cinq soupapes par cylindre

Alimentation :
Injection électronique « Bosch Motronic 7.3 »

Transmission :
Boîte six vitesses

Suspension avant :
Indépendante : doubles triangles superposés et ressorts hélicoïdaux, amortisseurs télescopiques à réglage électronique, stabilisateurs rotatifs

Suspension arrière :
Indépendante : doubles triangles superposés et ressorts hélicoïdaux, amortisseurs télescopiques à réglage électronique, stabilisateurs rotatifs

Freins :
Freins à disques ventilés

Roues :
Alliage léger, cinq écrous

Poids :
1 386 kg

Vitesse maximale :
300 km/h

Année de construction :
Depuis 2003

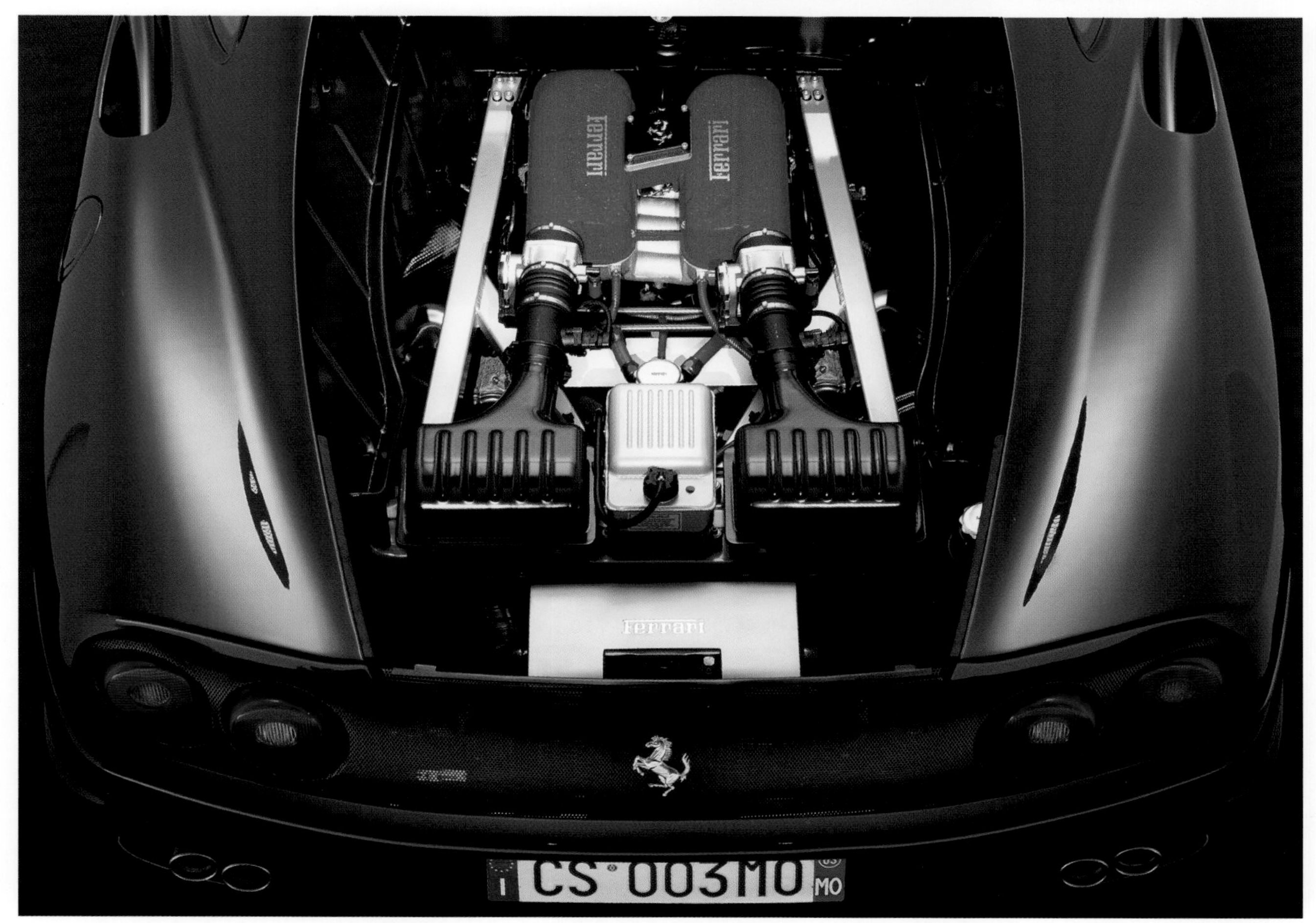

612
SCAGLIETTI

La Gran Turismo 2+2 places fit son apparition chez Ferrari de manière plus discrète qu'une voiture de sport type. L'objectif affiché était clair : réunir dans une seule voiture, et autant que faire se peut, un confort extrême et une sportivité hors du commun. La 612 Scaglietti, commercialisée par les Italiens en 2004, tenta de réaliser ce grand écart sans compromis significatif : elle représentait un nouveau tournant.

La 612 Scaglietti démontrait parfaitement que « plus discret » ne signifiait nullement « moins impressionnant ». Impressionnante, la Scaglietti l'était. Pas au premier abord, par des formes qui incitaient à penser à une puissance brute et concentrée, mais par une élégance et une ligne qui semblait indiquer une puissance tranquille, qui n'avait nul besoin d'afficher sa musculature pour surprendre.

Une fois encore, Pininfarina, qui avait réalisé la carrosserie de la 456GT, est à l'origine de l'élégance de la ligne extérieure. Pour ce nouveau modèle, Pininfarina avait su allier fonctionnement et esthétique. La 612 rappelait ainsi par son nom le carrossier Sergio Scaglietti de Modène, lequel avait conçu dans les années 50 et 60 certains des plus beaux modèles Ferrari.

La 612 Scaglietti affichait fièrement un empattement de 295 centimètres, soit 35 de plus que la 456. Avec ses 4,90 mètres, la longueur totale de la voiture dépassait sa grande sœur de 20 centimètres. Cette augmentation des dimensions était nécessaire pour placer le moteur central avant de la 612 Scaglietti derrière l'essieu avant, afin d'élargir une nouvelle fois l'espace disponible du 2+2 sièges. Pininfarina était parvenu à associer l'agrandissement de la taille du véhicule à une forme élégante, qui s'étendait harmonieusement depuis les ailes à l'arrière jusqu'au capot moteur et à l'habitacle. La Valeur CW de 0,33 ne représentait certes pas un record dans ce domaine, raison pour laquelle la 612 Scaglietti n'était pas équipée d'inesthétiques spoilers. Mais le châssis, par la forme du plancher, permet un entraînement de 115 kilogrammes à une vitesse de 300 km/h.

La 612 Scaglietti disposait d'une structure Space-frame. Elle constituait la première douze cylindres Ferrari dont le châssis était totalement conçu en aluminium, ce qui permettait un gain de poids d'environ 40 % par rapport aux solutions traditionnelles pour une résistance à la torsion largement supérieure, signifiant une plus grande sécurité pour les passagers.

Le moteur placé derrière l'essieu avant et la structure Transaxle, dans laquelle le moteur central avant était relié par un arbre avec boîte de vitesses bloquée au différentiel de l'essieu arrière, permettait une remarquable répartition du poids de la 612 Scaglietti. 46 : 54, des valeurs qui, jusqu'à

SanMiguel

présent, n'avaient été obtenues que pour des voitures de course à moteur central.

Les chiffres révélés par ce modèle indiquent que le moteur de la Scaglietti affichait douze cylindres avec une cylindrée de (presque) six litres. Ferrari avait déjà arrondi ce nombre afin d'éviter une typographie à quatre chiffres. En fait, le moteur de la 612 Scaglietti était tout simplement celui de la 575M Maranello et disposait, comme l'indique sa dénomination, d'une cylindrée de 5 748 cm³.

Cependant, de nombreuses modifications avaient été apportées au moteur de la 575M, afin d'améliorer plus encore les performances et la dynamique avant son installation dans cette nouvelle Gran Turismo. Désormais, il proposait ainsi 540 ch à 7 250 tr/min, soit 25 ch de plus que le moteur de la 456M GT, le modèle précédent. Cette voiture, d'un poids de 1 840 kilogrammes, atteignait une vitesse maximale de 320 km/h. Elle passait de 0 à 100 km/h en 4,2 secondes. La conduite, les performances et le tempérament de cette douze cylindres suffisaient sans aucun doute à eux seuls dans chaque situation de conduite. Le couple maximum de 589 Nm à 5 250 tr/min, qui se développait à 80 / 90 % à un régime plus bas, n'a donc étonné personne.

En ce qui concerne la transmission de la boîte six vitesses de la 612 Scaglietti, le client avait le choix : il pouvait opter pour une transmission manuelle par le levier de vitesses ou passer les rapports *via* une transmission F1A électronique. Le « A », qui représente le diminutif de « Affinata », signifie un système de transmission de Formule 1 avec mode automatique sélectionnable, pouvant être activé par la manette au volant. La transmission de la Formule 1 avait également été optimisée afin d'améliorer le caractère sportif et le confort de conduite de cette Berlinetta quatre places.

Comme dans la 575M et la Enzo, la transmission F1A de la 612 Scaglietti disposait d'un mode « sport » permettant de passer plus rapidement les rapports et de contrôler le châssis à réglage électronique. En outre, grâce aux commandes de stabilité et de traction du système CST, équipant pour la première fois une Ferrari, le châssis proposait, à tous points de vue et dans presque toutes les situations de conduite imaginables, une réserve de sécurité largement suffisante.

Cette Gran Turismo était donc extrêmement maniable et confortable, même s'il convient d'ajouter que la vitesse maximale supérieure à 300 km/h nécessitait quelque compromis en matière de confort. En revanche, Ferrari n'a rien cédé sur les freins qui présentaient une excellente résistance à l'affaissement.

L'intérieur de la 612 Scaglietti était là pour témoigner que la construction automobile moderne pouvait associer confort et sportivité. La légèreté de la structure métallique de ce modèle a été transposée à l'intérieur par l'utilisation d'aluminium.

Jusqu'à ce jour, la nouvelle variation sur le thème « V12 Gran Turismo », la 612 Scaglietti est parvenue à allier confort exceptionnel et performances, volant la vedette à de nombreuses voitures de sport n'ayant plus rien à prouver. Et une fois de plus, la carrosserie Pininfarina a doté cette voiture d'une élégance à couper le souffle.

Le conducteur prenait place derrière un volant extrêmement fonctionnel de Formule 1 Look lui permettant de commander le CST ou encore le mode « sport ». Dans la plupart des cas, le levier de vitesses en aluminium se trouvait derrière le volant. Toutefois, lorsqu'ils en avaient le choix, les clients de Ferrari optaient, à 80 / 90 %, pour la transmission F1. En ce qui concerne les armatures, le compte-tours, instrument classique, prenait la place centrale juste à côté du compteur qui avait une forme identique. À droite du compte-tours se trouvait un affichage numérique multifonctionnel reprenant toutes les autres informations. Le pilote et les passagers étaient assis sur des sièges confortables revêtus d'un cuir exclusif fait main, et de ceintures de sécurité intégrées. L'espace proposé au niveau des sièges avant était généreux. À l'arrière, il restait correct, bien que peu adapté aux longs trajets.

La 612 Scaglietti, au prix d'environ 220 000 euros, était certes inaccessible, mais elle constituait un essai réussi : associer grande sportivité et confort de qualité dans une même voiture, d'une grande élégance.

612 Scaglietti
Caractéristiques

Moteur :
V8 65°

Cylindrée :
5 748 cm³

Alésage et course :
89,0 x 77,00 mm

Compression :
11,2 : 1

Puissance :
540 ch

Distribution :
Double arbre à cames en tête, quatre soupapes par cylindre

Alimentation :
Injection électonique « Bosch Motronic ME7 »

Transmission :
Boîte six vitesses, à commande manuelle ou électrohydraulique

Suspension avant :
Indépendante : doubles triangles superposés et ressorts hélicoïdaux, amortisseurs télescopiques à réglage électronique, stabilisateurs rotatifs

Suspension arrière :
Indépendante : doubles triangles superposés et ressorts hélicoïdaux, amortisseurs télescopiques à réglage électronique, stabilisateurs rotatifs

Freins :
Freins à disques ventilés

Roues :
Alliage léger, cinq écrous

Poids :
1 840 kg

Vitesse maximale :
320 km/h

Année de construction :
Depuis 2004

F430

À l'automne 2004, lors du Salon de l'automobile de Paris et pour succéder à la 360 Modena, Ferrari a présenté la F430, laquelle devait être commercialisée au printemps 2005. D'un point de vue purement extérieur, la F430 ressemblait beaucoup à sa grande sœur, mais son lien de parenté avec la Ferrari Enzo était indéniable. Comme toujours chez Ferrari, les ingénieurs avaient cherché plusieurs années durant à se surpasser, et la F430, tant au niveau visuel que technique, se présentaient sous les meilleurs auspices. Elle augurait un succès équivalent à celui de la 360 Modena.

Pour une fois, Pininfarina n'a pas été le seul instigateur de la F430. Elle a en effet été le fruit d'une collaboration entre Pininfarina et le responsable design de Ferrari, Frank Stephenson. L'objectif affiché dans la conception de l'aspect extérieur de la F430 était de parvenir à une forme distincte. La voiture devait donner une impression de plus grande robustesse que le modèle précédent. Sa forme devait inspirer la puissance qui se cachait sous son capot.

Comme pour la 360 Modena, l'avant de la F430 était dominé par deux puissantes prises d'air en forme d'ellipse permettant de convoyer l'air de refroidissement nécessaire au moteur. Le spoiler avant, dissimulant ces deux prises d'air, ressemblait à celui de la Enzo. Il transportait l'air sous le châssis lisse, puis l'évacuait ensuite à l'arrière par le diffuseur. Jusqu'à un entraînement de 280 kilogrammes, ce procédé ne nécessitait pas l'installation de spoiler arrière.

Les phares avant de la F430 étaient plus fins et plus compacts que le modèle antérieur. La nouvelle technologie Bixenon permettait, en effet, de limiter à un seul émetteur par phare qui alliait les feux de croisement et les feux de route.

Les sorties d'air, situées sur l'aile devant les roues avant, faisaient office de branchies et évacuaient le débit d'air provenant du radiateur. Cependant, les grosses prises d'air placées au-dessus des ailes arrière ne passaient pas inaperçues, tout comme les pneus 19 pouces avec cinq doubles rayons en série. Les doubles tiges des rétroviseurs extérieurs constituaient un autre symbole de la finesse du détail de ce modèle. Ludiques ou purement décoratifs, ils permettaient en effet de diriger l'air vers les prises d'air arrière du moteur.

Cependant, c'est à l'arrière que sa parenté avec la Enzo était la plus patente. Les feux arrière ronds sortant de la carrosserie, et la grille du radiateur avec son Cavallino chromé, donnaient presque l'impression d'un « grand frère ». Le revêtement en verre, sous lequel se trouvait le nouveau huit cylindres en V, dominait l'ensemble.

I
F430
04
MO

L'émerveillement ne s'arrêtait toutefois pas là. La puissance de ce bolide avait été augmentée de 90 ch par rapport au turbomoteur de la 360 Modena. Les ingénieurs ne s'étaient pas seulement attaqués à l'aspect visuel du précédent modèle. En effet, le capot moteur dissimulait un moteur de 4 308 cm^3, soit une puissance supérieure à 20 %, alors que son poids n'avait augmenté que de quatre kilogrammes, résultat des connaissances et des expériences de la Formule 1, appliquées à la toute nouvelle structure de la F430. Outre les vilebrequins, les bielles motrices et les pistons, la F430 proposait les têtes de cylindre du turbomoteur de la Formule 1 et quatre soupapes par cylindre, contre cinq pour la 360 Modena.

La puissance était transmise du moteur aux roues d'entraînement par une boîte six vitesses optimisée en termes de puissance et de fiabilité et pouvait être activée manuellement par le célèbre levier de vitesses ou par le système électronique à l'aide de la manette de transmission, située derrière le volant, très prisée des acheteurs. La transmission de la F1 pouvait passer des rapports en un temps record de 150 millisecondes. Mais ce n'était pas tout : une pression sur le bouton et le véhicule se mettait immédiatement en fonctionnement automatique pour un confort de conduite extrême.

La F430 a été l'occasion de saluer une première mondiale, le différentiel à commande électronique « E-Diff » que Ferrari avait développé pour la Formule 1. Cet instrument devait permettre, à l'aide d'une traction toujours optimale, d'appliquer réellement sur route le couple de la Formule 1. Le « E-Diff » s'avérait très utile lorsque le conducteur activait le système « Launch Control », dont le seul but était de garantir un résultat optimal lors de l'accélération. L'E-Diff a, pour la première fois, été adapté à une voiture à l'occasion de la sortie de la F430, tout comme le « manettino » (manette) fort apprécié des pilotes de l'écurie. Monté sur le volant, il permettait de modifier les caractéristiques dynamiques de la voiture, conformément aux souhaits du conducteur, et de corriger les contraintes liées à l'état de la route. Ce petit bouton très pratique et relativement petit permettait

Avec sa puissance largement supérieure, son style proche de la Ferrari Enzo et ses finitions technologiques comme l'E-Diff ou le petit « Manettino » permettant d'adapter la dynamique de la voiture aux souhaits du conducteur, la F430 avait tout d'une championne.

également de gérer le comportement de conduite et de commander des fonctions importantes comme le contrôle de la stabilité, la traction, ou encore la vitesse de transmission de la boîte F1. Cinq réglages étaient proposés : un pour une conduite sur glace et neige, un pour une conduite sur route normale (sèche ou humide), un réglage de base, appelé « sport » offrant pour une conduite sur route publique une grande sécurité et un maximum de liberté au conducteur, un réglage « course », et enfin un réglage permettant de désactiver totalement les commandes de stabilité et de traction (abrégé « CST » chez Ferrari).

Le système de freinage et quatre disques de freins moulés, perforés, refroidis par ventilation d'air et équipés de quatre étriers à six pistons, contrôlés par ABS, CST et EBD (répartition de la puissance de freinage à commande électronique), ont été adaptés pour accompagner l'amélioration des performances de conduite (avec une vitesse maximale dépassant les 315 km/h, une accélération de 0 à 100 km/h en quatre secondes exactement). Même si ce système de freinage proposait déjà des valeurs

DOWN
ENGINE
START

de retardement très élevées, la dernière version était encore supérieure grâce au système de freinage en céramique et carbone, disponible en option.

La carrosserie de la F430 a été réalisée à Modène, près de Scaglietti, en collaboration avec l'américain Alcoa à l'aide de la technologie Space-frame. L'utilisation d'aluminium garantissait ici, outre une réduction du poids, une grande rigidité et, ainsi, une plus grande sécurité des passagers prenant place dans des sièges totalement nouveaux et réglables par commande électronique. Le conducteur avait devant lui un compte-tours central contenant un petit écran multifonctionnel et si la voiture était équipée de la transmission F1, d'un affichage numérique indiquant la vitesse enclenchée. Le volant avait été aplati dans sa partie supérieure. Le conducteur pouvait dorénavant klaxonner en exerçant une simple pression du pouce de la main gauche, sans avoir à modifier sa prise du volant.

La F430, qui avait tout d'une championne, existait aussi en version Spider permettant au conducteur de profiter d'une véritable voiture de course.

F430
Caractéristiques

Moteur :
V8 90°

Cylindrée :
4 308 cm^3

Alésage et course :
92,0 x 81,00 mm

Compression :
11,3 : 1

Puissance :
490 ch

Distribution :
Double arbre à cames en tête, quatre soupapes par cylindre

Alimentation :
Injection électonique « Bosch Motronic ME7 »

Transmission :
Boîte six vitesses, à commande manuelle ou électrohydraulique

Suspension avant :
Indépendante : doubles triangles superposés et ressorts hélicoïdaux, amortisseurs télescopiques à réglage électronique, stabilisateurs rotatifs

Suspension arrière :
Indépendante : doubles triangles superposés et ressorts hélicoïdaux, amortisseurs télescopiques à réglage électronique, stabilisateurs rotatifs

Freins :
Freins à disques ventilés, disponibles en option en fibre de carbone - céramique

Roues :
Alliage léger, cinq écrous

Poids :
1 450 kg

Vitesse maximale :
315 km/h

Année de construction :
Depuis 2004

430 Scuderia

2007

La Ferrari 430 Scuderia est véritablement la Ferrari sans compromis. Elle est celle qui se rapproche le plus d'une véritable Formule 1 tant par ses performances que par les sensations qu'elle distille malgré une aide électronique embarquée omniprésente.

Si la F430 est au catalogue depuis 2004, la version Scuderia dévoilée en septembre 2007 s'avère notablement plus radicale. Il s'agissait en effet pour Ferrari de réaliser une berlinette avec toute la technologie issue de la formule 1. D'ailleurs, elle a été conçue avec l'aide de Michael Schumacher lui-même, le septuple champion du monde ayant apporté sa touche personnelle lors de l'élaboration de cette Scuderia. D'un point de vue esthétique, par rapport à une F430 classique, un œil averti remarquera les prises d'air frontales de plus grande taille et au dessin plus anguleux, le déflecteur arrière plus important, le châssis légèrement surbaissé, les deux bandes noires racing optionnelles sur le capot et le toit et les imposantes roues de 19 pouces. Le moteur V8 anglé à 90° n'a pas subi de profondes refontes. Il développe une vingtaine de chevaux supplémentaires. 20 ch seulement serait-on tenté de dire? Pourtant, dans les faits, la 430 Scuderia dépasse la barre magique des 500 ch (512 ch exactement) et d'autre part, le moteur est logé dans un châssis et abrité sous une carrosserie allégée. Ferrari n'a en effet pas lésiné sur les moyens et a offert de nombreux éléments en carbone à sa nouvelle 430. Ainsi, les rétroviseurs, l'entourage de la lunette arrière, le collecteur d'air et une bonne partie de l'intérieur (siège bacquet, panneaux de porte, structure du volant…) sont moulés dans la précieuse fibre. D'autres pièces sont en titane comme les ressorts de suspension et enfin, pour gagner encore quelques kilogrammes, certains habillages et revêtements insonorisants ont été enlevés. Les esprits chagrins noteront que ce dépouillement est peu en accord avec le prestige de l'automobile mais grâce à ce régime minceur qui a permis de réduire le poids de 100 kg par rapport à une F430 « normale », la Scuderia affiche un rapport poids puissance de l'ordre de 2,65 kg/ch, avale les 100 km/h en 3,6 s et atteint les 320 km/h.

Volontairement taillée pour la vitesse, la 430 Scuderia bénéficie d'une nouvelle transmission automatisée toute droit sortie de la F1 et baptisée Superfast 2. Celle-ci permet de passer les six rapports avec des intervalles ramenés à 60 ms, très proche de ceux d'une Formule 1. En outre, il est possible depuis le tableau de bord de régler la voiture en fonction des besoins et de la zone d'évolution. Ce réglage se fait là encore directement au volant via une molette sur le volant baptisé *manettino*. Pas moins de

ENGINE
START
AIRBAG
R
AUTO

5 programmes sont ainsi gérables dont un mode « Race » (« course ») avec des aides activées pour la piste et conçues par Michael Schumacher. La berlinette est assistée par de nombreux autres systèmes électroniques facilitant la maîtrise à haute vitesse. Brute mais finalement pas brutale, la 430 Scuderia demande tout de même un réel sens du pilotage pour pouvoir être exploitée jusque dans ses derniers retranchements.

430 Scuderia

Caractéristiques

Moteur:
V8 à 90°, 32 soupapes,
2 × 2 arbres à cames en tête
+ calage variable en continu

Cylindrée:
4308 cm^3

Alésage et course:
92.0 x 81,00 mm

Compression:
11,9 à 1

Puissance:
510 ch à 8500 tr/mn

Commande de soupapes:
Double arbre à cames en tête par rangée de cylindres, quatre soupapes par cylindre

Système essence:
Injection électronique intégrale Bosch

Transmission:
Boîte six vitesses de vitesses manuelle robotisée

Suspension avant:
Suspension indépendante des roues avec double triangle superposés, ressorts hélicoïdaux et amortisseurs télescopiques, stabilisateur électronique

Suspension arrière:
Suspension indépendante des roues avec double triangle superposés, ressorts hélicoïdaux et amortisseurs télescopiques, stabilisateur électronique

Freins:
Freins à disques ventilés en matériaux composite fibre de carbone céramique, étriers Brembo, ABS

Roues:
Jantes en alliage léger à 5 branches

Poids:
1350 kg

Vitesse maximale:
320 km/h

Année de construction:
Depuis 2007

California
2008

Chez Ferrari, la dénomination California évoque une lignée de magnifiques cabriolets extrapolés des châssis des 250 GT des années cinquante et soixante. Mais autant l'ancienne GT était issue d'une véritable voiture de course taillée entre autres pour les épreuves d'endurance, autant la California du crû 2008 est un luxueux coupé-cabriolet pour parader au soleil.

Dessinée en collaboration avec Pininfarina, la nouvelle Ferrari California cède à la mode du toit rigide se repliant en deux parties dans le coffre pour se transformer en cabriolet en quelques instants. Cette configuration « CC » (Coupé-Cabriolet) a été rendu possible par la disposition du moteur V8 de 460 ch en position longitudinale à l'avant. C'est d'ailleurs la première fois que le V8 Ferrari prend place sous un capot avant. En revanche, la voiture demeurant une propulsion, la boîte de vitesse se retrouve à l'arrière en faisant corps avec le pont, ce qui permet de mieux répartir les masses.

La puissance est obtenue à un régime inférieur à 8000 tr/mn, privilégiant le couple qui reste élevé pour faciliter un usage « quotidien ». En outre, la marque de Maranello a choisi une alimentation par injection directe d'essence, ceci afin de limiter les émissions polluantes tout en réduisant la consommation. Si l'auto reste assez lourde (1735 kg), elle fait largement appel à de l'aluminium : le châssis et le toit repliable ont été réalisés dans ce matériau avec des éléments coulés et collés. Le freinage reste dans la grande tradition Ferrari : exemplaire ! Les disques sont en carbone-céramique et pincés par des étriers à 6 pistons provenant de l'équipementier Brembo.

La Ferrari California revendique clairement son statut de voiture de luxe. À l'intérieur, le cuir est omniprésent. Si les places arrière se contenteront d'accueillir deux sacs de voyage, les sièges avants sont superbement dessinés et offre un maintient quel que soit le type de conduite. Il est en effet possible de choisir plusieurs modes de roulage grâce à la molette *manettino* – en bas à droite du volant – qui a été simplifiée et se contente d'offrir trois positions. La boîte de vitesses reste quant à elle commandée par un système de palette derrière le volant au centre duquel le Cavallino Rampante, le cheval cabré, est bien visible. En bas et à gauche, toujours sur le volant se trouve le bouton de démarrage. La finition est dans la grande tradition des GT proposée par Ferrari. Les plastiques sont rares : le cuir est un vrai et beau cuir et il se marie avec quelques touches d'aluminium. Cette California est la première « CC » de Ferrari. Raffinée, il n'en demeure pas moins qu'elle reste capable de sensations fortes. Ses 460 ch sont là pour en témoigner...

California

Caractéristiques

Moteur :
V8 à 90°, 32 soupapes,
2 × 2 arbres à cames en tête
+ calage variable en continu

Cylindrée :
4297 cm^3

Alésage et course :
94.0 x 77,37 mm

Compression :
12.2 à 1

Puissance :
460 ch à 7750 tr/mn

Commande de soupapes :
Double arbre à cames en tête par rangée de cylindres, quatre soupapes par cylindre

Système essence :
Injection électronique intégrale Bosch et injection directe

Transmission :
Boîte sept vitesses de vitesses manuelle robotisée

Suspension avant :
Suspension indépendante des roues avec double triangle superposés, ressorts hélicoïdaux et amortisseurs télescopiques, stabilisateur électronique

Suspension arrière :
Suspension indépendante des roues avec multibras, ressorts hélicoïdaux et amortisseurs télescopiques, stabilisateur électronique

Freins :
Freins à disques ventilés en matériaux composite fibre de carbone céramique, étriers Brembo, ABS

Roues :
Jantes en alliage léger à 5 branches

Poids :
1735 kg

Vitesse maximale :
300 km/h

Année de construction :
Depuis 2008

458 Italia
2010

La toute dernière née de la marque au cheval cabré est la Ferrari 458 Italia. « 45 » pour la nouvelle cylindrée de près de 4 500 cm^3 et « 8 » pour rappeler qu'il s'agit toujours d'un V8 qui anime cette nouvelle berlinette vouée à remplacer la F430 qui quitte le devant de la scène après cinq années de bons et loyaux services…

« Ce nouveau modèle constitue une synthèse de créativité, passion, style et innovation technologique ». C'est en ces termes que Ferrari a présenté durant l'été 2009 celle qui succède à la désormais légendaire F430. Elle s'appelle Ferrari 458 Italia. Elle a été officiellement présentée lors du salon de Francfort en septembre 2009 où elle a fait sensation. Il ne s'agit en effet pas d'une simple évolution du modèle précédent même si l'on ne peut pas non plus parler d'une refonte totale. D'abord, la 458 est un peu un retour aux sources. Elle abandonne l'appellation commençant par un « F » et les *tifosi* ne pourront qu'applaudir fièrement le nom de baptême officielle de cette Ferrari puisqu'elle est dénommée *Italia*.

La 458 exploite aussi un nouveau châssis, elle a droit à un moteur encore amélioré et s'offre un intérieur extrêmement repensé pour mieux répondre aux nouvelles attentes des conducteurs des années 2010. Sans rompre avec la fluidité des lignes de la F430, la 458 – toujours dessinée par Pininfarina – est à la fois esthétiquement plus moderne et plus « high tech » d'aspect. Le museau avant est ainsi moins torturé, les deux écopes avant sont moins visibles mais les optiques sont désormais des LEDs très étirées. Une lèvre inférieure s'étire sous le menton et le long des ailes avant. Devant les radiateurs et cachés par la calandre noire, un œil averti remarquera aussi la présence de petits ailerons en plastique élastique qui se déforment avec l'augmentation de la vitesse et génèrent un appui supplémentaire en améliorant l'aérodynamisme. Grâce à ce simple procédé, l'appui vertical serait de l'ordre de 140 kg à 200 km/h. D'une façon générale, la carrosserie fait la part belle à des éléments faisant saillie qui rompent avec les courbes de l'ancienne F430. À l'arrière, on distingue immédiatement la triple sortie d'échappement centrale, des extracteurs d'air montés haut encadrant des feux toujours ronds mais réduits à deux éléments, au lieu de quatre auparavant.

La 458 retient un nouveau châssis en aluminium à l'empattement allongé de 50 mm par rapport à la F430 mais sa longueur hors tout n'augmente que de 15 mm. Malgré l'abondance de technologie embarquée, le poids reste en dessous de la barre de 1 400 kg avec une masse totale de 1 380 kg répartie pour 42 % sur l'avant et 58 % sur l'arrière. Les suspensions font appel à une double triangulation à l'avant et un nouvel essieu multibras à l'arrière. Extrêmement performant, le freinage est assuré par des disques en carbone et en céramique capables d'arrêter une 458 lancée à 100 km/h en un peu plus de 30 m seulement. Fidèle au V8 à 90° en position centrale arrière, la 458 dispose néanmoins d'un moteur dont la cylindrée passe de 4 308 cm^3 sur la F430 à 4 499 cm^3 avec injection directe d'essence. Ce V8 atteint les 570 ch à 9 000 tr/mn (soit plus de 50 ch supplémentaires par rapport à la F430 pour un rapport poids/puissance exceptionnel de 2,42 kg/ch) mais au-delà de la puissance pure, c'est la disponibilité du couple qui a été privilégié. 80 % des 540 Nm du couple maxi sont en effet disponibles dès 3 250 tr/mn (le couple maxi étant atteint à 6 000 tr/mn), rapport assez remarquable qui permet de piloter une berlinette un peu moins « pointue » qu'auparavant. De plus, grâce à l'injection directe et à un travail important sur l'admission et l'échappement, les émissions de CO_2 (limitées à 320 g/km) ainsi que la consommation ont été considérablement réduites (13,7 l aux 100 km en moyenne). Ce moteur est accolé à un double embrayage et une boîte séquentielle à 7 rapports que l'on a déjà pu voir sur la California. L'électronique a subi une petite cure de jouvence : le système E-Diff (différentiel électronique), le F1-Trac (antipatinage) et le freinage ABS sont plus performants et les roues sont désormais de 20 pouces. Une fois de plus, comme sur la 430 Scuderia, il a été fait appel à Michael Schumacher pour revoir tout l'aménagement intérieur afin d'améliorer l'ergonomie et la vie à bord. L'habillage du tableau de bord est totalement nouveau et l'ensemble des commandes et informations sont regroupées auprès du volant pour que le conducteur ait tout sous les yeux et à portée de doigt. Il faut en effet être concentré pour piloter cette nouvelle monture, capable d'abattre le 0 à 100 km/h en 3,4 s… La concurrence allemande n'a qu'à bien se tenir…

458 Italia

Caractéristiques

Moteur
V8 à 90°, 32 soupapes,
2 × 2 arbres à cames en tête
+ calage variable en continu

Cylindrée:
4 499 cm^3

Alésage et course:
96 x 83 mm

Compression:
12.5 à 1

Puissance:
570 ch à 9 000 tr/mn

Commande de soupapes:
Double arbre à cames,
quatre soupapes par cylindre

Alimentation:
Injection électronique intégrale
Bosch et injection directe

Transmission:
Boîte sept vitesses robotisée

Suspension avant:
Suspension indépendante,
double triangle superposés,
ressorts hélicoïdaux
et amortisseurs télescopiques,
stabilisateur électronique

Suspension arrière:
Suspension indépendante,
multibras, ressorts hélicoïdaux
et amortisseurs télescopiques,
stabilisateur électronique

Freins:
Freins à disques ventilés
en matériau composite fibre
de carbone céramique, étriers
Brembo, ABS

Roues:
Jantes en alliage léger
à 5 branches

Poids:
1 380 kg

Vitesse maximale:
325 km/h

Année de construction:
Depuis 2010

599 GTO

Chez Ferrari, on n'arrête pas le progrès. La 599 GTO, dévoilée juste avant sa présentation officielle lors du salon de Pékin 2010, est tout simplement la Ferrari de série la plus rapide au monde (avant d'être détrônée en 2013 par la F12 Berlinetta). Elle n'est pourtant pas une réelle nouveauté à part entière puisqu'elle est dérivée de la 599 GTB Fiorano et de sa version plus musclée, mais exclusive, la 599 XX, qui n'a été produite qu'à une poignée d'exemplaires. Toutes ces GT sont elles-mêmes, rappelons-le, les héritières des 550 Maranello dont elles conservent le moteur V-12 en position longitudinal avant. Mais la nouvelle GTO (pour « Gran Turismo Omologata », une terminologie empreinte d'histoire chez Ferrari) bénéficie d'un traitement de faveur en matière de réduction du poids. Le moteur est légèrement moins puissant que celui de la 599 XX (670 ch, contre 700 ch), mais la GTO est destinée à rouler sur route ouverte et non pas uniquement sur des pistes privées. Pour conserver un dynamisme exemplaire, la GTO se distingue par des éléments allégés comme le pavillon de toit avec ses montants en carbone. Les ingénieurs ont même été jusqu'à affiner les vitres pour grappiller quelques grammes et opté pour un châssis en aluminium moins épais, un freinage et un collecteur d'échappement allégé réalisé par hydroformage. Résultat, la GTO pèse près de 100 kg de moins qu'une GTB et son rapport poids/puissance s'établit à 2,39 kg/ch. La mécanique, issue de la déjà ancienne Enzo, reste le mythique V-12 à 65° de presque 6 litres de cylindrée. Le bloc est étroitement dérivé de la 599, mais il a été légèrement assagi pour répondre aux normes antipollution et antibruit. Les 670 ch sont développés à 8 250 tr/min et le couple phénoménal de 63 m.kg est atteint à 6 500 tr/min. La voiture conserve une boîte de vitesses type F1 à 6 rapports et la suspension est confiée au système magnétorhéologique de deuxième génération (SCM 2) couplé à de nouveaux ressorts et une barre antiroulis arrière plus ferme. Pour stopper les 1 605 kg tous pleins faits de la bête, le freinage fait appel à des disques de frein en carbone-céramique allégés de seconde génération et à des étriers provenant de chez l'équipementier Brembo. Les roues sont équipées de wheel doughnuts, un dispositif à disques placé dans le voile de la jante et qui réduit à la fois la traînée aérodynamique et améliore le refroidissement des freins. Bardée d'électronique embarquée (contrôle de stabilité et de traction CST F1 Trac, contrôle de pression et de température des pneus TPMS, ABS, etc.), la 599 GTO est capable de passer de 0 à 100 km/h en 3,35 secondes et dépasse les 335 km/h. Elle est tout simplement la Ferrari de série la plus rapide.

599 GTO

Caractéristiques

Moteur :
V12 à 65°, 48 soupapes,
2 × 2 arbres à cames en tête
+ calage variable en continu

Cylindrée :
5 999 cm^3

Alésage et course :
92 x 75,2 mm

Compression :
11,2 à 1

Puissance :
670 ch à 8 250 tr/min

Commande de soupapes :
Double arbre à cames en tête par rangée de cylindres, quatre soupapes par cylindre

Système essence :
Injection électronique intégrale et injection directe

Transmission :
Boîte robotisée F1 à six vitesses

Suspension avant :
Suspension indépendante des roues avec SCM2 à contrôle d'amortissement magnétorhéologique

Suspension arrière :
Suspension indépendante des roues avec SCM2 à contrôle d'amortissement magnétorhéologique

Freins :
Freins à disques ventilés en matériaux composites fibre de carbone céramique, étriers Brembo, ABS

Roues :
Jantes en alliage léger à 5 branches

Poids :
1 495 kg à sec, 1 605 kg en ordre de marche

Vitesse maximale :
Plus de 335 km/h

Année de construction :
Depuis 2010

SA Aperta

L'appellation SA Aperta (« ouverte » en italien) de la version cabriolet de la 599 GTO reprend les initiales de Sergio et Andrea Pininfarina, respectivement fils et petit-fils du fondateur du célèbre carrossier et designer automobile Pininfarina. Sergio supervisa bon nombre de dessins de voitures Ferrari et dirigea les destinées de la société dès 1966 tandis que son fils Andrea, après avoir gravi les échelons, se tua accidentellement en 2007.

C'est donc pour rendre hommage à ces deux hommes clés que Ferrari a réalisé pour le 80e anniversaire de la firme Pininfarina et à seulement 80 exemplaires un magnifique roadster sur base de 599 GTO. Tous les modèles ont trouvé preneurs en quelques semaines, notamment lors du concours d'élégance américain de Pebble Beach. Le moteur en position longitudinale avant est le même que celui de la 599 GTO. Il s'agit d'un V-12 de 670 ch et le cabriolet emprunte aussi à sa devancière sa boîte de vitesse robotisée type F1 à 6 rapports. L'esthétique est aussi très proche, même si cette Aperta donne l'impression d'être moins agressive, avec une grille de calandre traitée différemment et une poupe plus homogène, dépourvue des éléments en fibres de carbone qui sied à la 599 GTO.

Contrairement à la mode actuelle, ce cabriolet ne dispose pas d'un toit rétractable, mais, comme au bon vieux temps, d'une simple capote qui préserve ses deux passagers de la pluie. Celle-ci n'est finalement utile que par très mauvais temps car l'aérodynamisme soigné de l'automobile limite grandement les remous d'air dans l'habitacle. Le pare-brise de la GTO inspiratrice a été modifié : il est plus court et plus incliné et ses montants latéraux ont été réalisés en aluminium. Côté sécurité, les deux barres antiretournement ont été parfaitement intégrées au dessin des sièges et se prolongent par deux sortes d'ailerons en aluminium donnant l'illusion d'une descente de toit. L'architecture cabriolet a aussi nécessité de renforcer le châssis pour éviter toute déformation de la carrosserie, d'où un poids légèrement supérieur à sec, le cabriolet accusant 100 kg de plus que la 599 GTO. L'on notera aussi des pneumatiques de taille moins importante et des jantes de 20 pouces différentes, mais, pour le reste (freins, suspensions, systèmes électroniques embarqués), la SA Aperta partage les mêmes équipements.

La SA Aperta est proposée avec plusieurs robes : noire, bleu électrique, rouge feu, rouge Dino (en fait un orange prononcé) et jaune avec, dans tous les cas, un intérieur en cuir dont l'exceptionnelle qualité de finition est remarquable, dans la plus pure tradition Ferrari. Les performances sont à la hauteur des espérances, avec ses 670 ch, le V-12 vous propulse à près de 330 km et permet à la voiture d'abattre le 0 à 100 km/h en 3,6 petites secondes.

SA Aperta-

Caractéristiques

Moteur :
V12 à 65°, 48 soupapes,
2 × 2 arbres à cames en tête
+ calage variable en continu

Cylindrée :
5 999 cm³

Alésage et course :
92 × 75,2 mm

Compression :
11,2 à 1

Puissance :
670 ch à 8 250 tr/min

Commande de soupapes :
Double arbre à cames en tête par rangée de cylindres, quatre soupapes par cylindre

Système essence :
Injection électronique intégrale et injection directe

Transmission :
Boîte robotisée F1 à six vitesses

Suspension avant :
Suspension indépendante des roues avec SCM2 à contrôle d'amortissement magnétorhéologique

Suspension arrière :
Suspension indépendante des roues avec SCM2 à contrôle d'amortissement magnétorhéologique

Freins :
Freins à disques ventilés en matériaux composites fibre de carbone céramique, étriers Brembo, ABS

Roues :
Jantes en alliage léger à 5 branches

Poids :
1 595 kg à sec, 1 705 kg en ordre de marche

Vitesse maximale :
330 km/h

Année de construction :
Depuis 2011

FF

La FF est à ce jour l'unique quatre places produite par la firme au cheval cabré. Outre des performances hors pair, elle adopte la ligne élégante et racée d'un break de chasse, une carrosserie assez exclusive très peu usitée chez ce constructeur.

Alors que d'autres constructeurs de voitures de luxe ont pris le parti de proposer des berlines quatre portes quatre places de haut standing, comme Porsche avec la Panamera, Aston Martin avec la Rapide ou encore Maserati avec la bien nommée Quatroporte, Ferrari a pris une tout autre voie avec la FF, abréviation de Ferrari Four : « Four » (« quatre » en anglais), signifie certes que cette sportive dispose de quatre places, mais aussi qu'elle est propulsée par quatre roues motrices. Surtout, celle qui fait sa première apparition lors du salon de Genève de mars 2010 renoue avec le concept du break de chasse, c'est-à-dire une deux portes à quatre places avec une carrosserie bicorps, sorte d'évolution du coupé vers le break. Ferrari n'en est toutefois pas à son coup d'essai puisque la marque au cheval cabré a déjà conçu au début des années 1990 la 456 GT Venice, produite à seulement 5 exemplaires puisqu'il s'agissait d'une commande spéciale du sultan du Brunei.

Une réelle nouveauté

La FF, qui est aujourd'hui la seule quatre places du constructeur, succède en fait à la 612 Scagliati, un coupé deux portes quatre places produit entre 1994 et 2011 mais, comme nous l'avons dit, son allure de break de chasse, due une fois de plus au coup de crayon de Pininfarina, lui donne une personnalité toute différente. La ligne rassemble certains éléments de la 599 GTO et de la 458, avec une carrosserie tendue, un capot très long et une hauteur très raisonnable (1 379 mm). La face avant se démarque des autres modèles par une très large calandre arborant en son centre le mythique cheval cabré ici argenté. L'arrière se referme sur un long hayon vitré se termine par un renflement faisant office de becquet entourant partiellement les feux ronds repris de la 599 GTO. La poupe est élégante, avec juste ce qu'il faut d'agressivité avec des plis de carrosserie fuyants et quatre sorties d'échappement réunis par paires.

Pratique ?

L'habitabilité reste pourtant très correcte car les sièges avec une ossature partiellement en aluminium offrent une assise assez basse et les plus grands gabarits peuvent s'asseoir à l'arrière sans problème. Il n'y a bien sûr pas de banquette, mais deux sièges

Ferrari
FF

en cuir séparés par le tunnel de la transmission. Il est d'usage qu'une Ferrari n'est pas une voiture à vocation familiale qui fait souvent l'impasse sur des aspects pratiques. Pourtant, la FF offre non seulement quatre vraies places, mais son coffre dispose d'un volume de 450 litres (c'est à quelques dizaines de litres près, celui d'une berline classique européenne) qui peut être porté à 800 litres si l'on rabat les sièges arrière : poussettes, sacs de golf, paire de ski et valises trouveront donc même leur place ! Les occupants de l'habitacle ont été choyés : les garnitures et les sièges sont bien sûr en cuir et les passagers arrière disposent d'écrans TV avec lecteur DVD 6 disques que complète une installation stéréophonique de 640 watts (jusqu'à 1 280 watts en option). À l'avant, les sièges sont réglables électrohydrauliquement pour s'adapter parfaitement aux formes des corps.

Attention V-12

La FF est une sportive GT à moteur avant et transmission aux roues arrière, les roues avant n'étant en fait motrices qu'en cas de besoin. La boîte-pont (avec sept rapports) est en effet placée à l'arrière avec un double embrayage et une nouvelle transmission intégrale 4RM brevetée a été développée pour l'entraînement des roues avant *via* un Power Transfer Unit (PTU) entraîné directement depuis le vilebrequin moteur. Ce PTU, de taille réduite et de 40 kg, répartit le couple sur les roues avant grâce à un différentiel composé d'un embrayage à disques en bain d'huile. Il n'y a aucune liaison entre les essieux avant et arrière, chacun étant indépendant, c'est en effet l'électronique qui gère et dose le couple de répartition. Quand l'état de la route est dégradé (sur de la neige par exemple ou lors de démarrages en côtes glissantes), le PTU entre en action en répartissant le couple sur les roues avant. Lorsque le quatrième rapport est atteint (ou à partir de 204 km/h), le système d'entraînement des roues avant se désaccouple et la FF redevient une Ferrari à propulsion capable de distiller les sensations de pilotage propre à toutes les supercars de la marque grâce aussi à sa répartition des masses (47 % sur l'avant, 53 % sur l'arrière). La suspension est, quant à elle, de type magnétorhéologique, mais de troisième génération. Grâce à l'usage généralisé de l'aluminium, la FF ne dépasse pas les 1 880 kg en ordre de marche, un poids finalement peu élevé pour un break de chasse long de presque 5 m (4 907 mm), bardé d'équipements électroniques (freinage ABS/EBD, antipatinage ESC, commande de boîte intégrée F1 Trac, de différentiel E-Diff et boîte de transfert) et propulsé par un immense V-12 à distribution variable continue et injection directe dont la cylindrée atteint les 6 262 cm^3. Ce moteur, qui répond au nom de code F140 EB, délivre 660 ch à 8 000 tr/min et propose un couple démoniaque de 69 m.kg dès 6 000 tr/min et dès 1 000 tr/min, ce sont déjà plus de 50 m.kg qui sont disponibles ! Bien que puissant, ce gros V-12 avoue 25 % d'émissions polluantes en moins que l'ancienne génération de 12-cylindres en V grâce au système HELE (High Emotions Low Emissions) qui intègre entre autres la technologie Stop&Start et des collecteurs d'échappement 6 en 1 hydroformés, une technologie issue de la F1. Quant à la consommation, elle baisse aussi par rapport à la 612 Scagliati puisqu'elle est en moyenne de 15,4 l/100, soit 5 litres de moins, une belle performance pour un break de chasse qui offre 120 ch de plus !

FF

Caractéristiques

Moteur :
V12 à 65°, 48 soupapes,
2 × 2 arbres à cames en tête
+ calage variable en continu

Cylindrée :
6292 cm³

Alésage et course :
94 × 75,2 mm

Compression :
12,3 à 1

Puissance :
660 ch à 8 000 tr/min

Commande de soupapes :
Double arbre à cames en tête par rangée de cylindres, quatre soupapes par cylindre

Système essence :
Injection électronique intégrale et injection directe

Transmission :
Boîte robotisée F1 à sept vitesses, 4 roues motrices avec transmission à double embrayage

Suspension avant :
Suspension indépendante des roues avec SCM3 à contrôle d'amortissement magnétorhéologique

Suspension arrière :
Suspension indépendante des roues avec SCM3 à contrôle d'amortissement magnétorhéologique

Freins :
Freins à disques ventilés en matériaux composites fibre de carbone céramique, étriers Brembo, ABS/EBD, ESC

Roues :
Jantes en alliage léger à 5 branches

Poids :
1790 kg à sec, 1880 kg en ordre de marche

Vitesse maximale :
335 km/h

Année de construction :
Depuis 2011

458 Spider

La Ferrari 458 Spider n'est pas une nouveauté à part entière puisque l'on retrouve la ligne effilée du coupé 458 Italia repris dans sa totalité. D'ailleurs, lorsque le toit rétractable est déployé, il devient presque difficile de différencier les deux modèles, si l'on excepte la disparition de la généreuse lunette arrière couvrant le moteur présent sur la 458 et qui disparaît ici au profit d'un capotage abritant le toit. De même, un œil averti notera que le pare-brise du spider est différent et ne plonge pas sous le capot avant comme sur la 458 Italia. Mais ce qui fait la différence, c'est bien la possibilité de rouler cheveux aux vents ! *A priori,* il paraissait difficile de concilier un toit rétractable dans un coupé deux places à moteur central arrière et, pourtant, les ingénieurs de Maranello y sont parvenus et la Ferrari 458 Spider peut s'enorgueillir d'être le premier cabriolet à moteur central arrière doté d'un toit rigide rétractable.

Le toit escamotable est un élément entièrement en aluminium dont le poids a été réduit de près de 25 kg par rapport à un toit rétractable classique. Il se déploie et s'efface en seulement 14 secondes et vient prendre place à plat dans un logement supérieur spécifique à l'arrière des sièges. Parallèlement, pour éviter les remous d'air, entre les deux appuie-tête (qui intègrent aussi les barres antiretournement), une lunette arrière électrique dont la hauteur s'ajuste électriquement sert de brise-vent et permet même de converser sans problème à plus de 200 km/h. Le fait que le rangement du toit occupe un espace supérieur réduit a aussi permis de libérer de l'espace derrière les sièges pour y loger quelques menus bagages.

L'ajout d'un toit rétractable et de son mécanisme a légèrement accru le poids à sec de la Ferrari qui passe à 1 430 kg (soit 50 kg de plus que sur l'Italia), mais cela ne grève en rien les performances du spider qui conserve le même moteur V-8 de 570 ch lui permettant de passer de 0 à 100 km/h en 3,4 secondes. L'on note toutefois qu'un sérieux travail a été effectué pour réduire davantage la consommation et les émissions polluantes, le Spider bénéficiant en effet du système HELE (High Emotion Low Emission) qui a permis d'abaisser la consommation moyenne de carburant à 11,8 l/100 km (contre 13,7 pour la 458 Italia) et limiter les émissions de CO_2 à 275 g/km (contre 307 g/km). L'ajout du toit n'a en rien modifié la répartition des masses qui reste de 42 % sur l'avant et de 58 % sur l'arrière. À bord, l'on retrouve l'ambiance tout cuir noir des Ferrari supercar, mais toute une série d'options permettent de profiter au mieux de son spider : sièges électriques, radar ou caméra de recul, sans oublier toute une série d'équipements racing à base de carbone (pack racing, extracteur ou bas de caisse) qui font sérieusement augmenter le prix total.

458 Spider

Caractéristiques

Moteur :
V8 à 90°, 32 soupapes,
2 × 2 arbres à cames en tête
+ calage variable en continu

Cylindrée :
4 499 cm³

Alésage et course :
96 × 83 mm

Compression :
12,5 à 1

Puissance :
570 ch à 9 000 tr/min

Commande de soupapes :
Double arbre à cames en tête
par rangée de cylindres,
quatre soupapes par cylindre

Système essence :
Injection électronique intégrale
et injection directe

Transmission :
Boîte robotisée F1
à sept vitesses

Suspension avant :
Suspension indépendante
des roues avec double
triangle superposé,
ressorts hélicoïdaux
et amortisseurs télescopiques,
stabilisateur électronique

Suspension arrière :
Suspension indépendante
des roues avec multibras,
ressorts hélicoïdaux
et amortisseurs télescopiques,
stabilisateur électronique

Freins :
Freins à disques ventilés
en matériaux composites
fibre de carbone céramique,
étriers Brembo, ABS

Roues :
Jantes en alliage léger
à 5 branches

Poids :
1 430 kg à sec, 1 535 kg
en ordre de marche

Vitesse maximale :
320 km/h

Année de construction :
Depuis 2011

F12 Berlinetta
2013

La F12 Berlinetta est en 2013 le porte-étendard de la marque au cheval cabré. Il s'agit ni plus ni moins de la plus puissante des Ferrari de série produite jusqu'à nos jours. Les premières photos de ce coupé d'exception ont circulé dès la fin de février 2012 puis la Berlinetta a pu être examinée sous toutes ses coutures lors du Salon international de l'automobile de Genève 2012.

Si la F12 retient le moteur V-12 longitudinal transax le (avec moteur avant et boîte à l'arrière) et avoue un petit air de 599 GTO et de FF, elle n'est pas une simple évolution de ces modèles puisqu'elle remplace en fait la 599 GTB Fiorano. Le moteur ne se contente en effet pas d'afficher juste quelques chevaux supplémentaires, la cavalerie faisant un sérieux bond en avant. Avec 670 ch, la 599 GTO était bien loin d'être ridicule, mais la F12 affiche désormais 740 ch et le couple progresse encore, atteignant des valeurs dignes d'un camion (70 m.kg à 6 000 tr/min) dont 80 % sont disponibles dès 2 500 tr/min. Le moteur n'est toutefois pas celui de la 599 GTO, mais le V-12 de 6 292 cm³ de la FF avec un taux de compression de 13,5 à 1 (12,3 à 1 sur la FF). La Berlinetta reste pourtant une deux roues propulsives (elle n'a en effet pas opté pour les quatre roues motrices de cette même FF), mais elle récupère une partie de la cinématique de la FF comme le double embrayage. Comme il est d'usage chez le constructeur, cette puissance reste issue d'un bloc à alimentation atmosphérique, dépourvu de toute suralimentation. Le carter inférieur a été repensé pour abaisser le centre de gravité et l'ensemble du moteur est fixé dans le châssis 30 mm plus bas que sur la 599 GTB Fiorano. Un soin particulier a été apporté à la réduction des frictions des pièces moteur pour limiter leur inertie lors des montées en régime. L'allumage est de type multiétincelles avec trois étincelles d'intensité et de durée différente lors d'une même phase. Cet allumage homogénéise la combustion (pratiquement l'intégralité du mélange est brûlée) avec, à la clé, davantage de puissance et aussi une consommation abaissée de 30 % par rapport de la Ferrari 599 GTB grâce, entre autres, au système HELE Stop&Start. Ferrari tient en effet désormais à produire des voitures nettement plus respectueuses de l'environnement. Pour les ingénieurs, un tel cahier des charges est un véritable casse-tête car un V-12 reste inévitablement plus gourmand qu'un 4-cylindres de berline moyenne, mais de réels progrès ont été réalisés.

Outre l'impressionnante puissance, la F12 se démarque par une cure d'amaigrissement qui a permis d'alléger le châssis. Certes, les différents alliages d'aluminium employés y sont pour quelque chose (les techniques de moulage d'alliages légers sont désormais parfaitement maîtrisées par la marque qui fait appel aux nouvelles méthodes de moulage à chaud), mais la F12 Berlinetta avoue aussi des dimensions plus modestes que les anciennes 599 : avec 4 610 mm de long, ce coupé est ainsi 47 mm plus court, mais 20 mm plus large, tandis que la hauteur maxi a été abaissée de 63 mm. Sur la balance, la Berlinetta est ainsi 70 kg plus légère, dont 50 kg ont été gagnés uniquement sur le châssis qui, au passage, voit sa rigidité augmenter de 20 % par rapport à la 599 GTB ! Et, si l'on parle chiffres, la F12 enterre les modèles précédents : plus de 340 km/h de vitesses de pointe, un 0 à 100 km/h en 3,1 secondes et un 0 à 200 km/h en 8,5 secondes… Et, sur le circuit de Fiorano, là où la 599 GTB boucle le tour en 1'26.5", la F12 s'enorgueillit d'un 1'23", soit près de 3,5 secondes de moins.

Mais il n'y a pas que le moteur qui a été dopé. La voiture a été repensée en termes aérodynamiques. Le centre de gravité a été rabaissé (25 mm) et légèrement recentré vers l'arrière (la répartition des masses passe à 54 % sur l'arrière, contre 53 % sur la 599 GTB) tandis que la section frontale a été réduite. Par rapport à la 599 GTB, le bloc-moteur est fixé plus bas de 30 mm dans le châssis et légèrement plus en arrière. Le porte-à-faux arrière est réduit de 82 mm, mais celui à l'avant augmente de 65 mm car, sous le long capot, il a fallu loger de nouveaux systèmes de refroidissement. La charge verticale permettant de plaquer la voiture au sol atteint les 123 kg à 200 km/h, soit un accroissement de 76 % de plus que sur la 599 GTB sans pour autant avoir accru la traînée (le Cx est de 0,29). Outre un nouveau dessin des spoilers, l'on notera l'arrivée d'extracteurs d'air au niveau des freins équipés de clapets qui laissent passer l'air sauf lorsque les freins sont très sollicités. L'électronique n'est bien sûr pas absente : la boîte de vitesses robotisée F1 Trac en position arrière, équipée d'un différentiel électronique intégré E-diff 3, la suspension magnétorhéologique à deux ressorts de troisième génération SCM-E, le contrôle électronique de stabilité ESC, le freinage carbone-céramique avec antiblocage ABS couplé au répartiteur de freinage électronique EBD, etc.

Cette compacité ne s'est pas faite au détriment de l'espace à bord. Les personnes jusqu'à 1,95 m se sentiront à l'aise et le volume de chargement de 320 litres passe à 500 litres en ajoutant l'emplacement des bagages juste derrière les sièges. La finition intérieure avec cuir Poltrona Frau est certainement la plus belle jamais réalisée sur les Ferrari modernes. L'aménagement intérieur reste très proche de celui de la 458 Italia : le conducteur bénéficie bien sûr d'un volant avec « manettino », cette molette permettant de régler le degré d'intervention des aides à la conduite. Le passager a lui aussi droit à quelques infos grâce à un écran digital emprunté à la nouvelle FF. D'origine, la F12 Berlinetta est disponible en Rosso Berlinetta ou Aluminium, mais il existe toute une palette de couleurs métalliques ou non, sans compter les teintes Ferrari historiques comme l'Azurro California (un bleu clair) ou même un Verde British Racing qui plaira sans aucun doute aux Tifosi d'outre-Manche. Parée de tels équipements et d'un moteur plus puissant que jamais, la F12 Berlineta est à ce jour pratiquement sans rivale si ce n'est la Lamborghini Aventador, un peu moins puissante (en attendant un nouveau modèle) et surtout un peu plus chère.

F12 Berlinetta

Caractéristiques

Moteur :
V12 à 65°, 48 soupapes,
2 × 2 arbres à cames en tête
+ calage variable en continu

Cylindrée :
6292 cm³

Alésage et course :
94 × 75,2 mm

Compression :
13,5 à 1

Puissance :
740 ch à 8250 tr/min

Commande de soupapes :
Double arbre à cames en tête par rangée de cylindres, quatre soupapes par cylindre

Système essence :
Injection électronique intégrale et injection directe

Transmission :
Boîte robotisée F1 à sept vitesses, double embrayage

Suspension avant :
Suspension indépendante des roues avec SCM3 à contrôle d'amortissement magnétorhéologique

Suspension arrière :
Suspension indépendante des roues avec SCM3 à contrôle d'amortissement magnétorhéologique

Freins :
Freins à disques ventilés en matériaux composites fibre de carbone céramique, étriers Brembo, ABS/EBD, ESC

Roues :
Jantes en alliage léger à 5 branches

Poids :
1523 kg à sec

Vitesse maximale :
Plus de 340 km/h

Année de construction :
Depuis 2013

Édité par :
Éditions Glénat

Éditions Glénat
Couvent Sainte-Cécile
37, rue Servan – 38000 Grenoble

Cet ouvrage est la quatrième édition de l'ouvrage « Ferrarissime » publiée par les Éditions Atlas, complétée d'une nouvelle section entièrement mise à jour (pages 222 à 240).

Textes
Pages 6 à 207 : Brian Laban
Pages 208 à 240 : Francis Dréer

Photo de couverture : F12 Berlinetta

Crédits photographiques
Couverture : © Ferrari S.p.A
Pages 1 à 159 : © Janus van Helfteren et Ian Kuah
Page 160 à 207 : © Ferrari S.p.A
Pages 208 à 239 : © Ferrari S.p.A

Adaptation et réalisation française
SPIRAL (pages 6 à 159)
INITIALES (pages 160 à 207)
CGI (pages 1 à 5, 208 à 240 + caractéristiques des pages 160 à 207)

Imprimé et relié en Chine

ISBN : 978-2-7234-9142-6
Achevé d'imprimer : août 2013
Dépôt légal : octobre 2012

Remerciements
L'éditeur tient à remercier les propriétaires des voitures photographiées dans cet ouvrage qui ont gracieusement apporté leur concours. Remerciements particuliers à Lord Brocket dont la superbe collection de Brocket Hall constitue une part essentielle de ce livre. Et à Steve Gwyther, de Brocket Hall, pour sa compétence et sa patience à toute épreuve ; à Terry Hoyle qui a bien voulu prêter sa collection – et son temps – et partager ses connaissances lors de la préparation de cet ouvrage ; enfin, à Maranello Concessionnaires, très obligeants comme à l'accoutumé. Toutes les Ferrari, des pages 1 à 159, à l'exception de la F40 et de la Testarossa photographiées en Italie, appartiennent à des collectionneurs privés du Royaume-Uni. Toutes les photographies de Ferrari des pages 160 à 239 appartiennent à Ferrari S.p.A. Les photographies d'archives figurant dans l'introduction ont été reproduites avec l'autorisation de Fiat Corporate Communications.

VALENTINO ROSSI

PORTRAIT OF A SPEED GOD

Third Edition

First published July 2005
Reprinted September 2005 and January 2006
Second edition September 2006
Reprinted March 2007
Third edition October 2009

A catalogue record for this book is available from the British Library

ISBN 978 1 84425 833 8

Library of Congress catalog card no. 2009927974

Published by Haynes Publishing,
Sparkford, Yeovil, Somerset BA22 7JJ, UK
Tel: +44 (0)1963 442030
Fax: +44 (0)1963 440001
E-mail: sales@haynes.co.uk
Website: www.haynes.co.uk

Haynes North America, Inc.,
861 Lawrence Drive, Newbury Park,
California 91320, USA

Designed by Lee Parsons

Printed and bound in the UK

Dedication:

To Debs

ACKNOWLEDGEMENTS
With special thanks to: Giacomo Agostini, Gibo Badioli, Katie Baines, Paul Barshon, Mathew Birt, Axle Briggs, Jeremy Burgess, Gary Coleman, Ercole Colombo, Mick Doohan, Alison Forth, Peter Fox, Fermino Fraternali, David Goldman, Patrick Gosling, Charlie Green, Marco Guidetti, Henk Keulemans, Eddie Lawson, Debs Leigh, Phil Long, Michele Lupi, Patrik Lundin, Rossana Marelli (AGV Italy), John Mockett, *Motociclismo* magazine, Jean-Aignan Museau, Ken Nemoto, Andy Pope, Rupert Paul, Carlo Pernat, Michael Scott, Gigi Soldano, Dr Martin Raines, King Kenny Roberts, Graziano Rossi, Stefania Rossi, Valentino Rossi, Michel Turco, Joan Turner, Claudio Vitale and many more

VALENTINO ROSSI

PORTRAIT OF A SPEED GOD

Mat Oxley

Haynes Publishing

Contents

Intro

Valentino Rossi is probably the fastest and certainly the most famous motorcycle racer who has ever walked this planet. He has won a pile of world titles and wooed millions of fans with his magical ability to wring the maximum out of an engine and a pair of wheels.

He's the petrolhead who became a pop star, hopelessly addicted to speed and irresistible to fans of all shapes and sizes: bikers and non-bikers, guys and girls, young and old. He earns his living from a violent and risky business, laying his life on the line, week in, week out, usually looking like he's really just having a bit of a laugh.

Motorsport in the 21st century is very much a science, a slave to the overbearing laws of physics, a digital duel of zeroes and ones. And yet Valentino races with an old-school cavalier swagger, his extraordinary natural ability allowing him to do things with a 210mph motorcycle that would take any normal human being deep into the disaster zone. Watching him at the height of his powers is special – he's totally at one with his motorcycle, melding muscle and metal into a seamless whole, a unique union of man and machine.

We're lucky to be witnessing a remarkable moment in bike racing history. As Carlo Pernat – the man who gave Vale his big break ten years ago – puts it: 'A rider like Valentino is born every 20 years. For me he's similar to guys like Pele, McEnroe, Muhammad Ali or Maradona, people who tower over their sports.' Pernat isn't wrong, Valentino's shadow casts right across motorcycle racing, so that he's almost bigger than the sport itself.

Off the bike he's equally outstanding, with a lust for life that burns so brightly and a rock 'n' roll attitude that distinguishes him from so many of today's ass-kissing sports stars. Valentino is one of those rare people who every day extracts the maximum out of life, but he always gives as good as he gets…

Mat Oxley

London

July 2009

MILAGRO

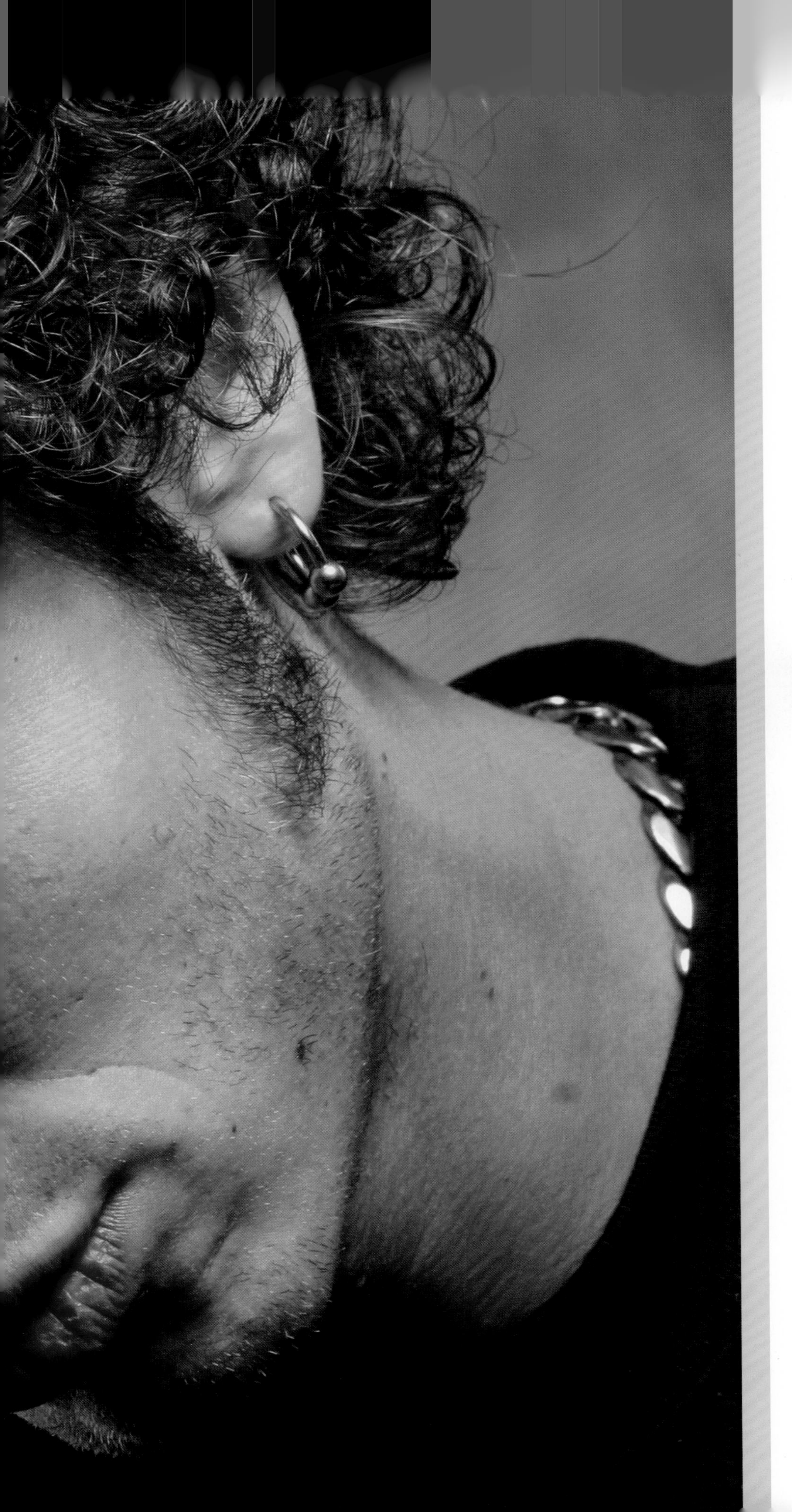

BEING VALENTINO

It's not just about being fast...

Valentino Rossi is a fan of the late Steve McQueen. There are obvious parallels between the lives of the World Champion bike racer and the uber-cool Hollywood actor. Valentino likes to live fast and loose, just like McQueen did. He's addicted to speed, just like McQueen was. He parties hard, just like McQueen did. His career is driven by an appetite for fun and revenge, just like McQueen's was. And he has that same conviction of greatness, that same unflinching self-confidence of someone who knows he's really good, just like McQueen had.

McQueen was an accomplished dirt bike racer, good enough to race for the USA's world enduro team. Quite simply, he lived for speed, just like Valentino does. 'All the racers I know race because it's something that's inside of them,' McQueen said. 'They're not courting death. They're courting being alive.' McQueen had a term for guys he ▶

◀ It's a tough life, this GP racing. Valentino on holiday in Tunisia in '98. The big grin belies a troubled soul – he was midway through his first 250 season, crashing too much and getting eaten alive by the Italian media.
MILAGRO

► really respected – 'he's full of juice,' he'd say – and he would certainly have appreciated the fact that Valentino is so full of juice he bubbles over, with enough of the stuff to touch the lives of millions. He radiates a lust for life that most human beings can't help falling for, just like McQueen did back in the '60s and '70s.

Of course, there are contrasts between these two gods of speed and cool. McQueen spent most of his life acting or playing the fool and the rest of his time racing motorcycles. Rossi spends most of his life racing bikes and the rest of the time acting up or playing the fool. But had they been able to spend time together they would've perfectly understood each other. They would've spent their days thrashing around on dirt bikes, getting into deep discussions about tyre compounds and suspension settings, and their nights getting drunk and talking nonsense. Because that's what being Valentino is all about: race hard, play hard.

He's certainly no longer the impish boy racer who had a smile for everyone, even his most belligerent 125 and 250 rivals. These days he's a grown man in a tough world, and perhaps the McQueen fetish is all about growing up. Look at Valentino now, he's no more the playful kid with the trance cadet hairdo, he's gone all rugged, unkempt and unshaven, like a grown-up who's got better things to worry about than preening and polishing. And on the track he's no longer boy wonder, he's a heavyweight fighter. That vicious clash with arch-rival Gibernau at the 2005 Spanish GP proved that.

But people who balk at this more macho Valentino should remember that he competes in one of the cruellest, most vicious sports – a world of corporate overkill in the paddock and sudden death on the racetrack. It's not the kind of world you pass through without making enemies, and if you can use your enemies for motivation, then why not?

Like McQueen, Valentino is one of those people who always gets the maximum out of life. And like Vale, McQueen was good at making enemies. McQueen was also well-known for taking risky roles at the height of his commercial powers, just like Valentino. Vale loves laying it on the line, taking risks, because he's courting being alive. Someone once said of McQueen: 'He didn't die wondering.' Neither will Valentino… ■

◀ The king indeed. Italian *Rolling Stone* dressed Valentino like Elvis and put him on its cover in December 2003. Editor Michele Lupi is a mate of Vale's and spends much time trying to educate the youngster in the ways of the rock 'n' roll lifestyle.
ROLLING STONE

‘Racing is life, the rest is just waiting’

Steve McQueen,
Le Mans 1971

Valentino waiting to race, Rio, July 2004. On this day he needn't have bothered – he ended up crashing out. MILAGRO

YAMAHA
YAMAHA
YAMAHA

Valentino hasn't had a steady girlfriend for a while. And he hardly ever brings girls to races. They appear occasionally but never for very long – he seems to be enjoying the young, free, single lifestyle. 'When you make this life is very difficult to have a girl,' he says. 'If you bring her to a GP maybe she's bored, so I stay alone at races, is better. Then when you stay one week at a racetrack, you come back home and you have some power to use, you need to have fun, go out with friends, go to the disco, but your girlfriend has just stayed one week doing all this, so when I come home, she say 'can we see a movie?'. So is difficult.'

Not that that has stopped him from enjoying the attentions of the gentler sex. 'We really enjoy having so many girls around!' says Vale's best mate Uccio. 'Maybe some top riders or superstars worry "is this girl coming to see me because I'm famous or does she really like me?", but Valentino doesn't think like that, he always says "I don't care why she's coming to see me, I'm just happy that she's coming".'

Former Aprilia GP boss Carlo Pernat has always been amazed at Vale's ways with the ladies. 'I've never seen so many girls around a rider, maybe Sheene or

▲ The Valenteenyboppers go nuts at Mugello '98. He was only just beginning to get used to all the fuss.
MILAGRO

► You wouldn't find many macho bike racers happy to hang out with a tranny. Vale sharing a laugh with notorious Italian DJ Platinette at Imola 1999.
MILAGRO

Lucchinelli (hard-partying premier-class stars of the '70s and '80s) but never so many,' he says. 'Valentino doesn't like to stay with a girl more than two or three months. He lived like a kid then and he lives like a kid now, with the same friends, the same way of life. After the racing is finished it's impossible to find him, no-one knows where he goes, maybe he's in London, maybe he's in a disco with some friends he's known since he was a boy. He never changes, he doesn't want to be famous, he doesn't want a movie-star girlfriend, he doesn't want to be in the papers with famous people.' ■

▲ Who's that girl? Valentino keeps his private life private, but this mystery lady turned up to spend some time with him at Le Mans 2004.

GOLD AND GOOSE

▲ Breakfast of a champion, breaking his fast with half-brother Luca at mum's house in Tavullia. This is where he goes to escape the stresses of his high-speed life.
VITALE

► Vale never takes himself too seriously, which is why his personal logo is a super-slow tortoise. He has a sticker of the tortoise on the yokes of his M1 and a tattoo on his belly.
GOLD AND GOOSE

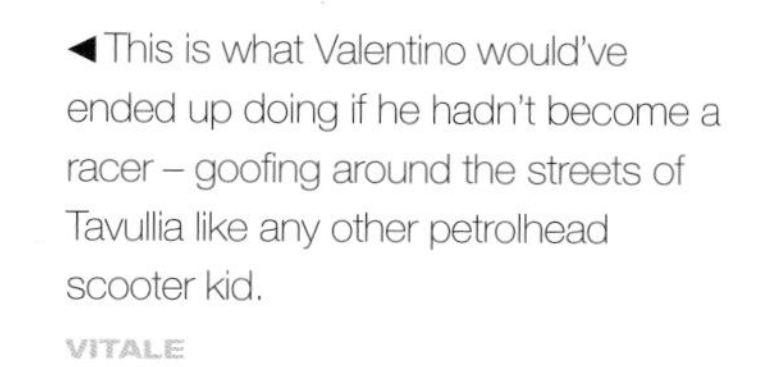

◄ This is what Valentino would've ended up doing if he hadn't become a racer – goofing around the streets of Tavullia like any other petrolhead scooter kid.

VITALE

▲ He's a real doctor, you know. Receiving a doctorate in communications and publicity from the ancient university of Urbino, the city of his birth, in May 2005.

FRATERNALI

Touch and ye shall be touched. The Yamaha crew pay homage after Valentino's runaway win at Estoril, 2004. This was the victory that started the final push to his greatest world title success. Note white-haired manager Gibo and best mate Uccio, with yellow visor.

MILAGRO

una
AHA
YAMAHA
MOTUL
KERA
46

▲You could never say 21st century Valentino isn't cool. But he definitely didn't used to be. Funny, yes, daft, definitely, charming, sure, but cool? Nah.

MILAGRO

►A good yawn introduces extra oxygen to the system, which is why some racers yawn like crazy while waiting on the grid, even though they're most definitely not bored. But this is Valentino being bored…

MILAGRO

◄In the spring of 2003, with the US/UK invasion of Iraq ready to roll, most MotoGP riders kept quiet about the coming carnage, perhaps wary they might upset a corporate sponsor or two. Not Valentino. He was loud and proud on the issue: 'Peace – make love, not war' was the message.

MILAGRO

► If he were a teenager now, he'd wear a hoodie and be the proud owner of an ASBO.
VITALE

► A word in your shell-like. Graziano gives his boy some sensible advice.
VITALE

◄The Tavullia tobacconist – like most of Tavullia – is a shrine to Valentino and his achievements.
VITALE

◄'Hello, is that the Tavullia council graffiti unit? Some kids have made a real mess of this wall in the town square.'
VITALE

'Very decisive man, great hands, full of personality'

Palmist Joan Elizabeth

Palmist Joan Elizabeth read Vale's hands, knowing only that they belonged to a bike racer, nothing more. 'His past lifeline curves round the base of the thumb. Nothing to do with longevity; it's how a person lives their life. This chap is very independent. Childhood may not have been an easy time. It's not a criticism of parenting; his very strong, independent spirit made him someone who wasn't easy to parent. It seems his life has gone in blocks, with some difficulties.

'He's unsure – not from his lack of commitment but other people's. With that sorted I see him zooming into the future in a controlled way; this chap has control over his life. Something of a temper I'd suggest, but he's probably only lost it once or twice because he likes to be in control.

'I know he's a racer but I have to say I'm surprised. It's almost as if he got into what he's doing by default. I'd assumed that, because of the strong determination in his hands, he'd be very clear about what he's doing. In fact there seems to be a sort of vagueness. He probably found that he was very gifted and thought "I'll have a go". One day he'll wake up and say "I've had enough of this", and do something completely different. It'll certainly be creative. He's a very intelligent chap who could choose any career.

'Whatever he does needs movement, people, changes. Repetition is like death to him. A very emotional man too; his heart line shows more than his share of emotional events, some of which he's vowed never to repeat. He's built a strong defensive mechanism around him.

'He has a very sympathetic nature, but he likes to get on with it. Money-wise there's strong financial security. He's a very intuitive man who sums up people quickly. He doesn't suffer fools gladly. I wouldn't like to get on the wrong side of him. He may have a lot of acquaintances but very few real friends. If he makes a friend, that's it, you've got him for life.'

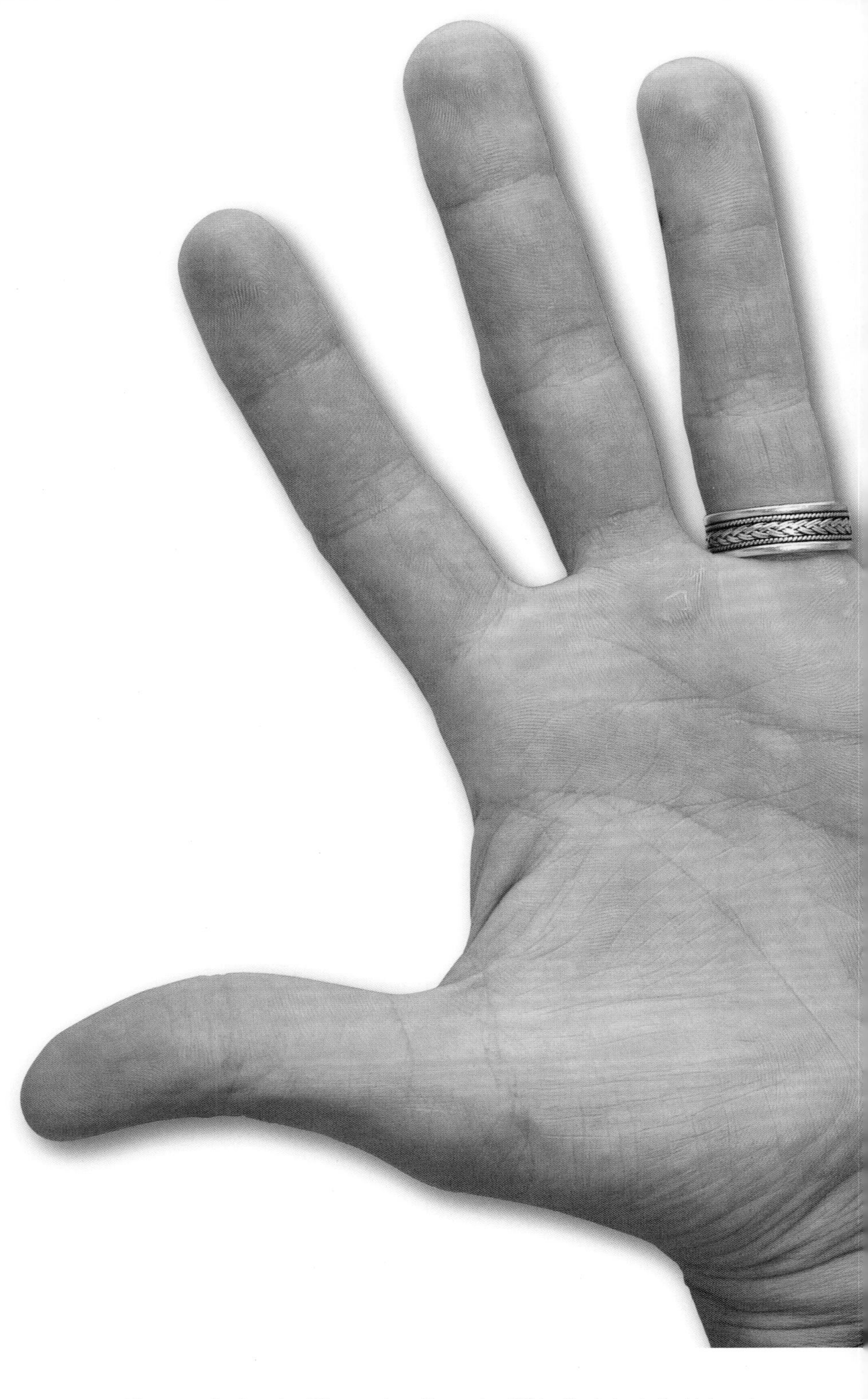

These are the hands of the master – the parts of Valentino's body that interact between his amazing racing brain and his motorcycle. They're not the gnarled hands of some veteran GP campaigners and they're not the hands of a builder, all sausage fingers and podgy palms. If anything, they're the hands of an artist, which fits Rossi's highly graceful style of riding.

Most interesting of all, Vale is left-handed. Left-handed people are said to use their brains differently from the majority; for example, they're supposed to benefit from greater integration of both brain hemispheres in processing information. They're also supposed to be more creative, which might explain Rossi's ability to

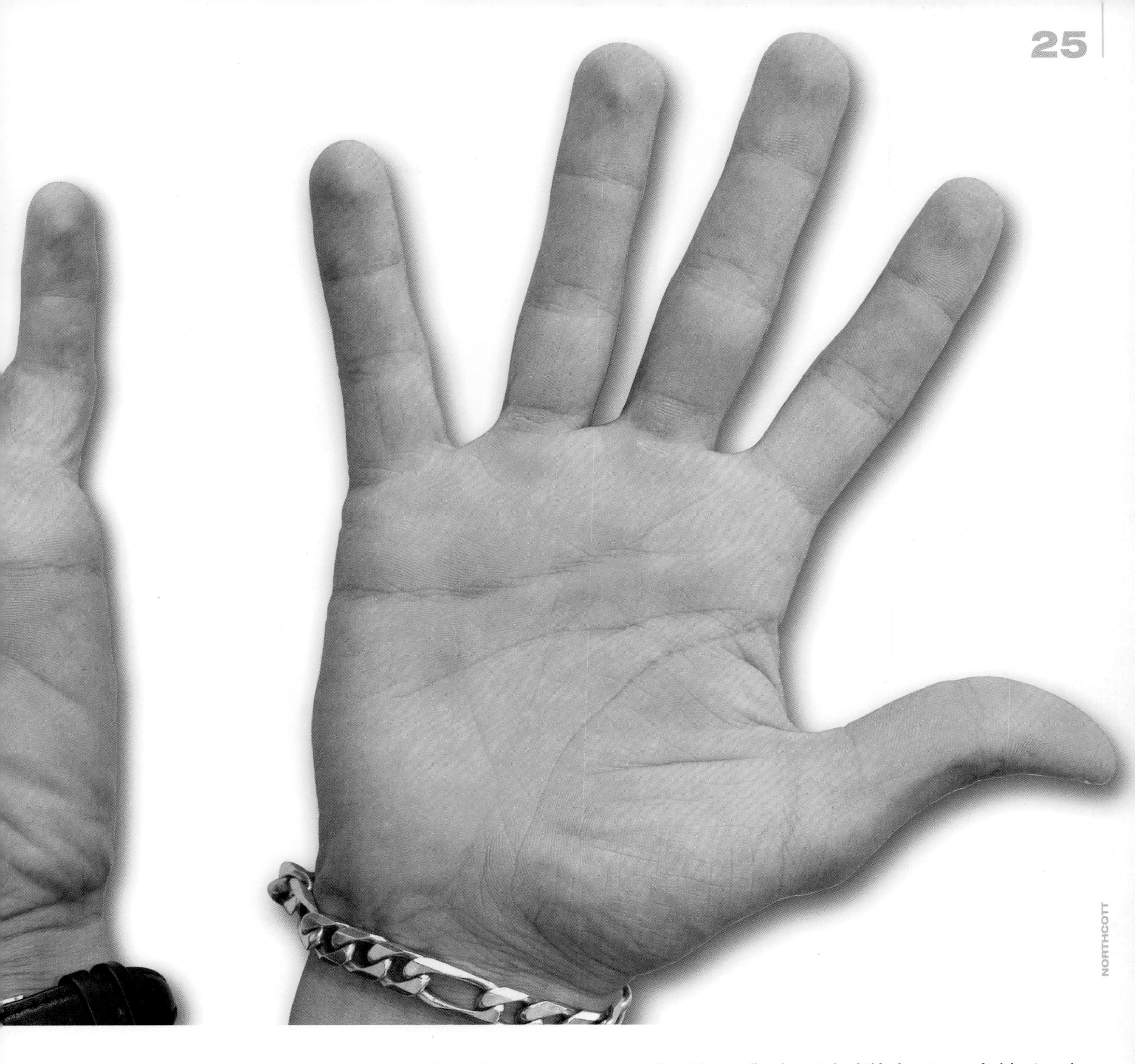

NORTHCOTT

conjure up unusual racing lines that few rivals seem able to attempt. He's in good company here – football legend Pele is left-handed, and so were F1 racer Ayrton Senna, Jimi Hendrix, Napoleon and Michelangelo.

So far (touch wood) Valentino has been pretty lucky injury-wise, so his hands aren't as wrecked as those belonging to many motorcycle racers. He's one of those riders with an apparent ability to bounce, tumble and roll without incurring major physical damage. Some riders are like that and no-one is really sure why – is it an innate talent to crash well, or do these riders have stronger bones and more flexible joints than other less fortunate riders?

But his hands have suffered somewhat in his dozen years of minimoto and Grand Prix racing. The little finger on his left hand is a bit of a mess. He broke the digit when he crashed out of a 125 European championship race at Assen in 1995 and the lower two bones have since fused together, leaving a nasty, crooked pinkie. 'I crash very much in '95 and '96, maybe 20 times.'

And Valentino's hands do suffer from the day-to-day rigours of high-speed motorcycle racing. The tops of his palms are hard and calloused, like the soles of a barefoot walker's feet, from gripping the handlebars like his life depends on it (which it does, of course). ■

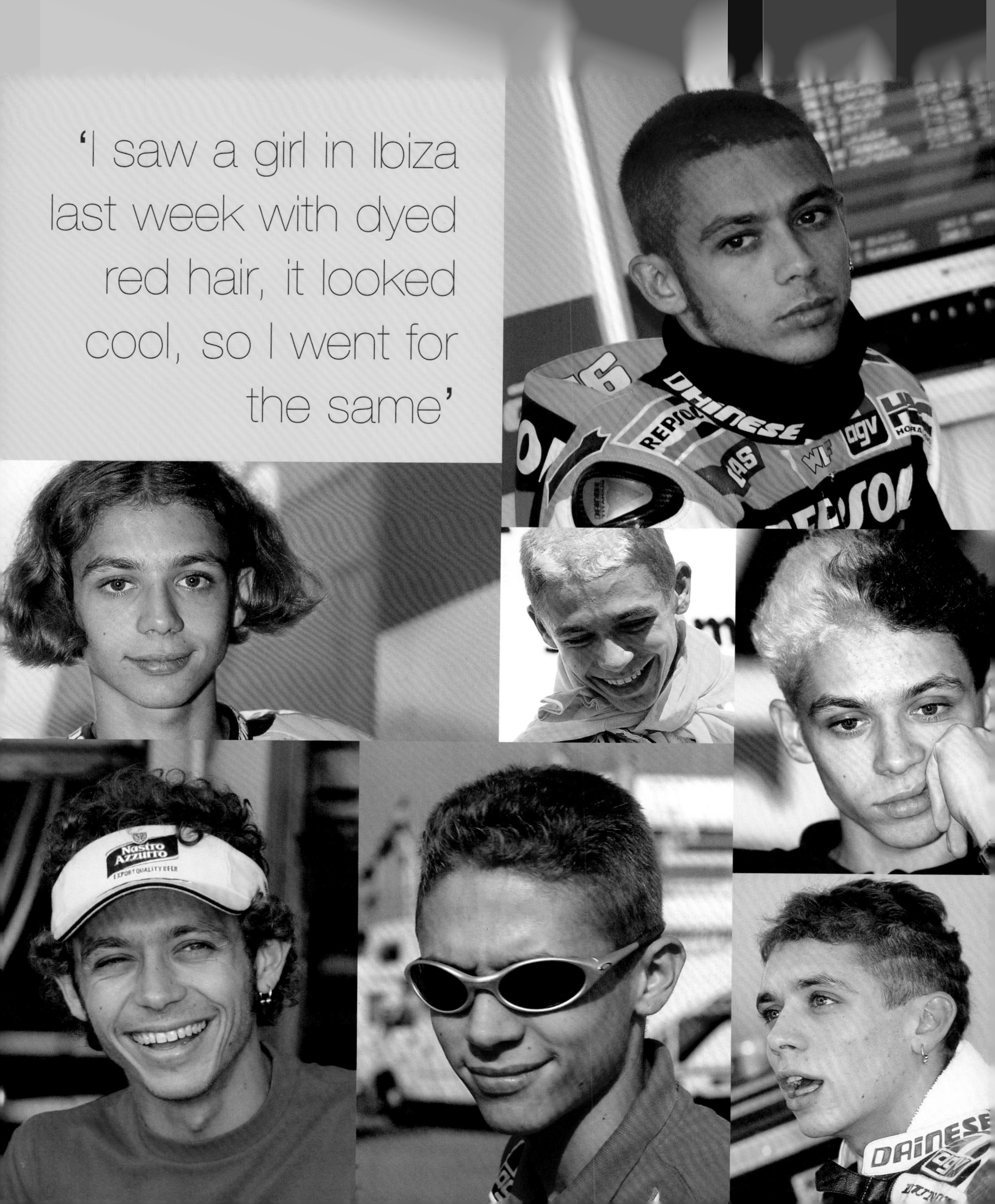

'I saw a girl in Ibiza last week with dyed red hair, it looked cool, so I went for the same'

HAIR ROSSI

Valentino's decade of cool and not so cool coiffures

Valentino is a master of the makeover, a one-man boom for the hairdressing industry. His tonsorial adventures have veered this way and that, from red to green, from blue to orange, from black and white to red, white and green. But what do they tell us about the man? Does each hairdo suggest the ever-changing moods of a mercurial spirit? Nah, they all tell us the same thing – that the man likes a laugh and that he doesn't want to be taken too seriously. ■

Photos:
GOLD AND GOOSE, KEULEMANS

polini
Nastro Azzurro
aprilia
DUNLOP
agv
DAINESE
domino
alpinestars
RINGO
46

VICTORY VALENTINO

Victory always means one thing for Vale – party time

The Mad Hatter and the crazy little 125 rider get the party started at Brno '97. Vale has just won his first world title and what better way to celebrate than by strapping a giant *numero uno* to his back. Note Uccio with shades on head.

GOLD AND GOOSE

▼Valentino had the Jerez crowd in hysterics… and disappeared into this Portaloo. He repeated the gag a decade later when he won the 2009 Jerez MotoGP race.
GOLD AND GOOSE

Valentino's wacky victory celebrations won him tens of thousands of fans long before his riding genius became fully apparent to the world. Right from the start in '97, Vale, Uccio and their mates put serious effort into their post-race pranks.

Uccio: 'I was one of ten people who would meet on Tuesdays before races to organise the gag. Then I would arrive at the track on Wednesdays to find a nice place to do the gag. We bought the plastic sheeting for the 'Superfumi' cape and made it ourselves for Assen '97. At Mugello that year Valentino rode his victory lap with a blow-up doll. We had that idea at Mugello, so we rang someone from the fan club to buy a blow-up doll from a sex shop!'

Vale: 'The gags are just a game, just some fun with the people in my fan club. The ideas usually came to us in a bar in Tavullia at two in the morning.'

Graziano: 'Valentino's victory gags aren't so much for the fans, they're more for his friends and the fan club, they're important to improve his relationship with the people who are behind him, the people who love him. The gags show that he's very different from other riders. My favourite was Jerez in '99, when he stopped on the victory lap and went into a marshal's toilet.'

►'Sorry mate, it may be a little too late for a urine sample.' Goggle-eyed on champagne, Vale gives the Aussie GP official the bad news. Phillip Island will probably never forget the party that followed his 2004 title-winning ride.
MILAGRO

▼ 'Who do you think you are, son, Valentino Rossi?' Vale's fan club, dressed as Italian speed cops, nick their hero after he'd won the 2002 Italian GP. And he'd only been doing 210mph down the start-finish.

MILAGRO

▲ Valentino reckoned the media gave him such a hard time after a run of mediocre results during 2003 that they'd put him on the chain gang. Czech GP victory gave him his jailbreak.

MILAGRO

▼ Vale donned this cape after winning the '97 Dutch 125 GP. The Superfumi tag came from his first racing nickname, Rossifumi, which came from Japanese GP star Norifumi Abe. Got that?

GOLD AND GOOSE

► Smoking is bad for your health but the people love it anyway. Vale gets another rolling burn-out started at the Sachsenring.

GOLD AND GOOSE

◀ It's 2002 and Brazil has just won the world cup in Japan. Meanwhile in Rio, Vale has just won the MotoGP world title. Cue some wild football-style celebrations.
GOLD AND GOOSE

▲ When Vale won his 100th GP victory at Assen 2008 he unfurled a huge banner recording each of his previous 99 wins. Next stop: Giacomo Agostini's all-time record of 122 wins!
GOLD AND GOOSE

▲ 'What's my number?' Just in case anyone wasn't already sure, Vale and his coterie remind the masses after winning the 1998 Imola 250 GP.
GOLD AND GOOSE

GAULOISES
YAMAHA
GAULOISES
YAMAHA
Rossi
agv
DAINESE
GAULOISES
YAMAHA
GAULOISES
YAMAHA
MOTUL
MICHELIN

The man with a plan. Vale and his crew at Sepang, winter tests, November 2004 (left to right): Brent Stephens, Alex Briggs, Matteo Flamigni, JB, Vale, Bernard Ansiau, team boss Davide Brivio, Gary Coleman.

GOLD AND GOOSE

ROSSI POSSE

The people who help make Valentino great

'As a guy to work for, you'd struggle to find someone better. If anything goes wrong with the bike he doesn't hold grudges with anyone, he knows that's just racing. He always puts more emphasis on the race side of things – watch how many laps he does on race set-up and race tyres during practice.'

Brent Stephens, mechanic

'Big-head syndrome hasn't come into his life, not as far as I can see, anyway, I think his mates keep him straight there. He's great because he never gives up and he's very apologetic if he doesn't win. Downsides? He's got too many fans, so it's bloody hard to get in and out of the garage!'

Gary Coleman, pit assistant

'He never says a bad word and he never complains. He's a lot of fun, a nice person to work with – which is sometimes surprising because some riders aren't so nice.'

Bernard Ansiau, mechanic

▼ Thick as thieves since they were five: Valentino and Uccio.
GOLD AND GOOSE

'We have been friends since we were five. We used to race each other on minimotos, but I stopped after that and started going to races with him. I always knew he was very fast but I never imagined the future, we were too young to notice that he might be a really good rider. In '96 and '97 I was amazed at what was happening. We had never imagined how big our adventure would become, but I was very happy that Valentino realised his dream. To this day our relationship has never changed, but he has changed in the way he relates to the media, the fans, the people who aren't around him all the time.'
Uccio Salucci, best mate and right-hand man

'I'm very happy for him. My own feeling is more joy than pride, I'm not a proud person. Every time he achieves another success it's a pleasurable surprise but I will always remember him winning the 125 title in '97. We shared this camper all summer and we were always fighting. It was terrible because he cannot go to bed before one o'clock, it's impossible for him, then I had to wake him up in the morning… the most difficult job in the world! I had to wake him once, twice, three times. In the end I had to get his engineer to do it.'
Graziano Rossi, father

◄ She brought him up well – Vale celebrates his 2004 title with mum and half-brother Luca.

MILAGRO

'The thing I really like about him is the personal stuff. If I had to tell you what's his best quality, it wouldn't be his riding talent.'

Stefania Rossi, mother

▼ Ahhhh… Valentino and his dad have always been close.

MILAGRO

▼ Vale and Axle spend their winters performing in front of empty grandstands – MotoGP's not-so-glamorous side.
GOLD AND GOOSE

'Ask most race mechanics what they think of their riders and a lot of them will say they're pricks, but Valentino's a great person. Within the first week of knowing him, he knew about me, about my family, he knew all of that. And he just loves all kinds of racing: bikes, rallying, F1, anything to do with engines. Watch some rallying on TV with him and he squeals with delight watching a car get sideways through a corner, he just loves it all.'
Alex 'Axle' Briggs, mechanic

► 'Then she said...' Vale amuses JB, Uccio and Matteo during a lull in winter testing, Phillip Island, January 2005.
GOLD AND GOOSE

‘He has the mental capacity to take on board more than the other guys’

Jeremy Burgess

‘He has better application and better understanding than any other rider I’ve worked with. And he has the mental capacity to take on board a lot more than perhaps other guys out there, so he’s got the confidence in himself and in us to get the bike right leading into a race, when most riders are reluctant to make changes to the set-up.’
Jeremy Burgess, crew chief

‘It’s interesting to see how he rides in different conditions. When the bike isn’t 100 per cent he modifies his riding style to get the best out of it. The data shows us how he uses the brake and throttle differently, how he uses different lines to make the best of any situation. He’s always very logical in the pits, so he’s easy to work with.’
Matteo Flamigni, data technician

▲ Getting to the heart of the matter – Valentino, JB and Matteo discuss set-up options at the 2004 German GP.
BARSHON

1997 – 125 WORLD CHAMPIONSHIP

◀ Things always used to seem more simple – this lid is straightforward by Vale's standards: sun and moon with the red, white and green of the Italian flag. All Vale's helmet designs are done by graphic designer Aldo Drudi, an old mate of Graziano's.

PEACE & LOVE – 1999 ITALIAN GP

▼▶ Valentino adopted a Peace & Love theme for his ride in the 1999 250 Italian GP. Turquoise inlaid into his usual sun and moon theme, along with a CND peace logo and his alter ego Valentinik firing flowers from a laser gun.

2001 ITALIAN GP

◄▲ A Hawaiian shirt on his head – the blue and white Hawaiian design is possibly Vale's most famous helmet.

ROSSI LIDS

Valentino has always been big into graphic design. No better way to illustrate that than with a decade's worth of his AGV helmets

2001 – 500 WORLD CHAMPIONSHIP

◄► Rear of 2001 lid includes a snapshot of Vale's graphic past (from left): the original number 46, Rossifumi, the sun, Valentinik, the moon and his 250-title-winning logo.

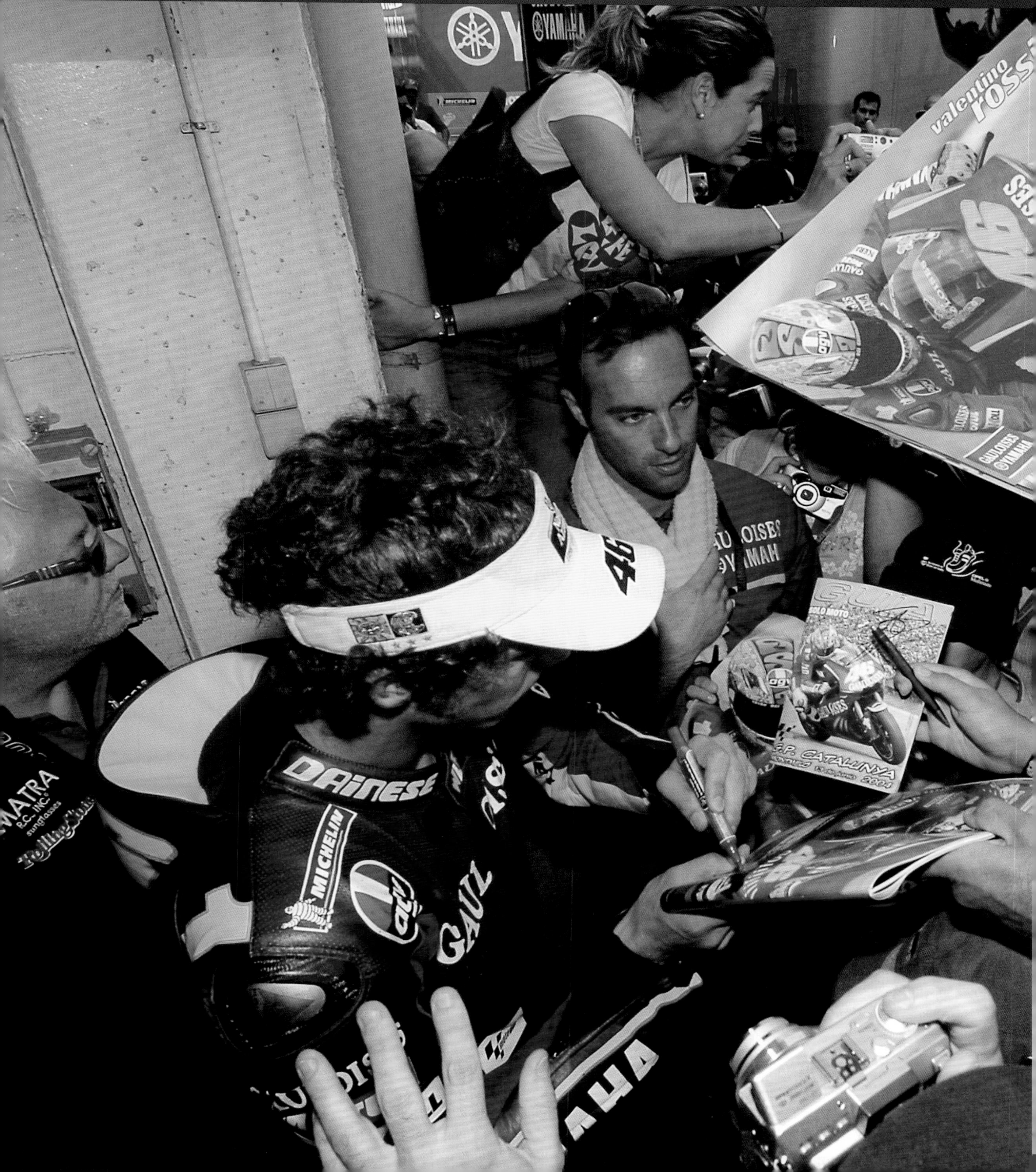
valentino rossi
DAINESE
MICHELIN
GAUL
G.P. CATALUNYA

ROSSI RELIGION

It's a very special kind of Sunday worship

Sunday morning, Catalunya 2004 – just another normal moment in the life of Valentino Rossi. Out the back door of the pits and he's mobbed by fans. By the time most riders are back in their motorhomes and in the shower, Vale is still working the felt tip. Former manager Gibo Badioli (grey hair, left) and minder Max (with yellow towel around his neck) are ready to pounce on anyone getting too keen.

MILAGRO

► Some girls are prepared to do anything to get their man.
HENK KEULEMANS

▲ The supporters' club make some noise up on the hill at Mugello.
GOLD AND GOOSE

► This man is a very, very big fan of Valentino Rossi. Some day his back will be worth a lot of money.
GOLD AND GOOSE

► Frankly rather worrying – an Aussie fan wears his heart in his hairdo.
GOLD AND GOOSE

▼ The yellow peril: Rossi fans in a high state of excitement, Le Mans 2004.
GOLD AND GOOSE

► Imitation is the sincerest form of flattery – Italian fans get into the party spirit in downtown Mugello, June 2004.
FRATERNALI

7
BIEFFE

▲What a difference a couple of decades make: Graziano and Valentino at the 1980 Italian GP (where dad finished third behind King Kenny Roberts and Franco Uncini) and together again at the 2003 Italian GP.
KEULEMANS

GROWING UP FAST

Just an ordinary kid from an ordinary family. Well, not exactly…

◄Look into those eyes, look right into those eyes. Riding shotgun with dad Graziano at a Pesaro town festival in the summer of 1985, Valentino already knows exactly where he's going… The bike is the Morbidelli 500 that papa Rossi rode in the 1981 500 World Championship.
FRATERNALI

It's the summer of '85, Madonna's 'Like A Virgin' is pumping out across the town squares of Italy, annoying the Roman Catholic church, and motorcycle GP racing is an all-American affair, with 'Fast' Freddie Spencer and 'Steady' Eddie Lawson duking it out for the 500 World Championship, biking's biggest prize. Down in the Adriatic seaside town of Pesaro they're putting on a bit of a fiesta – riding racing motorcycles and cars around the centre of town, just for the sheer hell of it, because that's what they do in Italy.

Graziano Rossi has already been retired from bike racing for three years, following a massive crash at Imola, but is asked to take his old Morbidelli 500 GP bike out for a spin. Rossi lives only a few miles inland in Tavullia, and the Morbidelli factory is just down the road, so this means something to the locals. Only one little problem, Rossi's six-year-old son wants to come along for the ride.

Of course, Graziano is an accommodating sort of a guy, so he lifts Valentino onto the 500's fat aluminium fuel tank and trundles off down the road, taking it nice and easy because the kid's not even wearing a helmet, just shirt, shorts and sandals.

The fickle four-cylinder two-stroke, which Rossi raced without success in the 1981 500 World Championship, wasn't built for cruising around town, so the engine's spitting and cursing and the slick tyres are dead cold. But Valentino isn't worried in the slightest, in fact the serenity in his eyes is astonishing. He's looking ahead, working out the racing line, like he already knows exactly where he's going in life.

Except it would be wrong to say that Valentino knew exactly where he was going. Sure, he grew up surrounded by the tools of his dad's trade – engines, GP bikes, rally cars, race trucks, caravans, leathers, helmets and so on – but the only thing of which he was sure was that he wanted to go somewhere fast in life. He could just as easily have become a car racer: indeed that's what Graziano wanted, because he'd been bitten too often in nasty motorcycle crashes and didn't want his son to get so badly beaten up.

His mum, Stefania, wanted Vale to be an engineer, or a guitarist, or maybe even a footballer, anything but a racer. She had already spent too many anxious hours in hospital waiting rooms, wondering if Graziano would pull through from his all too frequent accidents.

But when Valentino was five, Graziano built him a go-kart, a wildly over-powered go-kart. 'That first kart was an awful thing,' dad remembers. 'The frame was meant for a ten-year-old, with a 60cc engine, but I put in a 100cc engine, so it was very fast and also very light, because Valentino was so little, so the thing was sliding everywhere.' And this was Valentino's initiation into speed – no wonder he's so good at controlling outrageously powerful motorcycles.

The kid was good at driving, good enough to win a regional kart title in 1990 and have his eyes set on the 1992 Italian and European championships. Then along came minimoto, the pocket-bike craze that swept through Italy in the early '90s. Valentino badly wanted his own minimoto bike: 'I push, push, push and finally Graziano buy me a minimoto. It was all-black, like Ron Haslam's Elf GP bike. It was a toy, I wanted it.' Of course, Graziano didn't have a clue what he was getting himself into… ■

'Even his teachers at kindergarten used to say he was a leader'

Stefania Rossi

Mum and Valentino rocking the early '80s style. 'Valentino never gave me any problems as a kid,' recalls Stefania. 'At kindergarten and primary school he was the kind of boy who would get all the other kids together. He was always bright but he had more problems at secondary school because he didn't feel like studying. He always had a great memory though, so I'd read his school books to him while he lay on the couch and he'd get what he needed from that.' Too right, Valentino's acute intelligence is his most important weapon on the racetrack.
ROSSI ARCHIVE

◄ The day that changed his life – Valentino is two and a bit years old and dad has just bought him his very first bike. The outrigger wheels didn't stay for long.

ROSSI ARCHIVE

◄ Dad's old racing lid, man-sized goggles – but there's no doubt about it. Right now he thinks he's the coolest kid in the whole damn universe. And he's not entirely wrong.

ROSSI ARCHIVE

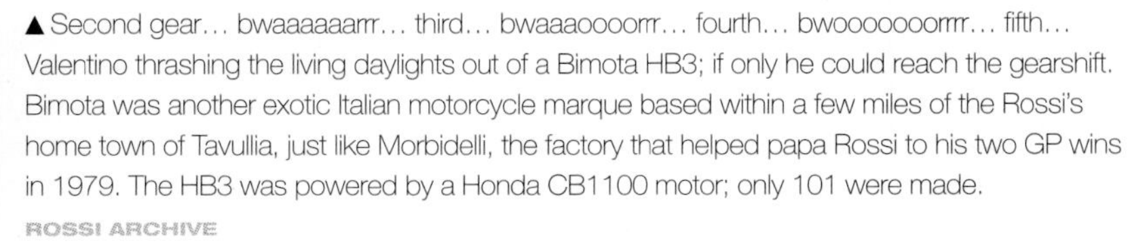

▲Second gear… bwaaaaaarrr… third… bwaaaoooorrr… fourth… bwoooooooorrrr… fifth… Valentino thrashing the living daylights out of a Bimota HB3; if only he could reach the gearshift. Bimota was another exotic Italian motorcycle marque based within a few miles of the Rossi's home town of Tavullia, just like Morbidelli, the factory that helped papa Rossi to his two GP wins in 1979. The HB3 was powered by a Honda CB1100 motor; only 101 were made.
ROSSI ARCHIVE

◀Graziano didn't waste any time in getting Vale logo'd up. But dad's career was already on the downward slope. A big car rallying crash before the 1980 season ruined what should've been the chance of a lifetime – a factory Suzuki 500 ride.
ROSSI ARCHIVE

3

'That first kart was an awful thing… sliding everywhere!'

Graziano Rossi

Right foot stamping on the throttle, full opposite lock and a face that's all concentration and aggression – this is how Valentino learned his first lessons about throttle versus traction. From the age of five, Graziano would take little Vale down the local gravel pit, where he was almost always faster than the grown-ups in their beat-up rally cars.
ROSSI ARCHIVE

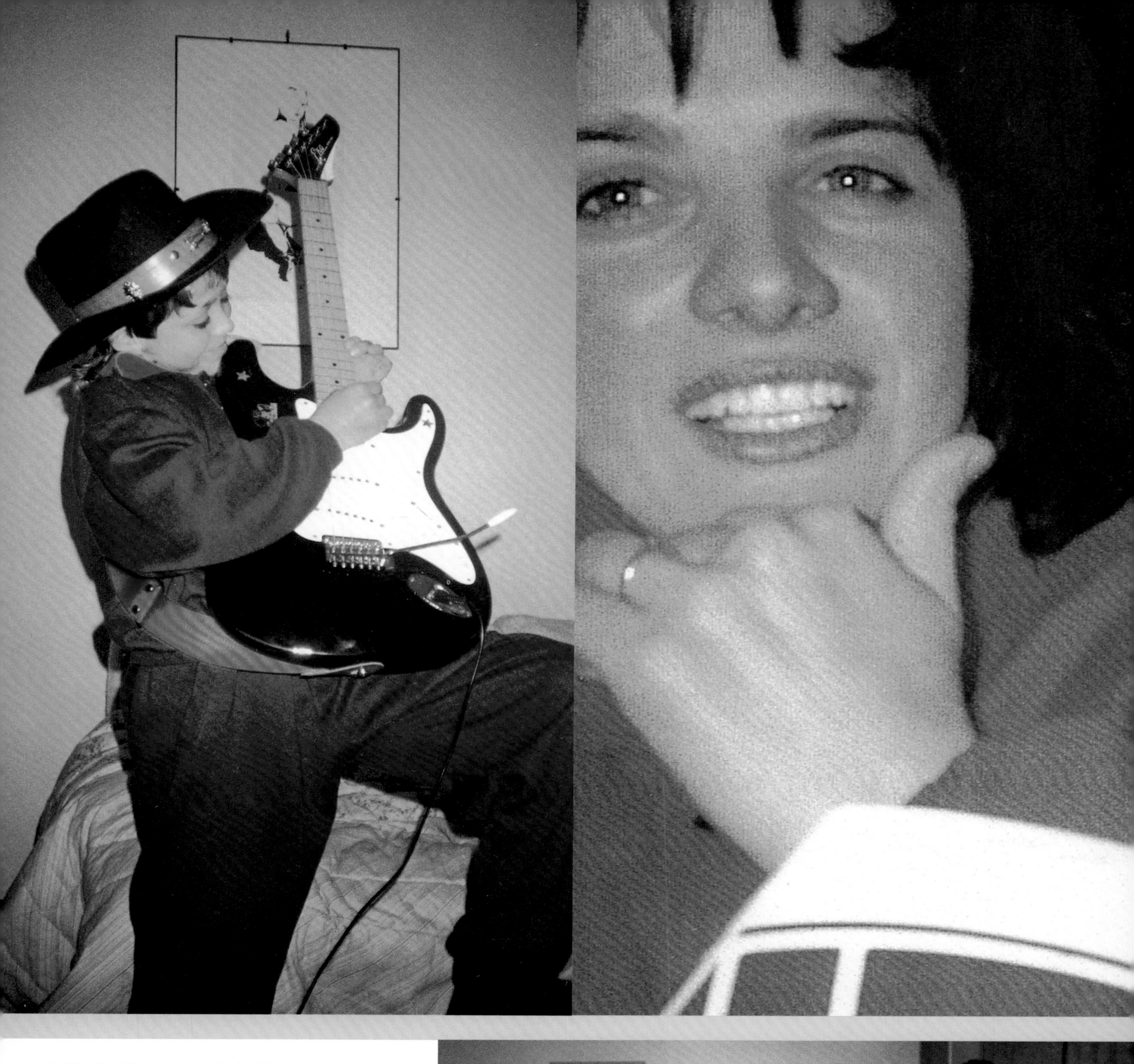

▲► 'Oh, oh, child, way you shake that thing, gonna make you burn, gonna make you sting...' Valentino may not have heard of Led Zeppelin when he was eight years old but his mum and dad sure had (take another look at Graziano's hair if you're unsure). Anyway, he quite fancied himself as a guitarist. 'Bikes were always his main interest, the only other thing he was into was guitar lessons,' mum remembers. 'He took them for six years and really liked it, even though he had a very traditional teacher.'
ROSSI ARCHIVE

▶ They've got schoolboy racing all worked out in Italy: the kids let rip on the racetrack, the dads hit the bar. 'Hey Graziano, if Vale win again, you buy me another gin-tonic.' Ninja Turtle and Kevin Schwantz-replica helmet (Vale was a big fan of the 1993 500 World Champ) were essential items in Vale's minimoto kit. But tattered motocross shirt suggests that the Turtle wasn't always a reliable guardian angel.
ROSSI ARCHIVE

'I still remember my first minimoto win, it was funny'

At first Valentino rode his minimoto just for fun, thrashing up and down the drive outside his dad's house in Tavullia or racing mates at the dozens of Lilliputian racetracks that spread like a rash around the seaside resorts of Miramare, Cattolica and Rimini. He won his first real minimoto race in the summer of '91 and quickly realised this was heaps more fun than kart racing. And anyway, karts were getting too expensive for the Rossis.

By '92 he was local minimoto champ and brave enough to make an under-age and illegal debut on a man-sized motorcycle on a proper racetrack. 'My friend signed on, then I wore his leathers, it was like a dream.' In March '93 Valentino made his race debut at a freezing cold Maggione, aboard a Cagiva 125 streetbike: 'It was the first practice and first proper bike race of my life. I try morning practice, first corner I crash. So I come back to the pit, stay quiet, restart, make three or four laps and another crash, so we think maybe we make big mistake.'

Pretty soon he got the hang of it, however. That summer he took third in the Italian 125 streetbike series and won the crown the following year. In '95 he took the Italian 125 GP title and ventured abroad for the first time, taking third in the European 125 championship, enough to guarantee himself a ride in the '96 125 World Championship. ■

Arai
motori
52

► Of course, he didn't always get it right. Getting too cocky for the camera, Vale gives his first minimoto a tad too much throttle.
ROSSI ARCHIVE

▲ You little show-off… performing a perfect one-handed wheelie in dad's driveway. It was already obvious that he had uncanny balance.
ROSSI ARCHIVE

▼Oh what a surprise, he's a great skier too. Valentino still takes to the piste in the Italian Alps every winter but these days he's a snowboarder, not a skier.
ROSSI ARCHIVE

◄This is the scooter-engined Ape trike he drove to high school. 'He wouldn't get the bus like everyone else,' says Stefania. 'He would wake up at the last minute, grab the Ape and fly down the hill into Pesaro.' Within weeks, all his mates had them.
FRATERNALI

▲ Just 14 years old and aboard his first man-sized bike. This is the Cagiva Mito 125 he crashed twice within a few laps during his first proper track outing at Maggione in the spring of '93.
FRATERNALI

► On the podium at Misano with Andrea Ballerini (left) and winner Roberto Locatelli, who went on to capture the 2000 125 world title.
ROSSI ARCHIVE

▼ Proud dad, or what? Vale's just finished third in the Misano round of the '93 125 Sport Production series and Graziano can't conceal his joy.
ROSSI ARCHIVE

▲His first try-out for a top team, in late '93. Team Pileri ran Nobby Ueda and Fausto Gresini in the '93 125 world series. Ueda later became Vale's toughest 125 rival, while Gresini went on to run Sete Gibernau's MotoGP squad.

FRATERNALI

◄Now he's really rocking. Vale poses aboard his fully painted-up Cagiva Mito at the start of the '94 Italian Sport Production championship. He won it, of course.

FRATERNALI

▼On a real GP bike at last, Valentino raced this Sandroni-framed Aprilia to third in the '95 European championship, good enough to guarantee him a start in the following year's 125 world championship.

FRATERNALI

TIME
LAP
0
TRACK 34°C
12:13

And so the legend begins. Having grandly outfoxed former world champ Jorge Martinez, Vale swoops towards the chequered flag to win his first GP on the afternoon of August 18 1996. Note lack of interest from pit lane.

GOLD AND GOOSE

125s

IN THE BEGINNING

Valentino Rossi was just another crash-happy teenager when he came to GPs in 1996

Oh yes, back then he had a real knack for falling off motorcycles, as well as a huge appetite for fun and an outrageous mop of girlie hair, as friend and former 125 rival Nobby Ueda remembers: 'Valentino came to stay at my house in Nagoya before the '96 Japanese GP. I introduced him to my friends as the next World Champion and they thought he was a girl! His hair was very long…'

Vale's hair stayed long throughout '96, just like he stayed a crash-happy teenager. During that season's 15 GPs he threw his little Aprilia down the road something like 18 times and he only won a single race, his debut victory at Brno during August. So Rossi was no overnight sensation – by the end of '96 no-one had any idea of the greatness that lay ahead. However, by the end of '97 he was 125 World Champion and a bona fide superstar. ▶

During that second 125 season he won 11 GPs from 15 starts, all the while developing the talent that would allow him to go on to dominate every GP category – from 125s to 250s and from 500s to MotoGP. But what really grabbed everyone's attention that summer was Rossi's hilarious post-race theatrics. One weekend he would take a blow-up doll for a ride on his victory lap, the next he'd arrive on the podium dressed like superman. 'When I came to GPs all the riders were very, very serious, so when I started winning, me and my friends decided we should try to make some big fun,' Vale recalls. These comic displays made him much, much more than just another fast man on a motorcycle. They turned all kinds of people on to Valentino Rossi, ultimately transforming him into the biggest bike racing star the world has ever seen.

Of course, it was no real surprise that Vale crashed a lot when he started GP racing. Most fast racers crash a lot when they start out, because they're hurrying to find the limit and, in finding it, they invariably overstep it. 'I make some good races in '96 but also some big crazy mistakes,' Vale remembers. Most importantly, he was learning all the time and that Brno win reinforced his self-confidence, so when Aprilia equipped him with factory-prepared bikes for '97 he knew he was in with a chance of the world title. With a better bike, he crashed much less and won much more: 'I changed because when you understand your power you become more confident and with a faster engine you can be more relaxed.'

And if his growing self-confidence changed his racing, his burgeoning popularity changed his life. Ueda again: 'At the end of '97 I went to the Milan bike show and was surprised there were so many girls after Valentino. He had seven or eight security around him – big macho men – otherwise he wouldn't have been able to move. He arrived saying 'Incredible, what can I do? I want to get away,' so I helped him escape out the back.'

▼ Getting messy with the bubbly after beating Masaki Tokudome at the '97 British GP. He won so many races that summer that he wrapped up the championship with three races to go.
GOLD AND GOOSE

▲ Hanging in his bedroom, summer of '97. Check the rude graffiti on the Biaggi poster. Apart from casting aspersions on the Roman's sexuality, the scribble also suggests that the reigning 250 champ 'doesn't even deserve a Benelli triple', that 'Biaggi is nothing' and that 'Biaggi = Naples' (another Italian insult).
FRATERNALI

◄ Just another long-haired kid showing off down the local shopping mall. Or something like that.
FRATERNALI

▼ Valentino shows off his first 'hospitality unit' in the Imola paddock, July 1997. Compare this to dad's hospitality 'bus' at Imola '81 (see page 129).
FRATERNALI

ROSSIFUMI
Comel
46
21
polini
Nastro Azzurro
DUNLOP

'I make some good races but also some big crazy mistakes'

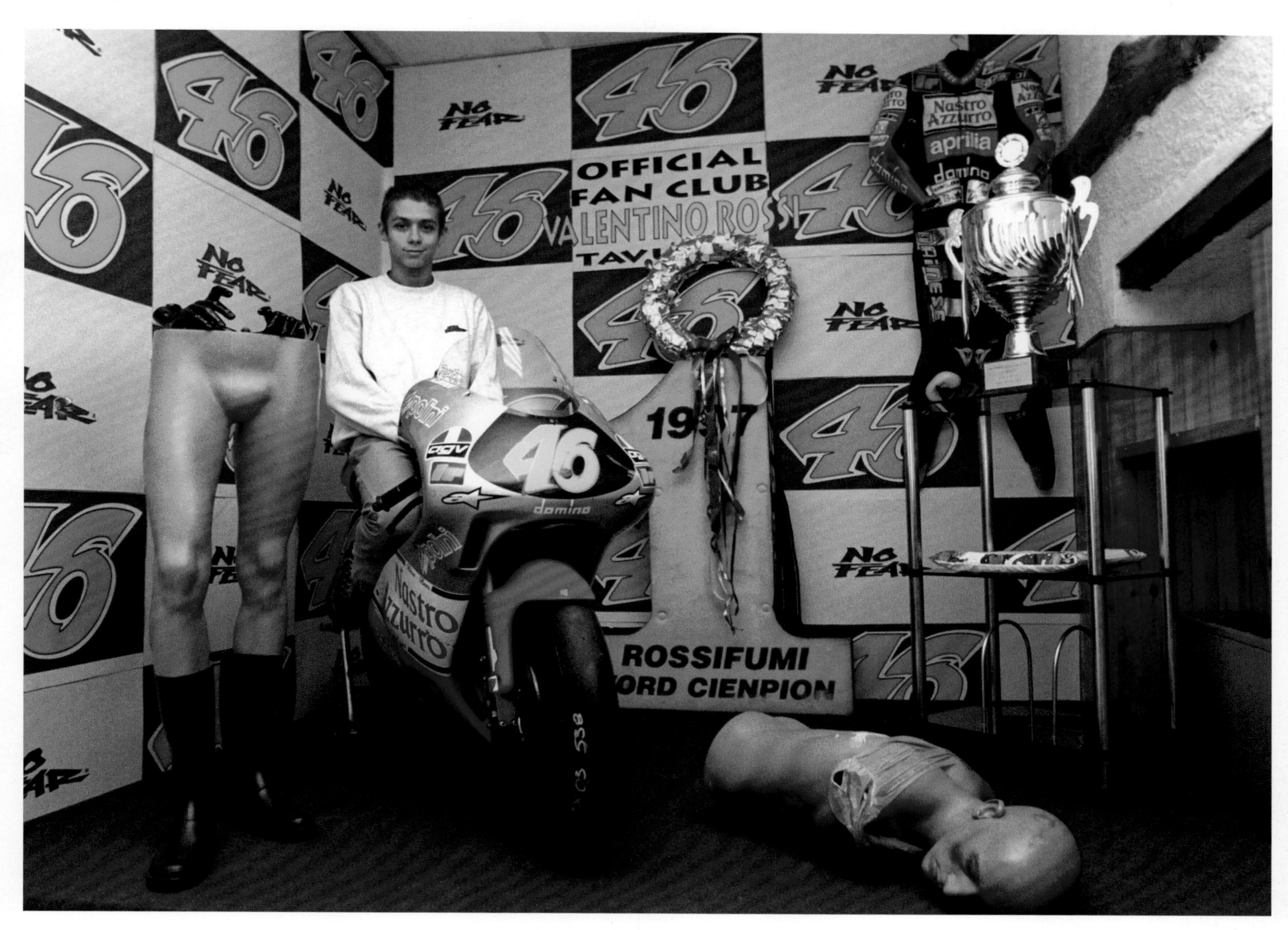

◀ Life is never less than hectic in 125 racing – this is Vale trying to make good his escape at Brno '97, chased by Scalvini, Ueda, Manako, Martinez, Sakata and the rest. Twenty minutes later he was world champ.

GOLD AND GOOSE

▲ Following a big bang to his head (when dad crashed a car after Vale's title-winning party in Tavullia) Valentino entered his infamous surrealist period. Don't even ask…

VITALE

▼ Looking after number one: celebrating his very first world title atop the Brno podium, 31 August 1997.
VITALE

► 'Ciao, mama! I am the champion!' Vale phones home from the Brno pits. From now the Italian media would be bugging him non-stop. It took him a while to realise they weren't all his mates.
VITALE

‘Becoming world champion is for sure the greatest moment and maybe the first was best’

▲ The first taste is the sweetest. Getting stuck into the fizz after wrapping up the 125 world title. He still rates this moment as sweet as winning the 500 and MotoGP crowns.
VITALE

OSSIFUMI
FICIAL FANS CLUB

◀ Within minutes of winning the title, he was back in his tiny camper van with his mates, drinkin', smokin' and generally behaving like a grown-up.
VITALE

▼ Falling prey to a minor attack of pre-race nerves. Of course, there was no need to worry.
VITALE

Valentino had to work hard for that first title. Although he'd already won nine of the season's first 11 races, he wasn't able seal the championship with a win at Brno, where he'd won his first GP success 12 months earlier. Still aching from a crash during Saturday's final qualifying session and unhappy with the set-up of his Aprilia, he spent the entire 19 laps in the midst of an insane dogfight with nine rivals. He eventually finished the race in third spot, just 0.328 seconds behind winner Nobby Ueda, and just enough to give him the title. Of course, the fun was only just beginning. On his slowdown lap Vale stopped to pick up a massive number one – carved out of solid granite (or possibly Styrofoam) – that his fan club strapped to his back. 'Vord Cienpion' proclaimed the prop, and it wasn't wrong. Minutes later he stood on the podium with his dad while the sombre tones of the Japanese national anthem rang out. After that, chaos! With half a bottle of champagne inside him, Vale headed home to his camper van in the paddock and proceeded to get very merry with his mates. A few weeks later his home town laid on a massive celebration, Tavullia's main square packed with a thousand fans who partied into the night. It was the first of many Tavullia parties… ■

▲ Listen up! Addressing the crowd at the start of his Tavullia title-celebration party, a few weeks after he had secured the crown at Brno.
VITALE

▲ Vale's first fans – no smoke without fire.
VITALE

► Too much beer.
VITALE

▼ Uccio and Vale slightly the worse for wear in the dying stages of the Tavullia knees-up.
VITALE

46
BREIL
DIESEL
DIESEL
RADIO
DEEJAY
racing
aprilia
PlayStation

Vale's gangly limbs fitted a 250 better than a 125. And it didn't take him long to master the fast but fickle Aprilia RSW250.
GOLD AND GOOSE

250s

THE WORLD ON HIS SHOULDERS

He may have been bound for greatness, but life got tough when Valentino moved from 125s to 250s

The toughest time of his life – that's how Valentino describes his two seasons in the 250 World Championship. Not that the racing was the hardest (he won 14 of his 30 races in the class) but this was when he began to learn the heavy price of fame, when his beaming teenage naivety was rudely snuffed out by the big, bad world. Not only that, two of his best mates died in a car crash.

When he first climbed on to a 250 at the end of '97, Valentino was still a wide-eyed 18-year-old, loving all the attention from the media and his fans, loving everything about life, about racing. He hadn't quite realised that he had unwittingly signed a Faustian pact – make the people and the press love you and you're ▶

► From boy to man. He was a sweet-faced 19-year-old kid when he fronted up for pre-season testing in '98. The next few months would have a huge effect on his character, hardening him for the challenges ahead.
GOLD AND GOOSE

► in for a rollercoaster of a love affair. Even when everything was sweet, sometimes there was just too much love: 'Now everyone in Italy recognises me,' he said. 'It's "Rossi! Rossi! Rossi!" all the time, I don't like!' No wonder that by the time he'd won the 250 title in October '99 he was already making plans to escape his homeland for the anonymity of London.

So '98 and '99 were all about coming of age, about leaving his carefree teenage years behind. And about learning to ride bigger bikes, of course: 250s were an important staging post on his journey to MotoGP greatness, not that there was any certainty that he'd even make it that far. All Valentino had done so far was win a single 125 world title: there had been no conclusive evidence that this kid might be the most gifted bike racer to have walked this planet.

From the get-go he was fast on 250s, but also flawed. He crashed out of four of the first ten races of '98, then bounced back to win the final four, only missing the title by three points. In theory, the '99 championship should've been a walkover but a few bike problems in the early races plus a miserable ride in the soaking-wet Japanese GP ('I don't like to ride under the water') gave him a mountain to climb. After that Vale got his head down to win eight of the last 12 races, finally alerting the world to the fact that he might be a bit special after all.

'Very much was expected of me when I came to 250s in 1998, so it was the most difficult period of my career, I really felt the pressure,' explains Vale, who had full-factory Aprilias for both his seasons in the class. 'I was fast but I made mistakes because I wasn't calm, because I had some personal problems with some friends who I realised weren't friends. It took some time to understand that.'

The best thing about his two years in 250s was getting up late: 'In 125s I had to get up for morning practice at seven, for 500s at eight, but in 250s I could stay in bed till nine!' No wonder he overslept for 500 morning practice at Catalunya in 2000. ■

▲ Not quite ready to put away childish things, Valentino kills some time in the Mugello pits during winter testing prior to his first 250 season. Pretty soon he'd be able to afford much, much more than just a pink toy Cadillac.
MILAGRO

► Throwing himself to the mercy of 100,000 Dutch mullets as he celebrates his very first 250 win at the '98 Assen TT. This win followed a rash of morale-sapping crashes but even then Vale wasn't out of the wilderness. It wasn't until later in '98 that he assumed mastery of the class.
KEULEMANS

Nastro
Azzurro
aprilia
BREIL
domino
DUNLOP
DAINESE
ROSSIFUMI
aprilia

▶ The '70s theme was something he'd return to later, at Valencia 2003.

GOLD AND GOOSE

Mugello '99 was Valentino's Day: one big Rossi Love-In. It ended with Vale prostrate on the tarmac, with a couple of hundred over-excited fans on top of him. He hadn't planned it like this, though you could say he'd asked for it, racing an Aprilia sprayed up in eye-watering yellow and turquoise swirls, emblazoned with the '70s-inspired legend ValentiPeace&Love. The race itself had been relatively easy – a comfortable three-second win over German veteran Ralf Waldmann – but the victory lap turned out to be an altogether tougher proposition. Things went okay until he reached Casanova Savelli, the heart-stopping downhill right/left where his fan club camps out in its thousands (because this is where Rossi watched his first GP in 1991). A few yards further round the track he ran into Italian cameraman Gigi Soldano (the man responsible for many of the Milagro images in this book) and crashed to the ground. In an instant he was submerged in the throng, gasping for breath as 1000 Rossi worshippers did anything to get a piece of him – gloves, helmet, arms, legs. So was this the day he finally decided to escape the homeland hubbub and move to London?

'The fans went crazy, I think I would die'

▲ In a vain effort to avoid a cameraman, Valentino loses it despite the best efforts of a couple of panicking fans... topples to the tarmac, Italian tricolore still in hand... and gets swamped by a mass of writhing, sweaty bodies.

GOLD AND GOOSE/FRATERNALI

▲ By now there was no way he could head out for a gentle evening cruise around the paddock. Whatever colour he dyed his hair, people were on to him, although going red, white and green at Imola was hardly keeping it incognito.
GOLD AND GOOSE

► Getting artful with his lines, Valentino leads Shinya Nakano (Yamaha) and Tohru Ukawa (Honda), two of his biggest rivals for the 1999 250 world title. This Jerez win was his first of '99, after a couple of disasters at the season-opening Malaysian and Japanese GPs that left him a gaping 21 points down on the championship leaders.
GOLD AND GOOSE

46
BREIL
TIM
Nastro Azzurro
aprilia
DUNLOP
DIESEL

▲ His Aprilia proudly painted in the red, white and green of the Italian tricolore, Vale wastes Stefano Perugini (4), Olivier Jacque (19) and the rest at the Imola '98 GP. This success was the first of four straight victories that brought him to within just three points of winning the 250 world title at his first attempt. If only he hadn't crashed out of four races that summer.
GOLD AND GOOSE

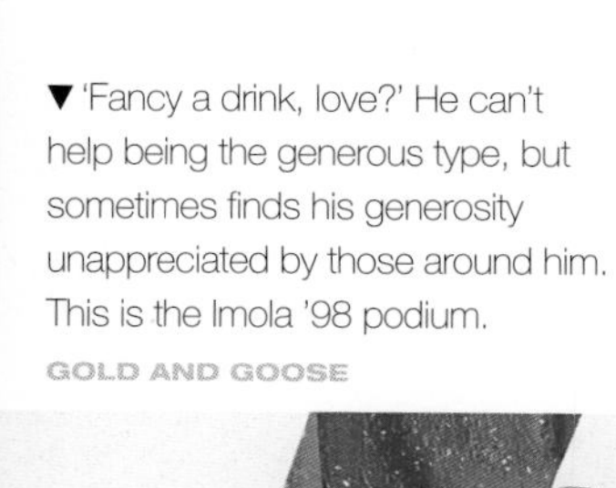

▼ 'Fancy a drink, love?' He can't help being the generous type, but sometimes finds his generosity unappreciated by those around him. This is the Imola '98 podium.
GOLD AND GOOSE

◄ Rossi and team-mate Tetsuya Harada get introduced to the locals before the '98 Japanese GP. The large gents were students from a Tokyo sumo college but declined an invitation to become 'brolly dollies' for Sunday's races. Big blokes but shy, you see.
KEULEMANS

46
HONDA
BREIL
Nastro
7
4
65
elf
Emerson
elf

Mugello 2000: Vale stuffs it up the inside of Kenny Roberts Junior (2). Loris Capirossi (65), Norick Abe, Nobu Aoki (both behind Roberts), Carlos Checa (7) and Max Biaggi (4) give chase. Capirossi won after Valentino and Biaggi fell.

GOLD AND GOOSE

500s

PREMIER LEAGUE CHAMP

It took just two years for Valentino to conquer the 500s

In the real world, winning a 125 or 250 world title means not a lot, a bit like winning a second or third division football title. It's merely another step on the journey towards the main prize – the premier league.

When Valentino joined bike racing's premier division in 2000 there were just two years left in which he could win the 500 title, the class that had been the Big Deal ever since the birth of World Championship bike racing way back in 1949. The sport's governing body had decided that from 2002 the scary old two-stroke 500s would be replaced by a new breed of more sophisticated 990cc four-strokes, more relevant to the machines sold on the street. Vale had spent half his childhood dreaming about winning the 500 crown, now he had just two seasons in which ▸

▼ The men who made him king. From left: Rossano Brazzi, who guided Vale to the 1999 250 title; Mauro Noccioli, who helped him to the 1997 125 crown; and Jeremy Burgess, who masterminded his successful assault on the 500 World Championship in 2001.
MILAGRO

▶ to master the scariest motorcycles known to man…

And there was no certainty that he'd ever make it as a great 500 rider. If someone had told you in April 2000 that Valentino wasn't half as good as he was cracked up to be, you would have struggled to disagree with them. The 21-year-old hadn't made the greatest of starts to his 500 career, and in fact his entry into the premier league had been an unmitigated disaster. His first three races produced two crashes and one 11th-place finish. Valentino, some people opined, could handle a puny 125 or 250 but he couldn't ride a real man's motorcycle.

Of course, the signs of greatness were there for anyone bothered to look carefully enough. He had battled for a front-row start at his very first 500 GP and set the fastest lap of the race before his 190 horsepower Honda NSR500 rudely ejected him on to the tarmac. And, anyway, it didn't take too long to prove that he really could ride a man's bike: first podium in his third outing, first win after just eight races, in tricky, damp conditions at Donington Park.

By the end of the following season no-one was in any doubt. Valentino had won two 500 GPs during 2000 to end the year second overall and he grew to dominate in 2001, winning 11 out of 16 races. In just two seasons he had eclipsed the victory rate of Mick Doohan, the rock-hard Aussie who dominated premier-league racing in the '90s with 54 GP victories and five back-to-back titles.

Vale had also taken on and defeated his first serious rival, Max Biaggi. While most of his 125 and 250 opponents had also been mates, he enjoyed a relationship of mutual hatred with the Roman Emperor. Their rivalry threatened to spiral out of control after their notorious punch-up in June 2001, but Valentino stayed cool to soundly defeat his compatriot.

And while Vale's more recent MotoGP achievements seem to overshadow his 500 successes, he still believes that the 500 is the apogee of racing motorcycles, an altogether nastier beast than a cuddly four-stroke MotoGP bike. 'The 500's power was more wild, so the bike was more difficult to ride,' he says. 'But if you took risks, you could make the difference against the others.' ■

▶ The winning secret: a plate of pasta and a bottle of ice-cold Nastro. This is Welkom, South Africa, 2001, one of those flyaway races where the MotoGP paddock roughs it in Portakabins, rather than the five-star transporters and motorhomes they inhabit at European races.
MILAGRO

▶▶ Valentino became an ex-pat in 2000, moving to London to escape the attentions of his omnipresent Italian fans. He rented a flat in St James Square, London, then bought a place in Mayfair. Getting about the posh part of town was easy – aboard a blagged Honda SP-2.
GOLD AND GOOSE

MICHELIN
PlayStation
polini
Nastro Azzurro
HONDA
46
BREIL
polini
Nastro Azzurro
HRC
Nastro Azzurro
VTR
HONDA

GOLD & GOOSE

‘Is necessary to have big balls to ride the 500’

► Vale and Biaggi get stuck into each other at the 2000 Portuguese GP, but this time they're only fighting over third place. Vale was still learning the art of 500 riding at this stage, even though he'd just won his first big-bike race at a damp Donington Park a few weeks earlier.
GOLD AND GOOSE

BREIL
46
HONDA
agv

► Decisions, decisions… Vale deep in thought during 2001 Italian GP qualifying with JB and Showa suspension technician Juan Martinez (now Gibernau's crew chief). The blur is Uccio.
GOLD AND GOOSE

▼ The best laid plans of mice and men… Even this three-way pre-race snog didn't help Vale at Mugello. He crashed on the sighting lap, then again in the rain-lashed race.
MILAGRO

▲ Vale's bright idea of going Hawaiian for Mugello 2001 didn't just mean making his bike, leathers and team gear blue and white. This is Uccio's dad and the fan club making merry in the paddock.
MILAGRO

► Hawaii Five-0-0. Vale took the beach party to the racetrack at Mugello, but while the Hawaii paint job looked great in sunny practice, it didn't look so good upside down in the mud on race day.
GOLD AND GOOSE

Birra · Beer
Nastro Azzurro
Export Lager
polini
MICHELIN
brembo
NGK
RK
TAKASAGO CHAIN
AFAM
FOX
BIO
PlayStation.2
HONDA
domino
MANPOWER
BREIL
agv
46

▲ Mine, all mine! Valentino hugs the trophy after blitzing Biaggi in the 2001 British GP. A big crash during practice had left him way down the grid but he still managed to win. Even now he rates this victory his most thrilling.
GOLD AND GOOSE

► All the better for seeing you with… Vale gives himself a patent Rossi eye massage on the grid for the 2000 Portuguese GP. It's all about increasing blood flow, apparently.
GOLD AND GOOSE

'I think Brno is the masterpiece of my career'

▲Brno 2001: The moment that effectively decided the outcome of the final 500 World Championship. Vale shadowed Biaggi until the Roman overcooked it and crashed. From this moment on, he had the upper hand over his bitter rival.

GOLD AND GOOSE

► The secret price of winning the 500 title. Former 500 GP clown Randy Mamola cream pies Vale during the post-race press conference at Phillip Island, where he'd secured the title with a breathtaking win, a fraction ahead of Biaggi and Capirossi.
GOLD AND GOOSE

▲ Things are starting to get messy at Honda's 2001 end-of-season party in Rio. Vale has made it his mission for the night to get 250 world champ Daijiro Kato well and truly hammered; 18 months later Kato was dead, suffering fatal injuries in a high-speed accident during the 2003 Japanese MotoGP race.
MILAGRO

◀ Valentino on stage at the 2001 FIM awards, where he collected his 500 title award from FIM president Mr Burns (sorry, Francesco Zerbi). Championship runners-up Biaggi and Capirossi wear suits while Vale keeps it rebellious in jeans, trainers and no tie.
MILAGRO

▲ Randy Mamola, how do you say this… making like a lady during the Rio party. MotoGP's great and good are suitably amused. From left, Honda PR Carlo Florenzano (Hawaiian shirt), Toni Elias (bottom left, light blue shirt, then a 125 man, now Vale's fellow Yamaha MotoGP rider), Vale, 2000 250 champ Olivier Jacque (two-tone blue sweatshirt), 2002 250 champ Marco Melandri (bottom right, black top) and Dorna big cheese Carmelo Espeleta (far right, jacket).
MILAGRO

HONDA
MICHELIN
GAS
NGK
RK

Valentino makes some art at Valencia 2003, his last race for Honda. He won 20 of his 32 races on the factory's 210mph RCV V5.
BARSHON

MotoGP Honda

LIVING THE EASY LIFE

Valentino burned even brighter in MotoGP but winning with Honda got too easy

GP racing got turned upside down in 2002. The knife-edge 500cc two-strokes that had ruled the premier class for three decades were consigned to the dustbin of racing history, replaced by rip-snorting 990cc four-strokes. Everything changed – the bikes were much faster, much pricier and the two-strokes' spine-chilling yowl was drowned out by the four-strokes' ear-splitting boom. But the song remained the song – Valentino Rossi was still king of the racetrack.

Five months after he'd won the last-ever 500 GP at Rio in November 2001, Vale won the first-ever MotoGP event at Suzuka in April 2002. By the end of his two seasons on the RC211V V5 he'd won another 20 GP victories to take him into motorcycling's hall of fame. Only racing ▶

► Valentino and Honda's brand-new RCV distract Spanish builders, working on the new Jerez pits complex, during their first European outing in November 2001. Vale's input played a large part in the V5's amazing performance.

MILAGRO

◀ Valentino and his Repsol Honda henchmen ambush passers-by with buckets of water in the Brno paddock, August 2003. It's all part of an Italian summer water ritual, apparently.
BARSHON

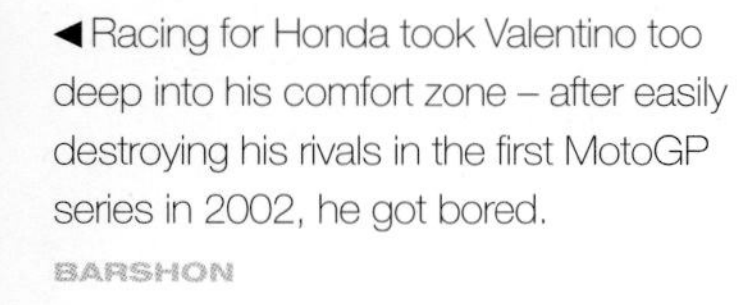

◀ Racing for Honda took Valentino too deep into his comfort zone – after easily destroying his rivals in the first MotoGP series in 2002, he got bored.
BARSHON

▶ legends Mick Doohan, Mike Hailwood and Giacomo Agostini were still ahead of him.

But Vale's two seasons on the stunningly effective RCV were very different. He ruled 2002 with awesome precision – winning 11 of the 16 races, including a mid-season run of seven back-to-back victories, and never finishing lower than second. He won the title with four races still to go, despite recording a DNF at the Czech GP, where he suffered tyre problems. It was an impressive record for a rider on a brand-new bike in a brand-new World Championship.

If anything, 2002 had been too easy, because during 2003 Valentino seemed to run out of juice. He won just two of the season's first nine races, beaten on three occasions by new rival Sete Gibernau, now on a Honda instead of Suzuki's dog-slow GSV-R. But after the Italian media had savaged him, suggesting he was a spent force, Vale got a grip on himself to win all but one of the last seven races. The first of those six victories came at Brno, where he beat Gibernau with a daring end-of-race attack: 'After making stupid mistakes at the last two races – just from thinking too much – I changed my tactics – ride 100 per cent and if anyone comes past, attack them immediately!'

He maintained that aggressive attitude for the remainder of the season, falling out with Honda after months of very public wrangling over a new contract. So he finally decided to walk away from MotoGP's most powerful factory to ride for the struggling Yamaha outfit. 'Maybe my choice seems a little bit crazy,' said Vale. 'But we will see next year.'

Of course, those who know Valentino weren't surprised by this apparently suicidal career move: he simply wanted another challenge because he loves a challenge. As Carlo Pernat, the former Aprilia team boss who gave him his first GP ride in 1996, says: 'Two qualities make Valentino special. First, his sense of balance on the motorcycle is unbelievable, I've never seen anything like it. Second, he has fun, he amuses himself by racing. That's all he does, he amuses himself.' Which must be just a little depressing for his rivals… ■

'When Valentino shuts his visor and starts a race, everybody becomes his worst enemy'

Graziano Rossi

Slowly, slowly, catchy monkey. Valentino on his way to victory at Jerez 2003. He's already passed Loris Capirossi – only Nicky Hayden, Max Biaggi and Sete Gibernau to go.
BARSHON

REPSOL
GAS
GASJEANS.COM
HONDA

Incarcerated by the Italian media for a run of so-so results during 2003, Vale became prisoner 1111-46 at the Czech GP, where his RCV carried these Interpol mugshots. 'They said I was in crisis because I'd been beaten at the last four races,' he laughed after winning the Brno race to break free from jail. 'Leading the championship and finishing on the podium obviously isn't enough for them, so now I must work on the chain gang!'

The Italian media never give anyone an easy ride – they build people up to knock them down – and Rossi has long complained about the posse of Italian journos who follow him everywhere, waiting to attack whenever he makes the smallest of mistakes. As Italian opera legend Pavarotti is fond of saying: 'When a journalist write about the positive, he write five lines, when he write about the negative he become a poet.'

BARSHON

180
170
165
1111-46
38

▼Groovy, baby! Vale wigs out after his final win for Honda. At this stage the world's biggest bike brand had no idea how much it was going to miss him.

BARSHON

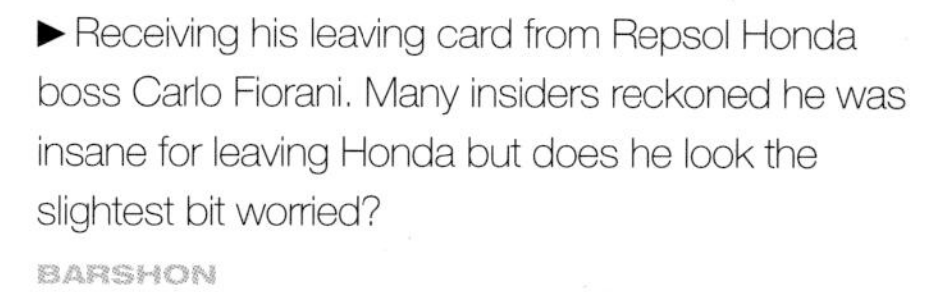

►Receiving his leaving card from Repsol Honda boss Carlo Fiorani. Many insiders reckoned he was insane for leaving Honda but does he look the slightest bit worried?

BARSHON

▲ Hard on the gas and all crossed up, Vale shows Honda rival Sete Gibernau how it's done at Valencia.
BARSHON

46
GAULOISES
YAMAHA
THE DOCTOR

Standing on his M1's seat, Vale conducts the pit-lane worshippers after his stunning 2004 Malaysian GP victory. This was possibly the first 'angry' win of his career. He had scores to settle after he'd been relegated to the back row of the grid at the previous weekend's Qatar GP – and he settled them well.

MILAGRO

MotoGP Yamaha

BECOMING GOD

When Valentino quit Honda he took the risk of his career. He would either end up a fool or a deity…

In fact Valentino wasn't becoming God at all, even if it rather seemed like it. Asked in an interview why he'd stopped celebrating his wins in madcap style, he answered 'I am becoming old', but his Italian accent obscured his words and the headlines rattled out across the world: 'Rossi: I am becoming God!'.

Of course, Vale's against-all-odds success on Yamaha's M1 did make him something more than mere genius. There are riders of a certain ability, like Max Biaggi, Sete Gibernau, Alex Criville and Kenny Roberts Junior, and there are riders of a certain nobility, like Giacomo Agostini, Mike Hailwood, King Kenny Roberts, Mick Doohan and Rossi. After his stunning 2004 World Championship success Valentino was in the pantheon, no doubt about it. ▶

▼ Like a schoolboy motocrosser with his first trophy, Valentino beams with delight after his debut win on the Yamaha at the 2004 South African GP. He scored this historic victory after a race-long duel with Max Biaggi, whose Honda was way faster.
BARSHON

► And yet it could all have gone so wrong. Yamaha wasn't in great shape when Rossi signed with Honda's old rival in autumn 2003. And Honda was bound to up the ante to ensure that the world's most powerful bike manufacturer wasn't embarrassed by this turbulent young upstart. At first, the RCV was way faster than the M1, but somehow Valentino managed to demolish the Honda hordes at the 2004 season-opening South African GP to start his Yamaha years the same way he'd finished his days at Honda. And that Welkom win made history – in more than half a century of bike GPs no-one had ever won back-to-back premier-class races on different makes of bike.

Valentino continued to defy the odds throughout 2004. Down on speed, he had to dig deeper than ever before, which is why he tumbled twice during the first few months of the season, as often as he'd crashed during his previous two years with Honda. Crew chief Jeremy Burgess had some straightforward advice at faster tracks like Mugello: 'Valentino, you're on the straight for a long time here, so keep your shoulders tucked in and your toes up'. JB's wise words worked because Vale won at Mugello and at other fast tracks.

For 2005 it was a very different story. Informed by Vale's and JB's input, Yamaha built a much-improved M1. Honda bosses suffered in silence as Valentino rubbed more salt into their self-inflicted wounds. But like he says, 'life isn't a movie', so maybe he wasn't too surprised when everything went pear-shaped in 2006 and 2007: engine blow-ups, tyre disasters, physical injuries, a multi-million euro tax bill, even girlfriend trouble. Which only made his 2008 MotoGP crown – his eighth world title – feel all the better. ■

► Giving his vital first impressions of the M1 to JB, Yamaha MotoGP chief Masahiko Nakajima (background) and engineer Ken Suzuki (who died from a brain tumour in April 2005 – RIP). 'The bike is a tool, so we have to work to get the best out of the tool,' says Valentino. 'If we have a problem with the front end, we modify the front end – it's like mathematics!'
GOLD AND GOOSE

◄The start of a brave new adventure – striding out into the Sepang pit lane for a photo call before his first ride on the M1, January 2004. At this moment nobody knew whether his shock decision to quit Honda would prove him to be a racing genius or a petulant fool.

GOLD AND GOOSE

▲From here on in, it was no longer just an impossible dream. The pit-lane TV monitors tell the Gauloises Yamaha team that they've got pole position at the season-opening Welkom GP. Team boss Davide Brivio (with Vale's Michelin technician Pierre Alves on the left) offers his congratulations. 'This first pole for Yamaha is like ten for Honda,' said Valentino.

MILAGRO

▲ Come and have a go if you think you're hard enough… Valentino taunts his new worst enemy, Gibernau, during practice for the 2004 Malaysian GP. For several years the pair had been good mates, getting drunk together after races, that sort of thing, but the events of the 2004 Qatar GP changed all that.
MILAGRO

► With just a few days to go before the next race in Malaysia, Vale casts a worried glance at his bloodied little finger after crashing out of the Qatar GP. He'd been forced to start from the back row of the grid after his crew had been caught cleaning his grid slot on the sand-blown track. Valentino reckons title rival Gibernau was a prime mover in the protest that had him punished.
MILAGRO

'Sete is behind all this, he's behaved like a child'

▲ Don't get mad, get even. Little finger patched up, Valentino psyches himself up for the Malaysian GP – where he was determined to make Gibernau and Honda look like fools. 'This time I wanted to destroy the morale of everybody,' he said after wasting them in the steamy tropical heat.

MILAGRO

Ecstasy in a bottle. Valentino celebrates winning the 2004 MotoGP crown at Phillip Island. All he had to do to secure the title was finish second to Gibernau – but he beat the Spaniard in a ferocious duel, despite running off the track at 120mph. His title-winning T-shirt proclaims: 'What a show!'

GOLD AND GOOSE

MICHELIN
CHE
FREIXENET
YAMAHA

▲ No need to ask who won and who lost. Valentino, cocky as hell after destroying Gibernau at the final turn of the final lap of the 2005 Spanish GP, stands atop the podium, while Gibernau looks ready for a good blub. More payback for Qatar 2004.

GOLD AND GOOSE

► Final corner, Jerez 2005: Valentino sees a gap inside Gibernau and doesn't need a written invitation. Gibernau, determined to win his home GP, shuts the door but it's already too late. The pair collide, propelling the Spaniard into the gravel trap. Gibernau extricated himself to finish second.

GOLD AND GOOSE/MILAGRO

▼ Valentino's bulldog Guido may not live with him in London (he stays with mum in Italy) but he's always along for the ride, emblazoned on the seat of his master's M1. Note Vale's respect for racing history – Guido wears old-school Yamaha colours, made famous by King Kenny Roberts in the '70s.
GOLD AND GOOSE

► Like most MotoGP riders, Vale has a massage in Dr Costa's Clinica Mobile before every ride; keeps the body loose in case of accidents.
MILAGRO

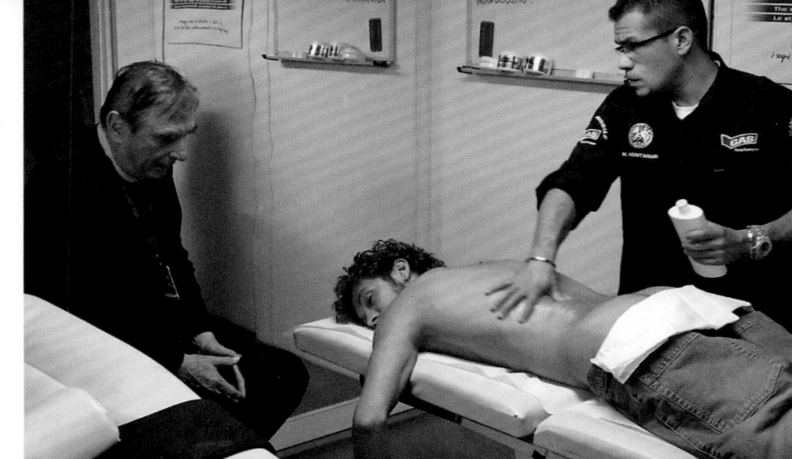

◀ Definitely a man who's always had his own way of doing things. While Gibernau (15) and Biaggi (3) peel off to complete the warm-up lap prior to the 2005 Spanish GP, Vale is busy making himself comfortable. Cool or what?

YAMAHA

▲ He spent his teenage years terrorising the Tavullia cops on a scooter, so at least he still gets to utilise those skills as an adult. And here he is on a Yamaha scooter, getting to know Shanghai's new GP circuit before the first Chinese GP in May 2005.

GOLD AND GOOSE

▲ Vale's got his head down and his front wheel up as he leads the 2004 season-ending Valencia GP from Honda rivals Makoto Tamada and Nicky Hayden. He won the race even though his M1 was only 14th quickest through the speed trap.
GOLD AND GOOSE

► Valentino has a laugh with Marco Melandri, one of MotoGP's young stars and the man who won the final two races of 2005. These two first raced together in the early 1990s, on minimotos.
MILAGRO

▼Valentino and JB have built an amazing rapport in their six seasons together. In some ways they seem like father and son, although JB has only had to tell off the youngster on a few occasions, like the time Vale overslept and missed morning practice…
GOLD AND GOOSE

'A happy team is a good team. We don't take ourselves too seriously, we have a laugh'
Jeremy Burgess

► Vale gives vain chase to Nicky Hayden at Laguna Seca 2005. This was the first US GP in almost a decade, because the rollercoaster Californian track had been deemed too dangerous for GP racing. The Americans spent two million bucks upgrading the hillside venue but Valentino wasn't convinced. 'Some corners are dangerous,' he said. 'And others are very, very dangerous…' This is Turn One – a 160mph left-hander with minimal run-off – which falls into the second category.
GOLD AND GOOSE

▲ Valentino sits on King Kenny Roberts' legendary 1975 TZ750 dirt tracker during Yamaha's 50th birthday party at Laguna. Roberts won first time out on the evil beast, which was then banned! The machine was good for 120mph and, like all dirt-track bikes, has no front brake.
MILAGRO

► Half of Hollywood turned up at Laguna, including Brad Pitt and Matt LeBlanc – who dropped into Vale's pit, only to find that MotoGP's finest was too busy to see them. So JB told them a joke instead…
MILAGRO

◄Vale walks out to start Laguna practice flanked by Yamaha's all-American pit girls. The famous yellow, white and black livery was born in the 1970s when fans christened Yamaha's buzzy two-stroke racers 'bumblebees'.

MILAGRO

5
YAMAHA
KERA

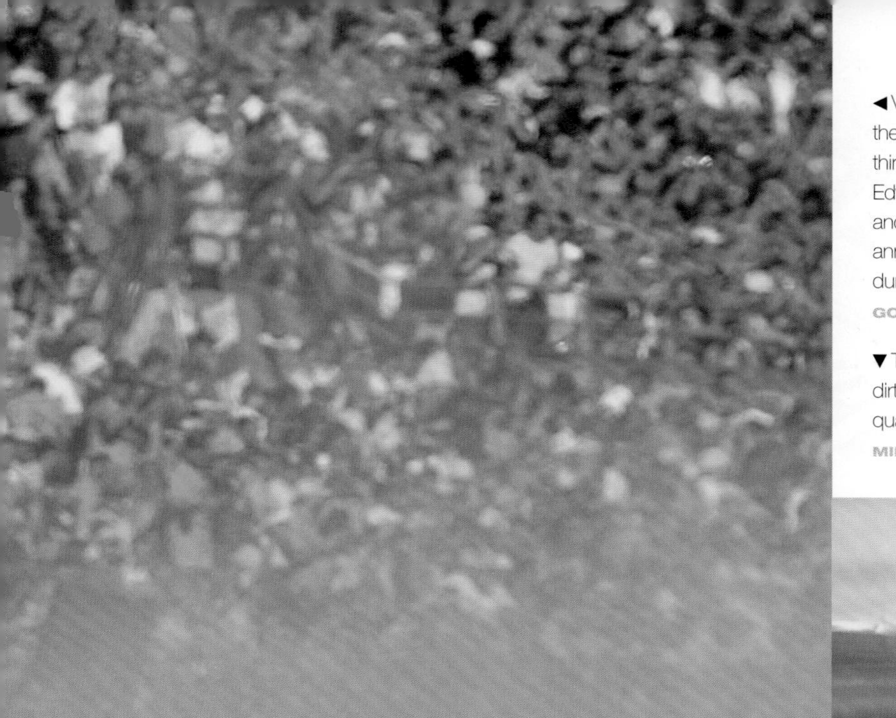

◀ Valentino celebrates the completion of ten years of GPs at the 2005 season-ending Valencia GP, which he finished third after starting from the fifth row. That's team-mate Colin Edwards emerging from the smokescreen. The red, white and black livery was another celebration of Yamaha's 50th anniversary, mimicking the colours worn by the factory during its first successful premier-class campaign in 1975.
GOLD AND GOOSE

▼ Track marshals dig Vale's wrecked M1 out of the dirt following his big 110mph get-off during Valencia qualifying: 'I eat one kilo of gravel when I crash!'.
MILAGRO

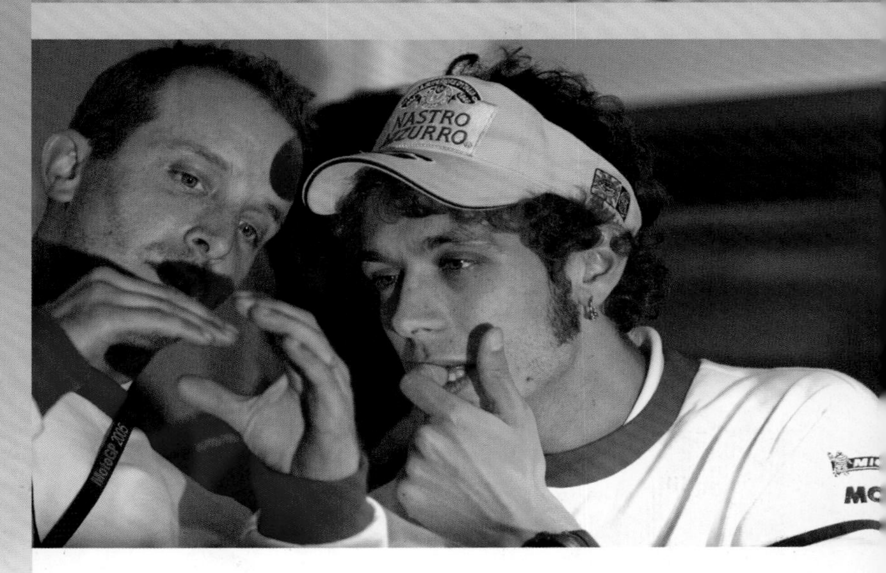

▲ 'Mine is this big but I think yours is quite a bit bigger, maybe like this.' Vale and Edwards compare the relative size of their wallets.
MILAGRO

Resplendent in Yamaha's second special 2005 livery, Vale races to third place at the year-ending Valencia GP.

MILAGRO

YAMAHA
agv
1
TRIBÙ DEI CHIHUAHUA
DOCTOR
YAMAHA
YAMAHA

IMATRA
R.C.,

◄ So this is what Vale gets up to in his spare time. Well, as they say in racing, you've got to have another interest. In between jetting around the world racing bikes Vale is building his own uber-cool fashion label called Imatra R.C., Inc., named after Finnish GP track Imatra. The brand was launched at the 2006 Milan fashion week in archly decadent style with, er, deep S&M overtones. No doubt, he's a baaaad boy!

MILAGRO

▲ Vale bought a house in Ibiza a few years back, a place to rest his weary head after cutting loose at legendary club DC10. He's a regular at DC10's Circoloco nights (the Circoloco mantra: 'It's a mess but we know what we are doing'), also frequented by notorious heads Danny Tenaglia, John Carter and Norman Cook.

VITALE

▼ Down and out at Assen. Vale's bone-crunching 115mph fall during Dutch TT practice left him with a broken right wrist and left ankle, his worst injuries in 11 years of GP racing. At least he finally got to prove that he has the toughness to match the talent. Pumped full of painkillers, he finished eighth at Assen and second at Donington the next Sunday.
JEAN-AIGNAN MUSEAU

'Something seems to have gone wrong for us'

▶ This is going to hurt; GP medic Dr Costa (left) helps Valentino get ready for the Dutch TT. Costa strapped Vale's broken wrist in sticky blue tape to splay the bone during braking, rather than close it up, to put less pressure on the fracture. Nice.
MILAGRO

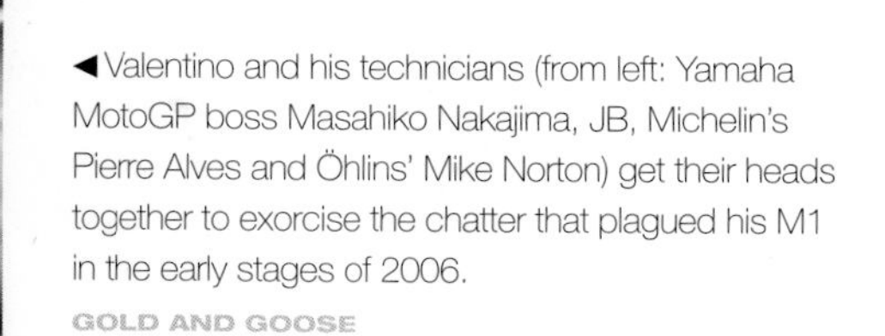

◄Valentino and his technicians (from left: Yamaha MotoGP boss Masahiko Nakajima, JB, Michelin's Pierre Alves and Öhlins' Mike Norton) get their heads together to exorcise the chatter that plagued his M1 in the early stages of 2006.

GOLD AND GOOSE

▲The man who enjoyed a charmed existence during his first decade of GP racing endured a hellish start to 2006: crashes, injuries, engine breakages, tyre problems, chassis woes, you name it. But he never lost his sense of humour, his dog Guido sheltering from the icy winds of misfortune in a furry coat and moon boots. The –32 refers to the champ's points deficit to series leader Nicky Hayden at the French GP.

MILAGRO

►What have I done to deserve this? Vale is distraught as his stricken M1 is pushed away during the French GP. The engine had broken while he was on his way to a much-needed victory.

MILAGRO

agv
MOTUL
KERAKOLL
YAMAHA
TERMIGNONI

▲ Looking good at Jerez 2006. In fact it was one of his worst weekends ever – ninth on the grid, 14th in the race.

MILAGRO

◄ One-off Mugello helmet featured Vale's heroes, from Hollywood biking icon Steve McQueen to Enzo Ferrari and Doors' front man Jim Morrison. No doubt about it, Vale has a big fascination with the 1970s.
MILAGRO

▲ Mugello 2006 was an epic – scary-close racing and a huge and appreciative crowd at arguably MotoGP's greatest racetrack and certainly its most picturesque venue. The fans went nuts for Vale during the podium ceremony.
GOLD AND GOOSE

◀ Old rivals were reunited at Mugello, Ducati-mounted Gibernau giving Valentino a hard time until his right boot tore apart, the Spaniard ending the race with a bloodied little toe. Vale's hex, administered at the 2004 Qatar GP, is still working then…

GOLD AND GOOSE

◀ The Mugello freight train: Vale leads Gibernau, Melandri, Stoner, Pedrosa and Hayden. Capirossi isn't yet in the picture – he's coming through from a bad start.

GOLD AND GOOSE

▲ Capirossi, Valentino and Hayden are all friends on the Mugello podium, though just minutes earlier they'd been mercilessly mugging each other at 200mph. Rossi beat Capirossi by half a second, Hayden a further two tenths down.

GOLD AND GOOSE

'I was so excited I wet my pants'

▲ Vale gets stuck in at Donington 2006, Suzuki's Chris Vermeulen just ahead, Capirossi, Shinya Nakano and Edwards just behind. This was a true hero's ride, from 12th on the grid to second in the race, with a broken right wrist…
MILAGRO

▼ Trying hard not to run down any fans, Vale threads his way through the track invasion at the 2006 British GP. 'Donington is always great,' he said later. 'Is like my second home GP, always a lot of people, always a lot of casino (Italian for 'craziness').'

GOLD AND GOOSE

◀ On the Donington podium with winner Dani Pedrosa and Marco Melandri. Asked if he was excited about sharing a podium for the first time with the tiny but tremendously talented 20-year-old Pedrosa, Rossi grinned and said: 'Oh yes, I was so excited I wet my pants!'

MILAGRO

'Obviously we are missing some horsepower'

▼ A bad end to a bad year. It's the 2007 season-ending Valencia GP and Valentino limps into the Clinica Mobile, holding his mashed right hand, after a 110mph get-off during qualifying. The crash was one of those stomach-churners – it went, he got it back, it went again, he got it back, it went again, he got it back and finally he was flung over the highside. Vale bit the bullet and raced, only for his M1 to breakdown.
GOLD AND GOOSE

▲ Overlooked by Catalunya's vast grandstands, Valentino struggles to stay with Dani Pedrosa's Honda and Casey Stoner's rocket-ship Ducati during the 2007 Catalan GP. Yamaha's M1 was never the fastest 990 but its first 800 was dog slow; sometimes 12mph down on Stoner's Ducati! Stoner won this race, Rossi second, Pedrosa third.
GOLD AND GOOSE

▲ Maybe if I pretend I'm not actually here, the nightmare will end. If 2006 had been unlucky, 2007 was Valentino's *annus horribilis*. He was outgunned on engine and tyre performance and had to cough up a whopping 35 million euro of unpaid tax. Like always, Uccio was by his side – for richer or poorer, for better or worse.
GOLD AND GOOSE

▲ 2007 wasn't all doom and gloom. At Assen Valentino came through from the fourth row to hunt down championship leader Casey Stoner and win the second of his four 2007 victories. At the time it seemed like a championship turning point, but it wasn't. The gaudy livery promotes a new Fiat car.
GOLD AND GOOSE

▼ Have you ever seen him look more satisfied with victory? Vale's 2007 Portuguese GP win was his first in five races, which is why it tasted so good; it would also be his last for almost eight months.
GOLD AND GOOSE

► And, of course, he won at Mugello, for the sixth year in a row, much to the delight of the Italian fans. The special heart logo helmet was an 'up yours' to those who had dared suggest that Valentino's bad run of results proved his heart was no longer in bike racing.
GOLD AND GOOSE

◄ In September 2007 Misano hosted its first GP in 14 years, a good excuse as any for Valentino's fan club to march the ten miles from Tavullia to the track. Didn't do him much good though, his engine went bang in the early stages of the race. Not that it really mattered because the title was already long gone to Casey Stoner.
GOLD AND GOOSE

▼Talk about a turnaround! 2008 was Valentino's *annus mirabilis*, the year in which he could do no wrong. He won his sixth and most satisfying elite-class championship, regaining the title from Casey Stoner here at Motegi. No wonder ecstasy is writ large across his face, along with half a jeroboam of cava.

GOLD AND GOOSE

►The history man makes history at MotoGP's most historic racetrack. The Indianapolis Motor Speedway was exactly 100 years old when Valentino won his 69th elite-class GP there in September 2008. Fellow Italian legend Giacomo Agostini had held the wins record for more than three decades. Most experts presumed it would never, ever be broken.

GOLD AND GOOSE

►Diego Maradona was judged the greatest football player of the 20th century in a FIFA poll. He is also a huge Valentino fan. Here he is getting extremely excited as he celebrates Vale's 2008 Misano win like he's just won the World Cup. On the grid before the race he had kissed Vale's hand. Would that be the Hand of God?

KEULEMANS

◄Local boy made good – wearing a special homeboy helmet, Valentino makes up for his 2007 Misano disaster by winning the 2008 race after pressuring Stoner into crashing out of the lead. It was the tipping point of the championship battle, after that there was little doubt who was going to be king.

GOLD AND GOOSE

▲ If you want to really understand the fire that burns inside Valentino's belly, you only need consider Indy 2008. The race went ahead during Hurricane Ike – torrential rain and vicious winds ripping marquees and advertising awnings off their moorings. The 2008 title was as good as signed and sealed, so it would have made sense to take things steady. No way, Vale stuck it on the line and won the race.
GOLD AND GOOSE

► The switch to Bridgestone tyres was the foundation of Valentino's 2008 comeback. But it wasn't easy and required endless consultations with Bridgestone tyre technicians, as well as major changes in riding technique and bike set-up. 'When you begin with Bridgestone is very difficult,' said Vale.
KEULEMANS

▼These days half the MotoGP grid wave their legs around during heavy braking but it was Valentino who started it all. Apparently it's just another way of going faster, delivering improved braking leverage and steering balance. 'When I take the foot off the footpeg it feels like I can brake harder,' he says.
GOLD AND GOOSE

◄There's pure joy in that face as Valentino returns to his pit after winning his 69th premier-class victory at the 2008 Indianapolis GP and thus becoming the winningest rider in GP history. This is one racer who knows that history really matters.
GOLD AND GOOSE

Vale destroys Stoner and Pedrosa at Mugello 2008, wearing his best-ever helmet paintjob. The screaming skull design was supposed to illustrate the terror of tackling the 210mph kink at the end of Mugello's start-finish straight. It was an instant classic.
GOLD AND GOOSE

NOLAN
V-Power
SanDisk
1
DUCATI
agv
46
FIAT
YAMAHA
FASTWEB

'Serious sport has nothing to do with fair play... it is war minus the shooting'

George Orwell

▼ No room for error at Laguna's scary 170mph Turn One. If Valentino could stay ahead through here every lap, he knew he had Stoner's faster Ducati nailed through the twistier parts of the circuit.

GOLD AND GOOSE

◀ When everything else fails, there's always motocross! Valentino knew he only had one chance of beating Stoner at Laguna 2008 – attack at every turn, never let the faster Ducati get more than a few metres ahead or the race would be over. This Corkscrew out-braking move sent him wide and into the dirt. In the end it was Stoner who fell and Vale who won, probably his greatest victory ever.

KEULEMANS

▲ Many fans believe Laguna 2008 is Vale's greatest win. It is definitely the most important, and he knew it, kissing the tarmac during his slowdown lap. Maybe he already knew that this victory would change the course of the championship, derailing Stoner who had won the previous three races.

KEULEMANS

▲ Stoner wasn't happy with the intensity of Valentino's Laguna assault and told him so on the podium. Did the Aussie have a point? Perhaps, because Vale's riding surfed the outer limits of control and decency. And yet his tactics were not only those of a desperate man, they were also those of a master tactician.

GOLD AND GOOSE

▼Valentino gets his M1 so far over these days there's hardly any room to stick his knee out. This is 2009 preseason testing and he's got a full 60 degrees of lean on, thanks to the latest chassis, electronics and tyre technology. That's why he destroys kneesliders much quicker than he did on the 990s.
GOLD AND GOOSE

'We use 30 per cent more kneesliders than on the 990s and the 500s'

▼ In time-honoured fashion, Vale and sidekick Uccio watch the start and early stages of the 125 race. Carefully monitoring how the start lights work is crucial preparation for each MotoGP race. And by watching the 125s race he can get a good idea of the track's grip characteristics on race afternoon.
MILAGRO

◄ How much fun would MotoGP be if someone could clone Valentino? In the absence of that technology, replicas of Vale's superb 2009 Mugello helmet proved hugely popular.
MILAGRO

46
FIAT
PETRONAS

▼ Some people think the after-dark Qatar GP is a great idea. Other people think it's a gimmick that wastes millions of watts of energy. The gimmick seemed even more ridiculous after the 2009 race was postponed for 24 hours due to a desert downpour; the gods' way of punishing man for his hubris? 'I have never understood the point of racing at night. We should never do it again,' says Vale.

GOLD AND GOOSE

▲ Arguably the only benefit of the night-time Qatar GP is that most riders use clear visors, so you can see their eyes. Vale's eyes are looking way ahead, probably at Stoner who's on his way to a third consecutive Qatar victory. Following are Jorge Lorenzo, Andrea Dovizioso, Chris Vermeulen and a very off-line Randy de Puniet.

MILAGRO

▲ The class of 2009 photo – always a good moment to judge the vibe between the riders. Vale seems happy sitting between his most dangerous rivals: team-mate Jorge Lorenzo and Casey Stoner. Nicky Hayden, Dani Pedrosa and Andrea Dovizioso are the other front-row boys.

GOLD AND GOOSE

▲ That's the way to do it. Valentino stuffs it up the inside of Dani Pedrosa to take the lead at Jerez. It was his first win of 2009 following defeats by Stoner and Lorenzo at the opening two races.
MILAGRO

▼ A soon to be very embarrassed JB gets a kiss on the Jerez podium. That morning JB had come up with a new set-up that solved chassis problems which had hampered Valentino throughout practice.

MILAGRO

▲ There's a first time for everything – even a first time to be last. And this was Valentino's maiden last-place finish, following a crash during the wet-dry French GP. Vale had made the brave (or stupid?) decision to be the first rider to swap from rain tyres to slicks. He lasted four corners.

MILAGRO

▲ Most GP stars hate the notoriously dangerous Isle of Man TT, but Vale loves all kinds of racing, which is why he made a pilgrimage to the sport's birthplace and rode a closed-roads lap. 'TT riders say normal tracks are very boring and they prefer the TT,' he said. 'It is clear they are crazy people and not normal. They are true gladiators!'

STEPHEN DAVISON / PACEMAKER PRESS INTERNATIONAL

MICHELIN
4
fast 5
morbidelli
BIEFFE
Agip
CHAMPION
REGINA
ZANZANI

Papa Rossi on his way to victory, Dutch TT, Assen 1979.
KEULEMANS

PAPA ROSSI

To know Valentino, you need to know his dad…

Graziano's Assen victory was the second of his three 250 wins in 1979. 'Assen was my favourite because Assen is the true theatre of bikes,' he recalls. 'I start in third place, pass Kork Ballington's Kawasaki after half a lap, then some laps later I arrive behind Greg Hansford's Kawasaki. We are going down the straight side by side, we both decide to brake at the last metre, but I brake even later. Was fantastic! I make my first win at Rijeka, one week before. I qualified between the Kawasakis, who won everything in those days, so when I arrive on the grid between them they look at me like I am a UFO. That was the beautiful thing, it was a surprise, and surprises are always important in life. Maybe I lose the chance of the World Championship at Silverstone, two races later. I crash on the last lap when I come across a slow rider halfway through a fast right. I decide to pass him on the outside but this was a bad decision, very bad...'

▼ He could ride four-strokes too – Graziano at speed on a Bimota Honda, Imola, 1981.
FRATERNALI

▲ And just like Vale, dad loves anything with an engine and wheels. Here he entertains the crowd with some sideways antics in his clapped-out Opel rally car at the Pesaro town fiesta, summer 1985.
FRATERNALI

► The definition of Latin cool? Even with his leather dungarees, Graziano manages to cut a dash in the Misano pits with mate and 1981 500 world champ Marco Lucchinelli, summer of '84.
FRATERNALI

▼This little Fiat was Graziano's 'hospitality unit' at the 1981 Imola GP. Rossi senior was definitely an eccentric motorcycle racer.
FRATERNALI

▲Graziano was a bit wacky, just like his son, wacky enough to wear this hallucinatory fantasy helmet. The paint was done by artist friend Aldo Drudi, who also does Vale's graphics.
OXLEY

HONDA NSR500

2001

METAL ROSSI

The bikes that have transported Valentino to premier-class World Championship success

Valentino has ruled the premier class pretty much since he first turned up at the start of the 2000 season. He didn't quite win the title that year but he has won it every year since and has achieved that remarkable run of success on three very different motorcycles. First, the harum-scarum Honda NSR, the last of the man-eating two-stroke 500s; then Honda's wondrous RCV four-stroke, possibly the most intelligently created race bike in history; and finally the Yamaha YZR-M1, the machine that Vale turned from loser to winner in a few short months. Motorcycles don't get any more trick than these three: they're all fabulous works of art, a testament to the greatest engineers on this planet.

Massive carbon-fibre airbox delivers air to the NSR's greedy Keihin carbs, no hi-tech fuel injection on this 'stinkwheel'. Monster aluminium chassis just about keeps the motor under control.

STUDIO PHOTOS: TERUTAKA HOASHI/RIDERS CLUB

HONDA NSR500 2001

This is the Honda NSR500 two-stroke that took Valentino to his first premier-class title in 2001. It's a history-making machine, because that year's 500 World Championship was the last before new technical regulations admitted the 990cc four-strokes that dominate the sport today. It's also an evil machine – fickle, fiery and ferocious compared to the more rider-friendly four-strokes. Nevertheless the 2001 NSR was the apogee of high-performance two-stroke engineering, a science now restricted to the 250 and 125 GP classes.

Honda built its first NSR500 in 1984, so almost two decades of development went into the bike that Valentino rode. Throughout its time on the tracks the NSR was always a tower of power, rocketing American legend Freddie Spencer around the Daytona banking at 190mph on its 1984 race debut. By 2001 the NSR V4 was pumping out almost 200 horsepower but with superb throttle linearity. It was this remarkable usability that made it the bike that every GP racer wanted, so when Valentino began considering his move to 500s during 1999, he knew that only an NSR500 would do.

Of course, compared with a big, soft four-stroke, the NSR was never easy to ride, which is why Vale loved it so much. Given the choice, he would rather be racing 500s now, but smoky ol' two-strokes (nicknamed 'stinkwheels' by some) were consigned to history because they'd become marginalised by environmental concerns.

During its 17 years of GP racing the NSR won no fewer than 21 World Championships (ten riders' and 11 constructors'). ■

SPECIFICATIONS

Honda NSR500 2001

ENGINE

Type: liquid-cooled V4 two-stroke, reed valve induction, with adjustable ignition, exhaust control, etc

Bore & stroke: 54 x 54.5mm

Displacement: 499cc

Fuel system: four 36mm magnesium Keihin carbs

Claimed output: 195 horsepower at 12,500rpm

Gearbox: six-speed, cassette type

CHASSIS

Frame type: dual beam aluminium

Tyres: Michelin

Wheels: 17in front, 16.5in rear

Front brake: 4-pot Brembo, twin 320mm carbon discs (dry), twin cast iron discs (wet)

Rear-brake: 2-pot Brembo, single 196mm disc

Front suspension: 47mm upside-down Showa, multi-adjustable

Rear suspension: Pro-link with Showa shock, multi-adjustable

Wheelbase: 1400mm

Length: 2010mm

Race weight: 131kg

Top speed: around 195mph

HONDA RC211V

2003

brembo
MICHELIN

Whichever way you look at it, Honda's RC211V looks squat, muscular and compact. Not an inch or an ounce wasted, this is the very pinnacle of the art and science of race-bike design.

STUDIO PHOTOS:
TERUTAKA HOASHI/RIDERS CLUB

HONDA RC211V 2003

Honda's RC211V is probably about as close as you'll get to a perfect racing motorcycle. The V5 four-stroke ruled MotoGP's first two seasons, winning all but three of 32 races in 2002 and 2003, then Honda went and made their only mistake, somehow allowing Valentino to walk away and sign for Yamaha. The fact that they've had two lean years since Valentino defected reinforces that well-worn racetrack axiom: in motorcycle racing the man matters more than the machine.

Generally regarded as the most rider-friendly of the current generation of 250 horsepower MotoGP bikes, the RCV is the embodiment of Honda's five decades of motorcycle racing know-how. Squat, lean and muscular, the V5 was created to be a totally balanced motorcycle, so its engine, chassis and aerodynamics enhance each other for maximum all-round performance. It was the first race bike to properly realise the concept of 'mass centralisation', gathering as much weight as possible around the bike's centre of gravity for improved handling characteristics.

Honda designed its V5 motor for the same reason, with a relatively narrow 75.5 degree vee, because it would be compact. The engine's power characteristics are as cool, calm and collected as they can be, and if things do go wrong, there's a traction-control system that should prevent the rider losing control. So the RCV is a very manageable motorcycle, at least in relative terms, because no machine that can nudge 215mph is going to be a doddle to ride. ■

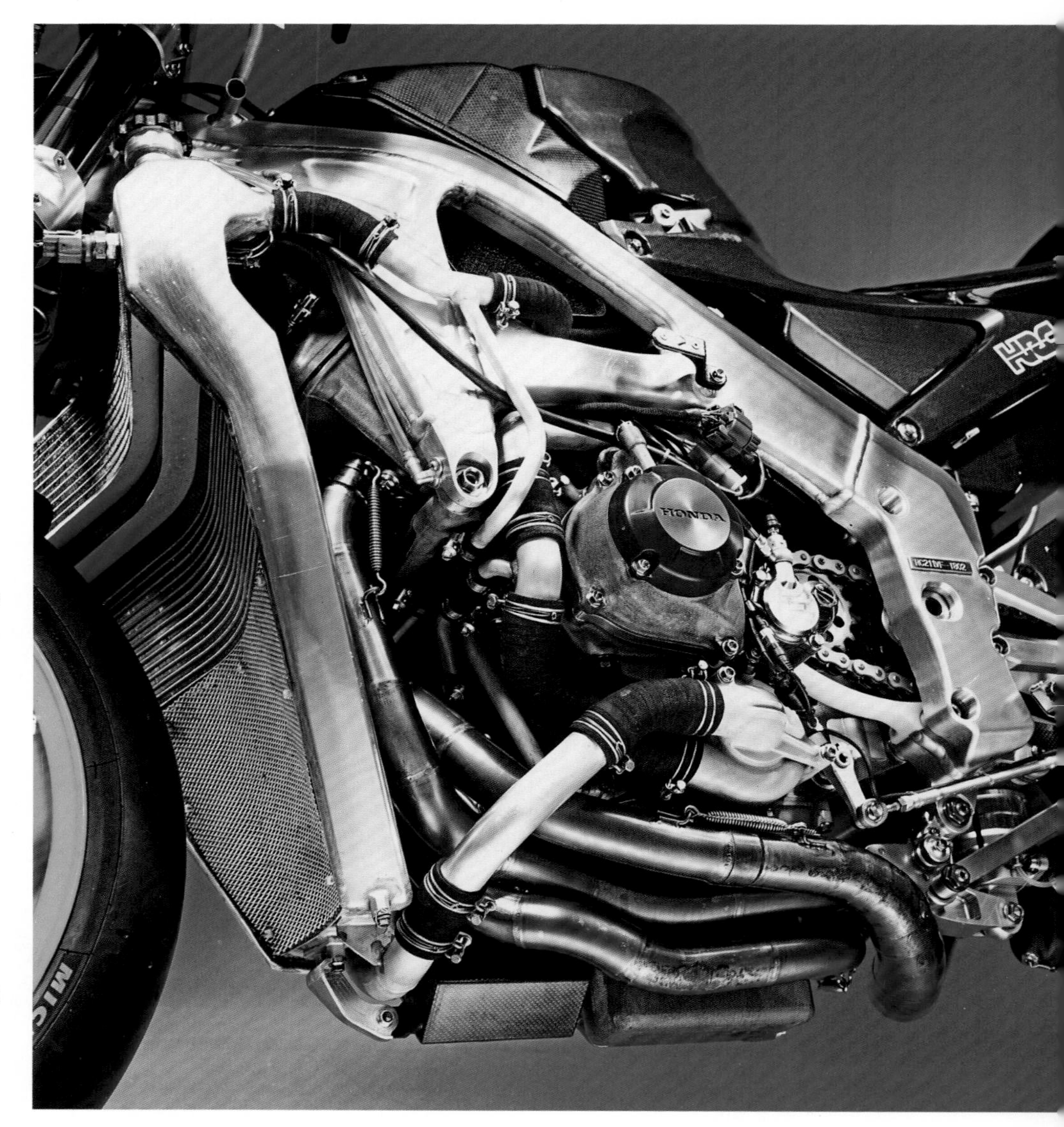

SPECIFICATIONS

Honda RC211V 2003

ENGINE

Type: liquid-cooled 20-valve 75.5 degree V5 four-stroke

Displacement: 990cc

Fuel system: PGM fuel injection

Claimed output: around 240 horsepower

Gearbox: six-speed, cassette type

CHASSIS

Frame type: dual beam aluminium

Tyres: Michelin

Wheels: 17in front, 16.5in rear

Front brake: 4-pot Brembo, twin carbon discs (dry), twin cast iron discs (wet)

Rear-brake: 2-pot Brembo, single disc

Front suspension: Upside-down Showa, multi-adjustable

Rear suspension: Pro-link with Showa shock, multi-adjustable

Wheelbase: 1440mm

Length: 2050mm

Race weight: over 145kg

Top speed: up to 215mph

YAMAHA YZR-M1
2004

46
2004
ÖHLINS
brembo

The M1 looks sharp, like a razorblade, and that's the way it handles too. Electronic trickery includes traction-control system and a full LCD dash with 15,000rpm tacho and inbuilt lap timer.

STUDIO PHOTOS:
TERUTAKA HOASHI/RIDERS CLUB

YAMAHA YZR-M1 2004

This is the bike that cemented Valentino's legend. When Vale quit Honda at the end of 2003, Yamaha's YZR-M1 was going through grim times, with just two wins from two seasons of MotoGP racing. By taking the 2004 title aboard the M1, Vale proved that he can win even when he doesn't have the best motorcycle beneath him. Prior to that – in 125s, 250s, 500s and MotoGP – he'd always had fully competitive machinery.

But Valentino did more than merely win the title for Yamaha. His special development abilities also helped the factory to drastically improve its M1. Vale's sensitivity to a bike's behaviour, his intelligence in understanding what's going on and his ability to communicate those thoughts and feelings to his engineers are as vital to his success as his instincts as a racer. The 2004 M1 was obviously not as good a motorcycle as Honda's RCV, but with a year of input from Valentino and his crew chief Jeremy Burgess, the 2005 M1 looked as good as the RCV, especially during the late stages of races, when bike behaviour is so crucial.

The Yamaha may seem less high-tech than the Honda, with its inline four motor (like the marque's R1 streetbike), but in fact it features some very clever technology. The M1's traction-control electronics inhibit wheelspin via engine and chassis sensors that monitor factors like lean angle and slip angle (via gyros and triple-axis sensors) to control wheelspin according to tyre wear and track conditions. ■

SPECIFICATIONS

Yamaha YZR-M1 2004

ENGINE

Type: liquid-cooled 16-valve inline four-cylinder four-stroke

Displacement: 990cc

Fuel system: fuel injection

Claimed output: over 240 horsepower

Gearbox: six-speed, cassette type

CHASSIS

Frame type: dual beam aluminium

Tyres: Michelin

Wheels: 16.5in front, 16.5in rear

Front brake: 4-pot Brembo, twin carbon discs (dry), twin cast iron discs (wet)

Rear-brake: 2-pot Brembo, single disc

Front suspension: Upside-down Öhlins, multi-adjustable

Rear suspension: Öhlins with rising-rate linkage, multi-adjustable

Race weight: over 145kg

Top speed: over 210mph

YAMAHA YZR-M1

2008

brembo
BRIDGESTONE

Electronics are the prime growth area in MotoGP technology, which is why the M1's front end is a mass of cables and little black boxes. Left handlebar includes buttons for launch control and engine mapping, adjusted mid-race to suit tyre and track conditions.

STUDIO PHOTOS:
TERUTAKA HOASHI/RIDERS CLUB

YAMAHA YZR-M1 2008

MotoGP changed again in 2007, the new 800cc machines replacing the 990s, now deemed too fast to be safe. The 190cc capacity reduction was supposed to reduce speeds but such is the engineering genius in MotoGP that the 800s smashed the lap record at their very first race!

Reason for the 800s' remarkable pace was their huge corner speed. The engines are smaller and lighter (compare the 2004 and 2008 photos), allowing engineers to design nimbler, better-handling machines. The engines also have less torque, requiring riders to use more corner speed for faster corner exits.

The new regulations also blew MotoGP's status quo to smithereens. In 2007 Ducati's GP7 was by far the fastest 800 while Yamaha's M1 handled superbly but was well down on horsepower, so much so that Valentino threatened to walk if the factory didn't turn things around. Yamaha worked so hard that in 2008 the M1 was the best bike, a superbly rider-friendly package that defeated the fast but fiery Ducati.

Main improvements were the all-new 19,000rpm pneumatic-valve engine, which increased power by 12 per cent, and revamped electronics. The M1's engine management system used two gyroscopes, a Magneti Marelli Marvel 4 ECU and radical vehicle dynamics software to calculate tyre contact patch and deliver exactly the right amount of torque at any lean angle, regardless of how much throttle the rider uses.

Also crucial, Valentino switched from Michelin to Bridgestone tyres in 2008. The Japanese tyres use a stiffer construction which allows higher corner-entry and mid-corner speeds. ■

SPECIFICATIONS

Yamaha YZR-M1 2008

ENGINE

Type: liquid-cooled 16-valve inline four-cylinder four-stroke

Displacement: 800cc

Fuel system: fuel injection

Claimed output: 210 horsepower

Gearbox: six-speed, cassette type

CHASSIS

Frame type: dual beam aluminium

Tyres: Bridgestone

Wheels: 16.5in front, 16.5in rear

Front brake: 4-pot Brembo, twin carbon discs (dry), twin cast iron discs (wet)

Rear-brake: 2-pot Brembo, single disc

Front suspension: Upside down Öhlins, multi-adjustable

Rear suspension: Öhlins with rising rate linkage, multi-adjustable

Race weight: over 148kg

Top speed: over 210mph

SETE GIBERNAU

'I've always said you can only ever aspire to being the best rider of your time. No-one can reasonably say who's the best ever because you can't compare riders from different eras. Right now Valentino's the best. He's always had great chances and he's always been able to profit from them, that's what makes him a champion. He's strongest because he wins in every area. To win races you've got to be like that – you've got to be talented, you've got to be mentally strong and you need everything working around you, like the team, plus you need some luck, too. Valentino's got all those things, he's winning and he deserves it.

'But don't ask me about him as a person, I'll only speak about him from a professional point of view, that's about it. I don't know why he's got a problem with me because I've never had a problem with him. I've always had a lot of respect for everyone on the grid, I just wish everyone shared that respect, because once you lose respect you lose everything.'

Gibernau is the grandson of Francesco Bulto, founder of the Bultaco marque (and one of Franco's artillery officers during Spain's civil war), so he comes from a biking family. He got into 250 GPs in the early '90s and graduated to 500s in '97, under the tutelage of former 500 champ Wayne Rainey. He used to be mates with Vale but they had a big falling out in 2004.

▲ If looks could kill. Gibernau ponders what Valentino's all about in a pre-race press conference at the 2005 Chinese GP.
GOLD AND GOOSE

▼ Best mates or sworn rivals, Vale and Gibernau have always raced each other hard. This is Brno 2003, with Troy Bayliss in the mix.
GOLD AND GOOSE

'I don't know why he's got a problem with me'

ROSSI V GIBERNAU

2008 MotoGP World Championship
Rossi 1st — Gibernau did not ride

2007 MotoGP World Championship
Rossi 3rd — Gibernau did not ride

2006 MotoGP World Championship
Rossi 2nd — Gibernau 13th

2005 MotoGP World Championship
Rossi 1st — Gibernau 7th

2004 MotoGP World Championship
Rossi 1st — Gibernau 2nd

2003 MotoGP World Championship
Rossi 1st — Gibernau 2nd

2002 MotoGP World Championship
Rossi 1st — Gibernau 16th

2001 500 World Championship
Rossi 1st — Gibernau 9th

2000 500 World Championship
Rossi 2nd — Gibernau 15th

LORIS CAPIROSSI

'I've always been friendly with Valentino because he's a good guy, though maybe it's easy to be friends with me because I'm a quiet man. I've known him since 1990, because I knew his father. I'd just started doing GPs and he had started minimoto. Every time he came to a bike show or some other event he used to really break my balls – he would come to me and say "please give me a helmet", or "please give me a boot", or "give me a set of leathers"... always. Fucking hell! I remember so well Brno '93, when he came to watch the GP and he slept in my motorhome, he was just a kid then.

'He's really strong and he loves to fight. In 1999 we had a lot of races together, lots of overtaking but always fair, we would look at each other during the race and smile, we had a lot of fun. Sometimes when I beat him he wasn't happy, but after ten minutes he'd be okay. I don't think it's his riding style that makes the difference. At this level everyone is a very good rider, it's his brain that makes the difference, he's very clever.'

Capirossi was GP racing's first teenage superstar. He won the 1990 125 world title aged 17, and he's still the sport's youngest world champ. He raced Rossi in the 1998 and '99 250 championships, then in the 500 and MotoGP series.

▲ When he was a kid Vale was a fan of teenage 125 champ Capirossi. They've remained good mates ever since.
GOLD AND GOOSE

ROSSI RIVALS

The men who've given him the hardest time in 125s, 250s, 500s and MotoGP

▼ Valentino and Capirossi had some of their best battles in the 1999 250 World Championship, when they rode for Aprilia and Honda. Vale beat Capirossi here in Germany and for the title.
GOLD AND GOOSE

ROSSI V CAPIROSSI

2008 MotoGP World Championship
Rossi 1st Capirossi 10th

2007 MotoGP World Championship
Rossi 3rd Capirossi 7th

2006 MotoGP World Championship
Rossi 2nd Capirossi 3rd

2005 MotoGP World Championship
Rossi 1st Capirossi 6th

2004 MotoGP World Championship
Rossi 1st Capirossi 9th

2003 MotoGP World Championship
Rossi 1st Capirossi 4th

2002 MotoGP World Championship
Rossi 1st Capirossi 8th

2001 500 World Championship
Rossi 1st Capirossi 3rd

2000 500 World Championship
Rossi 2nd Capirossi 7th

1999 250 World Championship
Rossi 1st Capirossi 3rd

1998 250 World Championship
Rossi 2nd Capirossi 1st

◀ Two people with not much to say to each other – the Roman Emperor and the Doctor suffer the agony of yet another press conference.

GOLD AND GOOSE

ROSSI V **BIAGGI**

2004 MotoGP World Championship
Rossi 1st Biaggi 3rd

2003 MotoGP World Championship
Rossi 1st Biaggi 3rd

2002 MotoGP World Championship
Rossi 1st Biaggi 2nd

2001 500 World Championship
Rossi 1st Biaggi 2nd

2000 500 World Championship
Rossi 2nd Biaggi 3rd

MAX BIAGGI

'I've never been friends with him. I just go my own way, at least I don't pretend to be his friend like some guys, which is just theatre, like fake friends. I always say it's impossible to have a friendship with a rival. I'm true, whatever I say, I just give my opinion and that's me. If you like me, okay, if you don't like me, okay, but at least I'm true.

'What do I think about his riding technique? I don't see anything very particular, but he's the man to beat. When I see him it just seems he works very well with the package. In 2001 I was the only one who could fight with him. He was very good on the brakes but I think that was because the Honda was always so strong on braking, while we had some front-end problems with the Yamaha. Even so, we gave 100 per cent to be fastest and sometimes we were.'

The self-styled Roman Emperor was Rossi's first big, bad rival, as opposed to the mates he'd played with in 125s and 250s. The two hated each other's guts even before they raced each other. After their infamous punch-up in 2001 the imperious Biaggi explained away a graze on his face with the immortal words: 'A mosquito bit me.'

▼ Through most of their rivalry, Rossi has generally had the best bike. This is Brno 2002, which Biaggi won on the Yamaha M1. That's the late Daijiro Kato in the background.

GOLD AND GOOSE

ROSSI V HAYDEN

2008 MotoGP World Championship	
Rossi 1st	Hayden 6th
2007 MotoGP World Championship	
Rossi 3rd	Hayden 8th
2006 MotoGP World Championship	
Rossi 2nd	Hayden 1st
2005 MotoGP World Championship	
Rossi 1st	Hayden 3rd
2004 MotoGP World Championship	
Rossi 1st	Hayden 8th
2003 MotoGP World Championship	
Rossi 1st	Hayden 5th

◄Valentino chases former team-mate Hayden during practice for the 2005 German GP, the year of Hayden's first GP win.

GOLD AND GOOSE

▼Hayden is always an entertaining speaker, so it's no wonder he's got Valentino enthralled here.

GOLD AND GOOSE

NICKY HAYDEN

'One thing I noticed when we were team-mates is that he looks like it's fun, fun, fun, but once you're in the garage that dude is so serious, so focused. Everything seems perfect, right down to the windscreen sticker and the colour of his boots. He doesn't overlook anything and that's a big part of it.

'More than anything it's the racer in him that makes him so strong, it's obvious he wants to win. He's got a lot of natural talent but I know a lot of guys with natural talent and it gets some guys in trouble. It's the whole package that makes him strong: the desire, the focus, the talent.

'I think sometimes maybe he's not as laidback as he comes across. He knows what to say and when to say it to make it look like things aren't really getting to him. He knows how to play it, on the bike and off the bike.

'On track he's aggressive but totally clean and he definitely has a lot of tactics. He knows when he wants to race just one guy, how to separate groups, how to slow guys down. I'd say his biggest strength is that he can adapt. If the tyres go off he can slide, when the bike need to be ridden in line he can ride in line.'

Former US Superbike champ Hayden was the first man to steal the MotoGP title from Valentino in 2006. The pair were Honda team-mates in 2003, Hayden's debut GP year.

'Once you're in the garage that dude is so serious, so focused'

CASEY STONER

'I think the mistake is to put somebody on a pedestal. That's not the way to go racing. Setting your target on one rider is the biggest mistake you can make. For me, every weekend, it's about who's going to be quickest. Sometimes it's Valentino, other times it's Dani [Pedrosa] or me or Jorge [Lorenzo]. When you're in practice you set your target on the track, and in the race you set your target either on the track, if you're in first place, or if you're not then on whoever's giving you the most grief. It's as simple as that.

'When I said stuff about Valentino after the race at Laguna 2008 some people didn't see eye to eye with me, but they weren't on the bike. Some of those moves that he pulled were a bit out of order – I love a good race and a good battle, but that was a little bit too much. I didn't rattle me though, I've never been rattled in my life.'

Arguably the toughest rival Valentino has faced during his GP career, Stoner was an Aussie dirt track sensation when he was a kid. He made an instant impression when he started GPs in 2002, aged 16. After winning 125 and 250 GPs he graduated to MotoGP in 2006 and took pole position in only his second race. Stoner and Valentino have immense mutual respect for each other; Vale was once moved to say that 'Casey rides like a god'.

▲ Stoner has just won a masterful victory at a rain-lashed Sachsenring in 2008. Vale offers his congratulations.
GOLD AND GOOSE

'I think the mistake is to put somebody on a pedestal'

ROSSI V **STONER**

2008 MotoGP World Championship
Rossi 1st Stoner 2nd

2007 MotoGP World Championship
Rossi 3rd Stoner 1st

2006 MotoGP World Championship
Rossi 2nd Stoner 8th

◄ Valentino's just won the 2009 Jerez GP, so Stoner gets his podium revenge with a bottle of fizz.
KEULEMANS

JORGE LORENZO

'Everything depends on your attitude. When you are Valentino's team-mate it can be a negative, if you say 'Valentino is the quickest rider in the world, but I am new, so I can't beat him'. Or you can say, 'It's a good opportunity to be with a rider from whom you can learn some things'. For me it's a positive, I always look to be positive with everything I do in my life. For me, I respect Valentino very much. Every time I see him I'm very proud to be in the same team

'The most important thing is to be very proud of yourself and very confident and very positive, then things will come true. That's the way it is. I think a rider has to be very proud of himself, like Muhammad Ali, you know. I don't compare myself with Muhammad Ali, because Cassius Clay was the greatest sportsman ever, but I always look to him as a good example of how to be a sportsman.

'I'm a very competitive person, that's for sure. I want to win every time I come to a race. I want to learn so I can get rid of the handicaps I have and take more profit of the advantages I have. I know the only way in life is hard work and I will do the maximum to reach my goal.'

Jorge Lorenzo won back-to-back 250 world titles with Aprilia before joining Valentino at Fiat Yamaha in 2008. He was instantly mega-fast on the YZR-M1 but developed a bad habit for bone-crunching crashes. He is Valentino's toughest-ever team-mate.

'When you are Valentino's team-mate it can be a negative'

ROSSI V **LORENZO**
2008 MotoGP World Championship
Rossi 1st Lorenzo 4th

▲Valentino celebrates after outfoxing Lorenzo at the final turn of the 2009 Catalan GP. Lorenzo just about manages a smile.
GOLD AND GOOSE

◄Showing the master how it's done. Lorenzo has eight years less elite-class experience, and yet Vale has called his riding 'fortissimo'.
GOLD AND GOOSE

Because even a genius gets it wrong now and again

ROSSI DOWN

This is the moment Vale thought he'd thrown away the 2004 World Championship. Struggling to stay with the faster Hondas at Rio, he finally pushed his M1 beyond the brink. But he learned plenty from this crash: when the bike ain't right, it's better to score a few points than none.

PAULICEK/MPA FOTO

'In my mind I try to ride fast, then make mistake. I need this for go faster, is a system'

▲ Sitting on his arse again – Valentino crashed way too many times during his debut GP season in '96. As his team boss Giampiero Sacchi recalls: 'Many came from Vale just not thinking; the tyres: cold! Give gas: crash!'

GOLD AND GOOSE

► Racers always have to learn the hard way – Vale gets ejected from his Honda NSR while battling with Garry McCoy and Kenny Roberts Junior (2) at Sepang, April 2000. This was his second 500 GP and his second tumble.

BARSHON

▼ Honda's RCV is such a rider-friendly tool that Vale only crashed it a few times. This minor tumble, during practice for the 2003 German GP, was his first in more than a year and over 9000 miles of riding.

GOLD AND GOOSE

▲ The end of Valentino's Hawaiian dream. Leaving his own wake on the soaking Mugello track, Vale crashes out of the 2001 Italian GP. He'd been trying too hard to catch the leaders.

GPMP

◀Even after Vale had mastered 500s, the NSR could still creep up and bite him when he was least expecting it. He survived this get-off at Phillip Island in 2001 to secure the 500 title the following day.
MILAGRO

▲ Vale makes an ignominious exit, eating the Le Mans dirt during morning warm-up for the 2004 French GP. Struggling with handling problems, he recovered to finish fourth.

MILAGRO

▲ Valentino reckons this tumble marks his career's lowest ebb. Despite a crash-ridden start to his debut 250 season in '98, he still had a chance of the title, until this crash, just four corners into the Czech GP.

GOLD AND GOOSE

▼ What a difference a year makes. Valentino won Jerez 2005 with a do-or-die move on Gibernau at the very last corner. A year later he was knocked out of the season-opening Jerez GP at the very first corner after getting tagged by Toni Elias. Vale got going again to finish 14th. It could have been so much worse – check how close Elias came to running him over…

GOLD AND GOOSE/MILAGRO

CINZANO

CAMEL
REPSOL
HONDA
Fortuna
valsir
Fortuna
valsir
Castrol
HONDA

'60s LEGEND
GIACOMO AGOSTINI

'Mother nature gives you this kind of talent. His dad rode for my team once – he wasn't so bad but not like his son. He started racing as a young boy, just doing what he liked doing, playing around, and now he's doing the same but in a different way. He has everything you need to win – courage, sensitivity with the bike, and so on.

'He's fantastic and he's the best rider out there. He proved that to everybody by changing factories. But it's stupid to ask if he's the best ever. How can you say he's better than Mike Hailwood? To compare them is impossible.'

Ago is the most successful rider of all, with 15 world titles and more than 120 GP wins. He ruled the '60s and kept winning into the '70s. The Italian heartthrob also starred in some movies, then went into team management.

'70s LEGEND
KING KENNY ROBERTS

'The biggest problem with beating Valentino is that he doesn't mind getting beat. To be a good winner you've got to be a good loser. Some days he'll take third, if there's any chance of overcooking it. What keeps him winning is the fact that he loves it all: racing, practice, testing. But is he the greatest? I don't know, I don't think you can classify anyone like that.

'He rides a bit too close to the limit sometimes, but if he can get away with it, more power to him. It's just his natural ability coming through more than thinking about it: "Okay, I'm going to win this".'

King Kenny Roberts was the first American to win the 500 World Championship, in 1978, using tail-sliding dirt track techniques. He won a hat trick of titles, became a team manager and now builds his own MotoGP bikes.

'Mother nature gives you this kind of talent'

Giacomo Agostini

▼Charm offensive: 60s Italian heartthrob Giacomo Agostini chats to 21st century heartthrob Vale on the grid at Mugello, 2003.
KEULEMANS

►Eddie Lawson was a smooth, deep-thinking rider, just like Valentino.
GOLD AND GOOSE

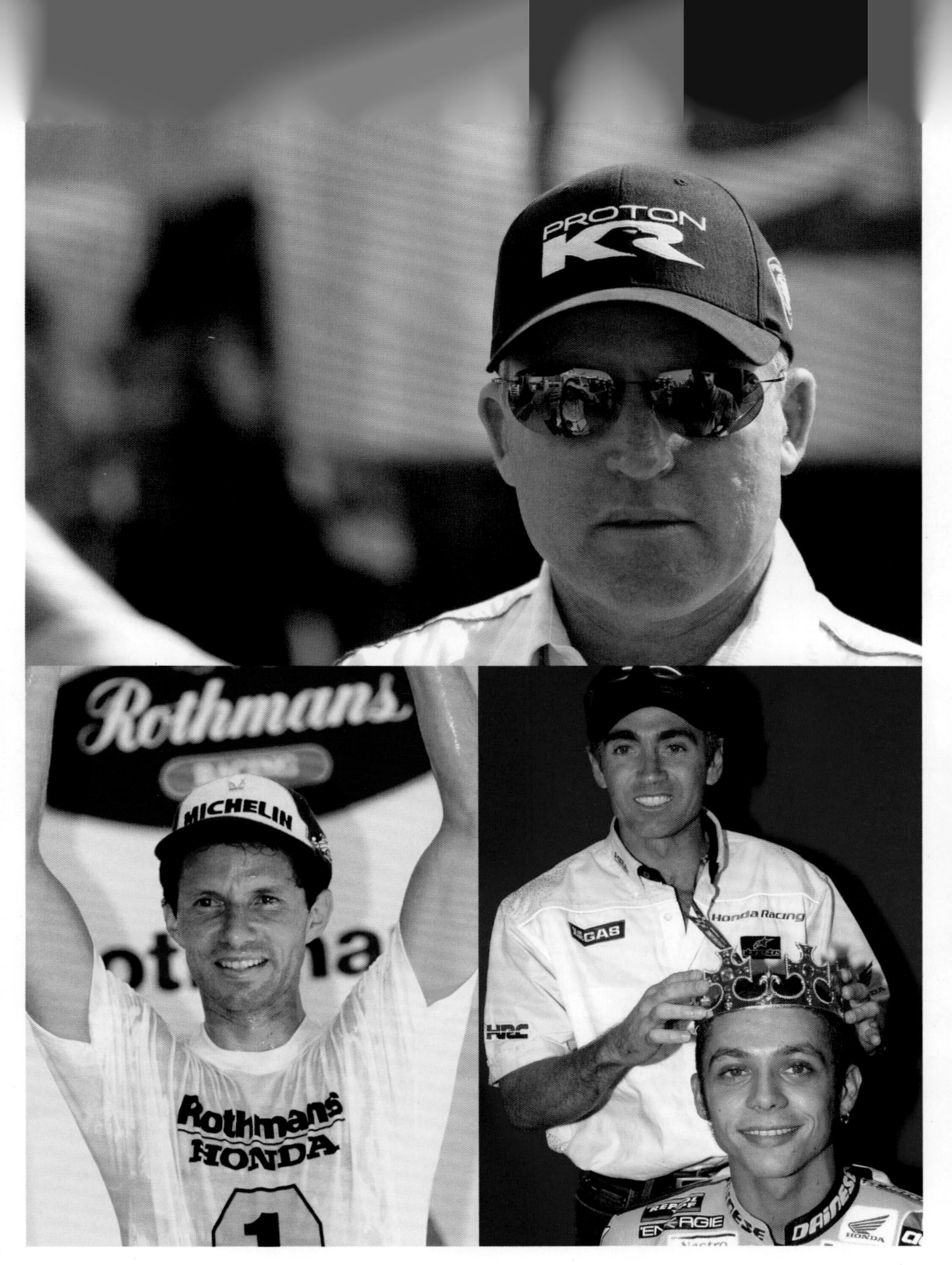

◀ No-one understands bike racing and bike riding like King Kenny does.

GOLD AND GOOSE

▼ The king is dead, long live the king! Mick Doohan hadn't been long gone from GPs before a worthy successor to his crown was found.

MILAGRO

ROSSI VERSUS HISTORY

Is he the greatest racer ever? The legends of the '60s, '70s, '80s and '90s decide…

'80s LEGEND
EDDIE LAWSON

'He could be the best ever but it's hard to compare different times. I'm impressed by the guy because he goes fast all the time. He just seems to have the combination of everything where he can ride fast when it's hot, when it's cold, when he doesn't like the track, when it's raining... He's always fast, whereas the other guys seem like they're "I'm from Spain, so I'll go fast when I'm in Spain". Plus he thinks about stuff and he's dedicated.

'I like the way he rides. He's in control, he doesn't want the bike sliding or wobbling because you go fast with momentum, not by being on the ragged edge.'

Four-time 500 champ Lawson was the first man to win consecutive 500 titles on different bikes, in 1988/1989, quitting Yamaha for Honda. 'Steady Eddie' was a thinking man's racer, known for smooth riding.

'90s LEGEND
MICK DOOHAN

'Valentino is immensely talented as far as riding a motorcycle goes, but he also has the capacity to think his way through a race. He doesn't get too flustered, he gets going when he needs to, then pulls off the fastest lap on the last lap to win. But if it's the last lap and he's going to finish second, that's where he finishes, he doesn't pitch it down the road. He's well ahead of the bike while the other guys are struggling to keep up with them. So, yes, he's an extremely talented rider, but is he more talented than Eddie Lawson or Kenny Roberts? I don't know, I don't think I can really answer that one.'

Doohan ruled the '90s, winning five back-to-back 500 crowns. After he retired Rossi inherited his pit crew. As HRC general manager, Doohan offered advice to Rossi during his first years on big bikes.

▲ The start of a new life? Valentino amazed the F1 paddock with his speed when he tested alongside F1's big boys at Valencia in January 2006. But he was less impressed with F1. He hated the uptight paddock atmosphere and the pressure from the media, but most of all he hated the racing. 'This is a sport for engineers, not for racers,' he said later.

MOTOCICLISMO/JUAN PEDRO DE LA TORRE

► Dear oh dear. Vale clambers out of his beached Ferrari on the damp first day of the Valencia tests. But he got faster and faster over the next two days. In the end, though, he decided to stick with bike racing because it's more fun.

MILAGRO

◀ Keeping his date with destiny, Vale starts his first WRC event, the Rally of Great Britain, November 2002. He crashed out on the first stage but don't be surprised if he goes rallying after bikes – he prefers it to F1.

DOUBLE RED

AUTO ROSSI

Valentino started racing on four wheels and almost switched to F1 with Ferrari

◀ Possibly his greatest achievement during the Valencia F1 tests – making Ferrari legend Michael Schumacher laugh while wearing his work clothes. Having a laugh isn't actually banned in F1 but…

MOTOCICLISMO/JUAN PEDRO DE LA TORRE

▲ Enjoying a little R&R a few weeks after losing the 2006 MotoGP title, Vale battles his Subaru Impreza during a stage of the Rally New Zealand at Mystery Creek.
FRANCOIS BAUDIN/DPPI

► It's not difficult to see how much he enjoys rallying! In the background is faithful co-driver Carlo Cassina.
FRANCOIS FLAMAND/DPPI

'Rally is a lot of fun – more wild than motorcycle racing'

Valentino loves rallying because it's looser than F1, both literally and figuratively, and because when he was a kid he spent many a weekend hurtling round the local gravel pit in beaten-up rally cars with his dad, playing the game of throttle versus traction. He's good at it too – in 2006 he took a creditable 11th place in Rally New Zealand.

'Driving rally cars is a lot of fun, a lot of sliding. In circuit racing the most important thing is precision and perfection. In rally it is control which is most important, so it's fun. I think it is more wild than motorcycle racing. It's so different, you're driving out in the country, with the mechanics working on the cars in the dirt. But I do not know if rally is what I will do when I stop bikes. I like also circuit racing and I think I have a better potential there because I know the circuits. I don't know what kind of car racing, I haven't decided yet, maybe touring cars. Anyway, I hope to have ten years of extra career in cars when I stop with bikes.'

▲ Vale looks relaxed, almost too relaxed as he tackles the New Zealand landscape.

FRANCOIS BAUDIN/DPPI

ROSSI'S 'STRIKE RATE'

PREMIER-CLASS WINS [MODERN ERA: 1975-2006]

	RIDER	STARTS	WINS	WINNING %
1	Valentino Rossi	160	75	46.9%
2	Mick Doohan	137	54	39.4%
3	Kenny Roberts (Snr)	58	22	37.9%
4	Freddie Spencer	62	20	32.3%
5	Casey Stoner	62	18	29.0%
6	Wayne Rainey	83	24	28.9%
7	Eddie Lawson	127	31	24.4%
8	Kevin Schwantz	104	25	24.0%
9	Barry Sheene	98	19	19.4%
10	Wayne Gardner	102	18	17.6%

PREMIER-CLASS WINS [ALL GPs: 1949-2006]

	RIDER	STARTS	WINS	WINNING %
1	John Surtees	34	22	64.7%
2	Giacomo Agostini	119	68	57.1%
3	Mike Hailwood	65	37	56.9%
4	Valentino Rossi	160	75	46.9%
5	Geoff Duke	55	22	40.0%
6	Mick Doohan	137	54	39.4%
7	Gary Hocking	21	8	38.1%
8	Kenny Roberts (Snr)	58	22	37.9%
9	Freddie Spencer	62	20	32.3%
10	Casey Stoner	62	18	29.0%

PREMIER-CLASS PODIUMS [MODERN ERA: 1975-2006]

	RIDER	STARTS	PODIUMS	PODIUM %
1	Wayne Rainey	83	64	77.1%
2	Valentino Rossi	160	123	76.9%
3	Mick Doohan	137	95	69.3%
4	Kenny Roberts (Snr)	58	39	67.2%
5	Eddie Lawson	127	78	61.4%
6	Jorge Lorenzo	27	14	51.9%
7	Dani Pedrosa	62	32	51.6%
8	Wayne Gardner	102	52	51.0%
9	Freddie Spencer	62	31	50.0%
	Casey Stoner	62	31	50.0%
	Pat Hennen	24	12	50.0%

PREMIER-CLASS PODIUMS [ALL GPs: 1949-2006]

	RIDER	STARTS	PODIUMS	PODIUM %
1	Wayne Rainey	83	64	77.1%
2	Valentino Rossi	160	123	76.9%
3	Giacomo Agostini	119	88	73.9%
4	Mike Hailwood	65	48	73.8%
5	John Surtees	34	24	70.6%
6	Mick Doohan	137	95	69.3%
7	Kenny Roberts (Snr)	58	39	67.2%
8	Phil Read	53	34	64.2%
9	Eddie Lawson	127	78	61.4%
10	Geoff Duke	55	32	58.2%

PREMIER-CLASS POLES [MODERN ERA: 1975-2006]

	RIDER	STARTS	POLES	POLE %
1	Mick Doohan	137	58	42.3%
2	Freddie Spencer	62	26	41.9%
3	Johnny Cecotto	34	11	32.4%
4	Kenny Roberts (Snr)	58	18	31.0%
5	Jorge Lorenzo	27	8	29.6%
6	Valentino Rossi	160	45	28.1%
7	Kevin Schwantz	104	29	27.9%
8	Casey Stoner	62	16	25.8%
9	Dani Pedrosa	62	12	19.4%
10	Wayne Gardner	102	19	18.6%

ANORAKS' CORNER

■ Valentino has never missed a GP since making his debut in Malaysia in March 1996. The 2009 British GP was his 220th successive GP race in all classes and his 160th successive race in the premier-class; both of these are records. ■ When he won the 500cc world title in 2001 he became only the third rider to win crowns in three different classes, after Phil Read (125, 250 and 500) and Mike Hailwood (250, 350 and 500). ■ Valentino Rossi is the only rider to have won World Championships in four classes: 125, 250, 500 and MotoGP. ■ Vale and Giacomo Agostini are the only two rider to have won premier-class titles on both 2-stroke and 4-stroke machinery. ■ His win at the 2004 season-opening GP made him the first rider to take back-to-back premier-class victories on different makes of bike. ■ In 2004 he became only the second rider to win back-to-back premier-class titles on different makes of machinery. Eddie Lawson was the first, winning on a Yamaha in 1988 and a Honda in 1989. ■ Valentino is the only rider to have scored five successive premier-class victories on a Yamaha. ■ His eleven wins in 2005 is the highest number of premier-class victories in a single season by a Yamaha rider. ■ He is the only rider in history to have won five or more successive races on two different makes of bike. ■ He holds the record for successive premier-class podiums, scoring 23 successive top-three results from Portugal 2002 to South Africa 2004. Agostini was the previous record holder with 22 top-three finishes during the 1967, 1968 and 1969 seasons. ■ Valentino had the honour of scoring the 500th GP victory for Honda when he won the Japanese 500cc GP in April 2001. ■ He became the youngest ever rider to win the 250cc World Championship when he took the title in 1999. ■ Valentino finished on the podium at all 16 races in 2003, a record for number of podiums in a single season. ■ Rossi's 373 points total in 2008 is the most points ever scored in a single season. ■ He is the only rider to win the premier-class title on four different types of motorcycle: 500cc 2-stroke Honda, 990cc 4-stroke Honda, 990cc 4-stroke Yamaha, 800cc 4-stroke Yamaha. ■ He is Yamaha's most successful rider of all-time with 42 race victories on their bikes. ■ His 75 race victories in the premier-class is more than any other rider in the 61-year history of Grand Prix racing. ■ He is the only rider to have stood on the podium in premier-class on more than 100 occasions. ■ He has been on the podium 159 times across all classes which equals the all-time record number of podiums achieved by Giacomo Agostini. ■ Valentino Rossi is the only rider to have won at least one GP in 14 successive seasons.

Only riders with a minimum of 20 starts are included in the tables on this page

ROSSI'S CAREER STATISTICS

MotoGP RESULTS

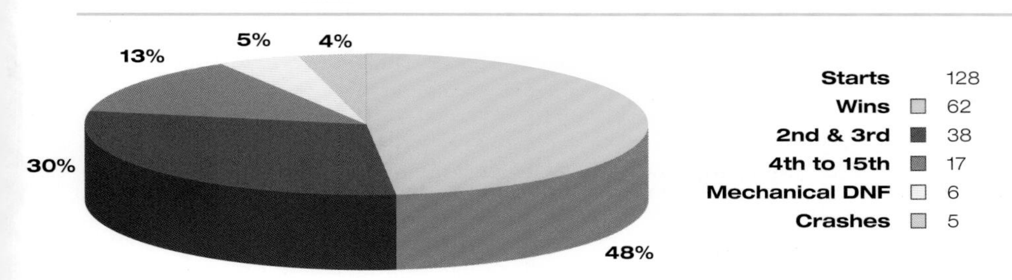

500 RESULTS

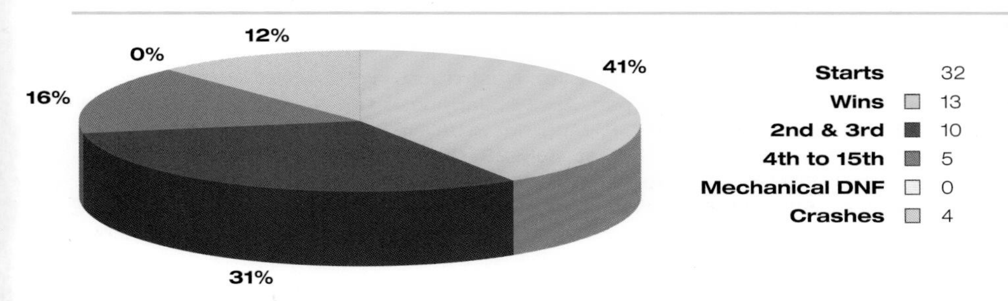

250 RESULTS

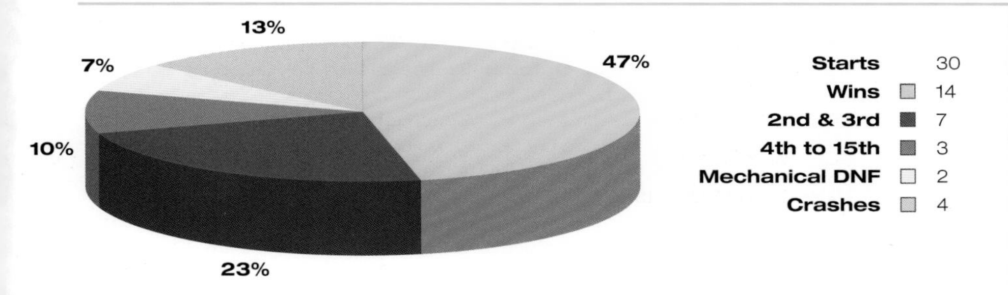

125 RESULTS

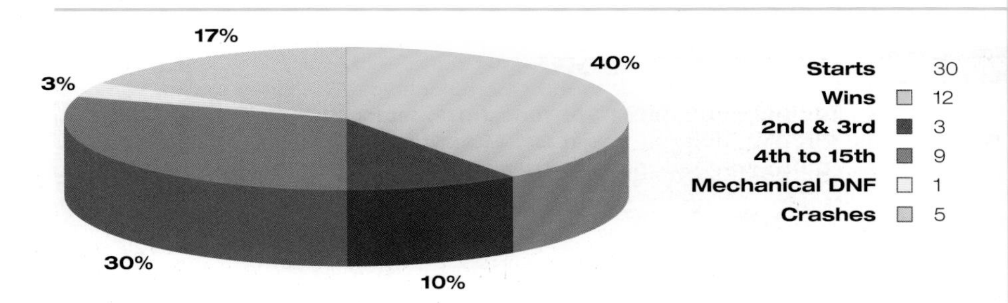

COMBINED RESULTS (ALL CLASSES)

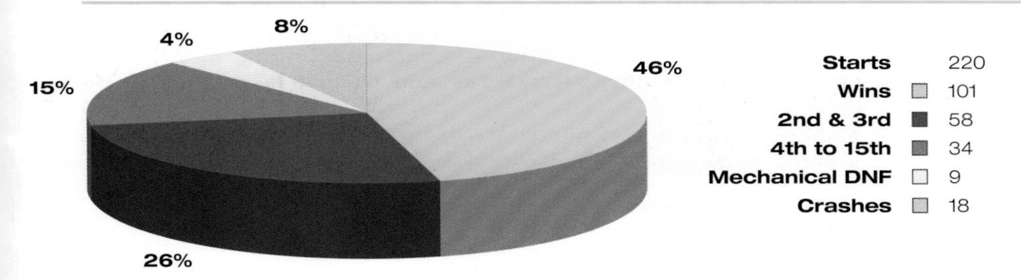

ROSSI BY NUMBERS

Awesome statistics that prove the man's genius

ALL STATISTICS COMPILED BY DR MARTIN RAINES, AUGUST 2009

ROSSI RESULTS

1996 125 World Championship: 9th. Bike: AGV Aprilia RS125R - March 31, Malaysian GP, Shah Alam: 13th/6th. April 7, Indonesian GP, Sentul: 18th/11th. April 21, Japanese GP, Suzuka: 10th/11th. May 12, Spanish GP, Jerez: 7th/4th. May 26, Italian GP, Mugello: 8th/4th. June 9, French GP, Paul Ricard: 13th/DNF, crash, FL. June 29, Dutch GP, Assen: 8th/DNF, crash. July 7, German GP, Nürburgring: 4th/5th July 21, British GP, Donington Park: 9th/DNF, mech. August 4, Austrian GP, A1-Ring: 3rd/3rd. August 18, Czech GP, Brno: pole/1st. September 9, City of Imola GP, Imola: 2nd/5th, FL. September 15, Catalan GP, Catalunya: 5th/DNF, crash. October 6, Rio GP, Jacarepagua: 11th/DNF, crash. October 20, Australian GP, Eastern Creek: 12th/14th. 1997 125 World Championship: 1st. Bike: Nastro Azzurro Aprilia RS125R – April 13, Malaysian GP, Shah Alam: pole/1st, FL. April 20, Japanese GP, Suzuka: 7th/DNF, crash. May 4, Spanish GP, Jerez: 6th/1st, FL. May 18, Italian GP, Mugello: 3rd/1st. June 1, Austrian GP, A1-Ring: 2nd/2nd, FL. June 8, French GP, Paul Ricard: 3rd/1st. June 28, Dutch GP, Assen: pole/1st. July 6 City of Imola GP, Imola: pole/1st, FL. July 20, German GP, Nürburgring : pole/1st. August 3, Rio GP, Jacarepagua: 2nd/1st, FL. August 17, British GP, Donington Park: 4th/1st, FL. August 31, Czech GP, Brno: 3rd/3rd. September 14, Catalan GP, Catalunya: 4th/1st. September 29, Indonesian GP, Sentul: 4th/1st, FL. October 5, Australian GP, Phillip Island: 3rd/6th. **1998 250 World Championship: 2nd. Bike: Nastro Azzurro Aprilia RSW250 - April 5, Japanese GP, Suzuka: 7th/DNF, mech. April 19, Malaysian GP, Johor: 2nd/DNF, crash, FL. May 3, Spanish GP, Jerez: 3rd/2nd. May 17, Italian GP, Mugello: 4th/2nd. May 31, French GP, Paul Ricard: 3rd/2nd. June 14, Madrid GP, Jarama: 4th/DNF, crash. June 27, Dutch GP, Assen: 3rd/1st. July 5, British GP, Donington Park: 2nd/DNF, crash. July 19, German GP, Sachsenring: 4th/3rd. August 23, Czech GP, Brno: 2nd/DNF, crash. September 6, City of Imola GP, Imola: 5th/1st. September 20, Catalan GP, Catalunya: 2nd/1st, FL. October 4, Australian GP, Phillip Island: 2nd/1st. October 25, Argentine GP, Buenos Aires: 3rd/1st, FL** 1999 250 World Championship: 1st. Bike: Nastro Azzurro Aprilia RSW250 – April 18, Malaysian GP, Sepang : pole/5th. April 25, Japanese GP, Motegi: 11th/7th. May 9, Spanish GP, Jerez: 3rd/1st. May 23, French GP, Paul Ricard: pole/DNF, mech, FL. June 6, Italian GP, Mugello: 6th/1st, FL. June 20, Catalan GP, Catalunya: 2nd/1st, FL. June 26, Dutch GP, Assen: pole/2nd, FL. July 4, British GP, Donington Park: 3rd/1st. July 18, German GP, Sachsenring: pole/1st. August 28, Czech GP, Brno: 3rd/1st, FL. September 5, City of Imola GP, Imola: 3rd/2nd. September 19, Valencia GP, Valencia: 4th/8th. October 3, Australian GP, Phillip Island: 7th/1st, FL. October 10, South African GP, Welkom: 6th/1st, FL. October 24, Rio GP, Jacarepagua: 2nd/1st, FL. October 31, Argentine GP, Buenos Aires: pole/3rd. **2000 500 World Championship: 2nd. Bike: Nastro Azzurro Honda NSR500 - March 19, South African GP, Welkom: 5th/DNF, crash, FL. April 2, Malaysian GP, Sepang: 7th/DNF, crash. April 9, Japanese GP, Suzuka: 13th/11th. April 30, Spanish GP, Jerez: 2nd/3rd. April 14, French GP, Le Mans: 10th/3rd, FL. May 28, Italian GP, Mugello: 3rd/DNF, crash. June 11: Catalan GP, Catalunya: 9th/3rd. June 24, Dutch GP, Assen: 6th/6th. July 9, British GP, Donington Park: 4th/1st. July 23, German GP, Sachsenring: 6th/2nd. August 20, Czech GP, Brno: 5th/2nd. September 3, Portuguese GP, Estoril: 12th/3rd, FL. September 17, Valencia GP, Valencia: 5th/DNF, crash. October 7, Rio GP, Jacarepagua: 4th/1st, FL.October 15, Pacific GP, Motegi: 5th/2nd, FL. October 29, Australian GP, Phillip Island: 8th/3rd.** 2001 500 World Championship: 1st. Bike: Nastro Azzurro Honda NSR500 – April 8, Japanese GP, Suzuka: 7th/1st. April 22, South African GP, Welkom: pole/1st, FL. May 6, Spanish GP, Jerez: pole/1st, FL. May 20, French GP, Le Mans: 3rd/3rd. June 3, Italian GP, Mugello: pole/DNF, crash, FL. June 17, Catalan GP, Catalunya: pole/1st, FL. June 30, Dutch GP, Assen: 3rd/2nd, FL. July 8, British GP, Donington Park: 11th/1st, FL. July 22, German GP, Sachsenring: 11th/7th. August 26, Czech GP, Brno: 2nd/1st, FL. September 9, Portuguese GP, Estoril: 3rd/1st. September 23, Valencia GP, Valencia: 2nd/11th. October 7, Pacific GP, Motegi: 4th/1st, FL. October 14, Australian GP, Phillip Island: 2nd/1st. October 21, Malaysian GP, Sepang: 2nd/1st, FL. November 3, Rio GP, Jacarepagua: 5th/1st,FL. **2002 MotoGP World Championship: 1st. Bike: Repsol Honda RC211V - April 7, Japanese GP, Suzuka: pole/1st, FL. April 21, South African GP, Welkom: pole/2nd. May 5, Spanish GP, Jerez: pole/1st, FL. May 19, French GP, Le Mans: pole/1st, FL. June 2, Italian GP, Mugello: pole/1st. June 16, Catalan GP, Catalunya: 4th/1st, FL. June 29, Dutch TT, Assen: pole/1st, FL. July 14, British GP, Donington Park: pole/1st, FL. July 21, German GP, Sachsenring: 6th/1st, FL. August 25, Czech GP, Brno: 3rd/DNF, mech. September 8, Portuguese GP, Estoril: 3rd/1st, FL. September 21, Rio GP, Jacarepagua: 2nd/1st. October 6, Pacific GP, Motegi: 6th/2nd. October 31, Malaysian GP, Sepang: 8th/2nd. October 20, Australian GP, Phillip Island: 7th/1st, FL. November 3, Valencia GP, Valencia: 6th/2nd.** 2003 MotoGP World Championship: 1st. Bike: Repsol Honda RC211V – April 6, Japanese GP, Suzuka: pole/1st, FL. April 27, South African GP, Welkom: 2nd/2nd, FL. May 11, Spanish GP, Jerez: 5th/1st, FL. May 25, French GP, Le Mans: pole/2nd. June 8, Italian GP, Mugello: pole/1st. June 15, Catalan GP, Catalunya: pole/2nd, FL. June 28, Dutch TT, Assen: 3rd/3rd. July 13, British GP, Donington Park: 4th/3rd, FL. July 27, German GP, Sachsenring: 4th/2nd. August 17, Czech GP, Brno: pole/1st, FL. September 7, Portuguese GP, Estoril: 3rd/1st, FL. September 20, Rio GP, Jacarepagua: pole/1st. October 5, Pacific GP, Motegi: 3rd/2nd, FL. October 12, Malaysian GP, Sepang: pole/1st, FL. October 19, Australian GP, Phillip Island: pole/1st, FL. November 2, Valencia GP, Valencia: pole/1st, FL. **2004 MotoGP World Championship: 1st. Bike: Gauloises Yamaha YZR-M1 - April 18, South African GP, Welkom: pole/1st. May 2, Spanish GP, Jerez: pole/4th. May 16, French GP, Le Mans: 4th/4th. June 6, Italian GP, Mugello: 3rd/1st. June 13, Catalan GP, Catalunya: 2nd/1st. June 26, Dutch TT, Assen: pole/1st, FL. July 4, Rio GP, Jacarepagua: 8th/DNF, crash. July 18, German GP, Sachsenring: 2nd/4th. July 25, British GP, Donington Park: pole/1st. August 22, Czech GP, Brno: 3rd/2nd. September 5, Portuguese GP, Estoril: 2nd/1st, FL. September 9, Japanese GP, Motegi: 3rd/2nd. October 2, Qatar GP, Losail: 8th/DNF, crash. October 10, Malaysian GP, Sepang: pole/1st, FL. October 17, Australian GP, Phillip Island: 2nd/1st. October 31, Valencia GP, Valencia: 3rd/1st.** 2005 MotoGP World Championship. Bike: Gauloises Yamaha YZR-M1 – April 10, Spanish GP, Jerez: 1st/1st, FL. April 17, Portuguese GP, Estoril: 4th/2nd. May 1, Chinese GP, Shanghai: 6th/1st. May 15, French GP, Le Mans: 1st/1st, FL. June 5, Italian GP, Mugello: 1st/1st. June 12, Catalan GP, Catalunya: 3rd/1st, FL. June 25, Dutch TT, Assen: pole/1st. FL. July 10, US GP, Laguna Seca: 2nd/3rd. July 24, British GP, Donington Park: pole/1st, FL. July 31, German GP, Sachsenring: 4th/1st. August 28, Czech GP, Brno: 4th/1st, FL. September 18, Japanese GP, Motegi: 11th/DNF. September 25, Malaysian GP, Sepang: 7th/2nd. October 1, Qatar GP, Losail: 3rd/1st. October 16, Australian GP, Phillip Island: 2nd/1st. October 23, Turkish GP, Istanbul Park: 4th/2nd. November 6, Valencia GP, Valencia: 15th/3rd. **2006 MotoGP World Championship. 2nd. Bike: Camel Yamaha YZR-M1 - March 26, Spanish GP, Jerez: 9th/14th. April 8, Qatar GP, Losail: 6th/1st, FL. April 30, Turkish GP, Istanbul Park: 11th/4th. May 14, Chinese GP, Shanghai: 13th/DNF, mech. May 21, French GP, Le Mans: 7th/DNF. June 4, Italian GP, Mugello: 3rd/1st. June 18, Catalan GP, Catalunya: pole/1st. June 24, Dutch TT, Assen: 18th/8th. July 2, British GP, Donington Park: 12th/2nd. July 16, German GP, Sachsenring: 11th/1st. July 23, US GP, Laguna Seca: 10th/DNF. August 20, Czech GP, Brno: 1st/2nd. September 10, Malaysian GP, Sepang: 1st/1st. September 17, Australian GP, Phillip Island: 3rd/3rd. September 24, Japanese GP, Motegi: 2nd/2nd. October 15, Portuguese GP, Estoril: 1st/2nd. October 29, Valencia GP, Valencia: 1st/13th.** 2007 MotoGP World Championship. 3rd. Bike: Fiat Yamaha YZR-M1 – March 10, Qatar GP, Losail: 1st/2nd. March 25, Spanish GP, Jerez: 2nd/1st. April 22, Turkish GP, Istanbul: 1st/10th. May 6, Chinese GP, Shanghai: 1st/2nd. May 20, French GP, Le Mans: 4th/6th. June 3, Italian GP, Mugello: 3rd/1st. June 10, Catalan GP, Catalunya: 1st/2nd. June 24, British GP, Donington Park: 2nd/4th. June 30, Dutch TT, Assen: 11th/1st. July 15, German GP, Sachsenring: 6th/18th. July 22, US GP, Laguna Seca: 5th/4th. August 19, Czech GP, Brno: 6th/7th. September 2, San Marino GP, Misano: 2nd/DNF. September 16, Portuguese GP, Estoril: 3rd/1st. September 19, Japanese GP, Motegi: 2nd/13th. October 14, Australian GP, Phillip Island: 2nd/3rd. October 21, Malaysian GP, Sepang: 9th/5th. November 4, Valencian GP, Valencia: 17th/DNF. **2008 MotoGP World Championship. 1st. Bike: Fiat Yamaha YZR-M1 - March 9, Qatar GP, Losail: 7th/5th. March 30, Spanish GP, Jerez: 5th/2nd. April 13, Portuguese GP, Estoril: 3rd/3rd. May 4, Chinese GP, Shanghai: 2nd/1st. May 18, French GP, Le Mans: 4th/1st. June 1, Italian GP, Mugello: 1st/1st. June 8, Catalan GP, Catalunya: 9th/2nd. June 24, British GP, Donington Park: 2nd/2nd. June 28, Dutch TT, Assen: 3rd/11th. July 13, German GP, Sachsenring: 7th/2nd. July 20, US GP, Laguna Seca: 2nd/1st. August 17, Czech GP, Brno: 2nd/1st. August 31, San Marino GP, Misano: 2nd/1st. September 14, Indianapolis GP, Indianapolis: 1st/1st. September 28, Japanese GP, Motegi: 4th/1st. October 5, Australian GP, Phillip Island: 12th/2nd. October 19, Malaysian GP, Sepang: 2nd/1st. October 26, Valencian GP, Valencia: 10th/3rd.** 2009 MotoGP World Championship. Bike: Fiat Yamaha YZR-M1 – April 13, Qatar GP, Losail: 2nd/2nd. April 26, Japanese GP, Motegi: 1st/2nd. May 3, Spanish GP, Jerez: 4th/1st. May 17, French GP, Le Mans: 4th/16th. May 31, Italian GP, Mugello: 4th/3rd. June 14, Catalan GP, Catalunya: 2nd/1st. June 27, Dutch TT, Assen: 1st/1st. July 5, US GP, Laguna Seca: 2nd/2nd. July 19, German GP, Sachsenring: 1st/1st. July 26, British GP, Donington Park: 1st/5th. August 16, Czech GP, Brno: 1st/1st. And so on and so forth… ■

VALENTINO ROSSI: Grand Prix results 1997-2009

Grid/race results. FL = fastest lap.
DNF = did not finish. Mech = machine failure.